Mark J. Bowman

3 July 1997

Juntacadáveres
El astillero

Juan Carlos
ONETTI

Juntacadáveres
El astillero

PLANETA-AGOSTINI

Dirección editorial: R. B. A. Proyectos Editoriales, S. A.

Córcega, 273-277, 08008 Barcelona (España)
Depósito legal: B. 9.062-1985
ISBN 84-7551-417-0
Printed in Spain - Impreso en España
Distribución: Marco Ibérica, Distribuidora de Ediciones, S.A.
Carretera de Irún, km 13,350, variante de Fuencarral, Madrid-34
Impresión: CAYFOSA, carretera de Caldas, km 3,700
Santa Perpètua de Mogoda, Barcelona

Juntacadáveres

Para SUSANA SOCA:
Por ser la más desnuda forma de la piedad
que he conocido; por su talento.

I

Resoplando y lustroso, perniabierto sobre los saltos del vagón en el ramal de Enduro, *Junta* caminó por el pasillo para agregarse al grupo de tres mujeres, algunos kilómetros antes de que el tren llegara a Santa María. Sonrió, animoso, a las caras infladas por el aburrimiento, encendidas de calor, de bostezos y comentarios. El verde de los campos próximos al río apoyaba una débil frescura contra las ventanillas polvorientas.

«En cuanto les diga que estamos llegando empiezan a charlar, a pintarse, recuerdan su oficio, se hacen más feas y viejas, ponen caras de señoritas, bajan los ojos para examinarse las manos. Son tres y no demoré quince días. Barthé tiene más de lo que merece él y todo el pueblo, aunque puede ser que se rían al verlas y continúen riéndose durante días o semanas. Ya no tienen quince años y están vestidas como para enfriar a un chivo. Pero son gente, son buenas, son alegres y saben trabajar.»

—Ya falta poco —se resignó a decir con entusiasmo; golpeó la rodilla de María Bonita y sonrió a las otras dos, a la cara infantil, redonda, de Irene y a las cejas amarillas de Nelly, muy altas, rectas, dibujadas cada mañana para coincidir con el desinterés, la imbecilidad, la nada que podían dar sus ojos.

—Me imagino, era hora —contestó María Bonita. Frunció la boca hacia la ventanilla e inició la apertura de carteras, el baile de espejos, polveras, lápices de labios—. Tenía razón, después de todo. La tal Santa María debe ser un agujero.

—Es cierto que vos dijiste —asintió Nelly; usaba una uña para emparejarse la pintura en la boca.

Irene se golpeaba los costados de la nariz con la borla de los polvos, lánguida, sin fe; tenía las gruesas rodillas muy separadas y el sombrero de paja, cargado de adornos, aludo, se retorcía aplastado contra el respaldo. Hizo un semicírculo con el dorso de la mano en el cristal de la ventanilla; vio un arco iris de pasto reseco, de plantíos, de distancia gris, verde y ocre caldeada por la tarde de cielo cubierto.

—A mí no me importa mucho. Claro que no es la capital; pero me gusta el campo.

—Tenlo por seguro —dijo María Bonita, burlona, irritada. Había terminado de arreglarse y fumaba rápidamente, erguida y tranquila, segura de su oculta capacidad de dominio. «Una mujer», dictaminó *Junta* con severidad y orgullo—. No pienses en andar de compras ni en fiestitas. Quedarse en casa, trabajar y saber guardar el dinero.

—Para eso vinimos —confirmó Nelly—. La ciudad es muy linda, pero aquí estamos a lo positivo.

—Otra vez te está mirando la boca, gorda —advirtió María Bonita.

Irene encogió los hombros y continuó haciendo cruces con la punta de un dedo en el vidrio de la ventanilla.

—No miraba, juro —protestó *Junta*. Se rió un poco con ellas, para acompañarlas, y espió a los demás pasajeros del vagón. No había ninguna cara conocida. «En el andén será la cosa.» Descubrió el edificio de la Escuela Experimental, oscuro y aislado en un campo liso, en un aire inmóvil; una bandera colgaba lacia, un camión cargado se inclinaba remontando la cuesta, hacia la Colonia. Proyectó mentirles acerca de plantaciones y cosechas, citar cifras y nombres de tipos de trigo. Y aunque no dijo nada, aunque las cosas pensadas sólo se mostraron en la línea blancuzca de saliva que se le formó en la sonrisa, mientras se ponía de pie y ayudaba a las mujeres a mover las valijas, sospechó que la tentación de decir absurdos procedía de aquella amenaza de cansancio, de aquel miedo al acabamiento que lo había cercado en los últimos meses, desde el día en que creyó que había llegado, por fin, la hora del desquite, la hora de palpar los hermosos sueños, y en que aceptó la duda de que tal vez hubiera llegado demasiado tarde.

El andén estaría lleno, un grupo de hombres miraría desde la puerta del Club, otro acomodaría las espaldas contra la esquina del hotel Plaza para ver el auto llevando a las tres mujeres hacia la casita de la costa; estas tres mujeres desanimadas, feas y envejecidas por el viaje, vestidas con las grotescas cosas que habían comprado ávidas con el dinero del adelanto.

II

Las mujeres llegaron en el tren de las cinco, el primer lunes de vacaciones; sólo estábamos en el andén Tito y yo, dos changadores y telegrafista. Hacía calor, el aire estaba húmedo y sin sol, yo sentía la dureza de las bolsas de maíz contra las costillas y, más atrás, el silencio de las calles vacías, de la plaza desierta. La puerca espera y el rechazo ocupaban la ciudad, desde las barrancas del río hasta los campos de avena paralelos a los rieles, alcanzaban y cubrían la posición indolente de nuestros cuerpos, el desafío que nos fatigaba mantener con las cabezas altas y la sonrisa de donde nos colgaban a Tito el cigarrillo y a mí la pipa.

«A cal y canto», había dicho Tito cerca del balcón de la Cooperativa; el vigilante nos miró, seguro de que continuaríamos andando hasta la estación, inmóvil y sudoroso en la bocacalle, sobre el fondo de calles solitarias y ventanas y puertas clausuradas, sonriendo y apreciándonos con la sucia sabiduría de los adultos.

Estábamos apoyados en las bolsas, todavía fumando y sin hablarnos, cuando el humo del tren apareció en la curva. Mirando la sonrisa renovada en la cara de Tito, su camisa abierta, las piernas cruzadas, el cigarrillo ensalivado en la punta de la boca, me vi a mí mismo, examiné mi bravata, me puse a dudar de la sinceridad de mi odio. A medida que Tito fue dejando de imitarme y se puso a repetir las maneras de su padre, estuve contra él, me transformé casi en aliado de la ciudad cerrada.

«A cal y canto», había dicho el padre de Tito la noche anterior o en el almuerzo, remedando admirativo el tono del cura Bergner, mi pariente, en la reunión de la Liga, el sábado. Con la mano peluda golpeando el hule florido de la mesa, la madre distrayendo a los niños, el empleado de la ferretería aprobando en silencio, prudente y respetuoso, sobre el plato de sopa en la lejana cabecera.

—Cerraremos la ciudad a cal y canto —recitó el ferretero—. Quiero que mi casa permanezca cerrada a cal y canto.

Y si fuera una sola palabra, yo podría regalarla esta noche o mañana a Julita, cuando me pida, como siempre, que le deje una palabra que pueda durarle todo el día siguiente para irla gastando, como una vela, frente al recuerdo de mi hermano muerto. «Acalycanto», le diría, sintiéndome un poco consolado, más libre de ella y de su desventura viciosa.

—Jorge, mira sin reírte —me dijo Tito; olvidaba que no podía reírme, que habíamos jurado ser indiferentes, no pasar de la cortesía si alguna de las mujeres mostraba necesitarla.

Aparte de las tres mujeres y el hombre, sólo bajó una pareja de viejos; conversaron con el changador y luego siguieron por el andén, él con bombachas, torcido por la valija, sacudiendo la mano libre sobre la cabeza amarillenta de la vieja, casi enana, y tomaron el camino de la tranquera de El Triunfo, al otro lado de las vías.

—*Juntacadáveres* —anunció Tito.

El hombre que había trabajado en el diario de papá antes que ellas, colocó las valijas en el suelo, tomó una caja redonda de cartón que le alcanzaron las mujeres y dio un salto para volver junto al tren y ayudarlas en el descenso, innecesariamente, sosteniendo apenas las puntas de los dedos que le fue dando cada una, atenta a no enredarse en las polleras increíbles. Larsen, *Junta,* tenía un traje nuevo, oscuro, un sombrero negro que le llegaba hasta los ojos; siempre había estado vestido de gris en la administración de *El Liberal,* humillado y lacónico, pero demasiado ordinario, demasiado viejo para tener lo que Julita llamaría una pena secreta. De todos modos, siempre gris, siempre abotonado, anudada con fuerza la corbata que sostenía una perla, aun en verano, trepado en el taburete de la Administración, la nariz curva encima de los grandes libros de contabilidad y las manchas de tinta, las leyendas políticas grabadas a cortaplumas en el pupitre, los puños comidos de la camisa comiéndose la mitad de las manos, con o sin pena secreta.

Ayudó a bajar a la última mujer y las tres quedaron entumecidas junto a los bultos, golpeándose y alisándose los vestidos, movían con prudencia los cuellos para aventurar sus expresiones, inseguras, curiosas, a la defensa, por el vacío del andén, por el paisaje descolorido y quieto donde la pareja de viejos se empequeñecía titilante, donde, más allá de la Experimental, un rayo de sol, uno sólo, delgado y duro, bajaba tardío para iluminar el arribo de las mujeres a Santa María, declarada ciudad unos meses atrás.

Los changadores cargaron las valijas, la caja de cartón, una bolsa de cretona, y se acercaron a nosotros, al trote y doblados, simulando el esfuerzo; uno de ellos guiñó un ojo y nos mostró un diente; doblaron hacia la derecha, fueron golpeando las losas y la tierra con el cáñamo de las alpargatas, cruzaron la puertita pintada de verde y acomodaron los bultos en el Ford de Carlos. Carlos fumó en el volante, serio, sin ayudarlos, sin contestar a sus bromas. Tito y yo dejamos de sonreír, nos desprendimos las sonrisas, dolorosas, ya podridas, que podían significar esto o aquello en lugar de la despreocupada solidaridad que habíamos resuelto ofrecer.

Junta avanzaba medio paso delante de las mujeres y su mano derecha colgaba con un ramo de flores rojas, raquíticas. Me miró y no quiso conocerme; empujaba, dominado, el gesto perdonador de quien regresa al país natal autorizado por el triunfo, lo cubría a medias con una mueca alegre y transigente. Encabezaba el taconeo de las mujeres en el andén, las guiaba con la victoriosa seguridad de su marcha, con el confiado balanceo de los hombros. Pero —a mí e invisible a las mujeres— los ojos salientes y la boca, las mejillas azulosas y colgantes, construían sin insistencia una máscara afectuosa y considerada, la insinuación habilidosa de que él, Larsen, *Junta* o *Juntacadáveres,* no participaba totalmente del destino y la condición del trío de mujeres que arrastraba sobre las baldosas grises. En el aire velado de la tarde, moviéndose a compás frente a las formas y los colores de las sedas, de los sombreros, de los adornos, de las joyas, de los rostros y los brazos desnudos, la cara de *Junta,* pronta para la lucha, para la traición y el negocio, podía traducir, indiferentemente, el vigor o la debilidad de su empresa, de él mismo en relación a su empresa.

Junta un poco adelantado y ellas tres en línea, moviéndose de acuerdo; la gorda maternal, la rubia estúpida y flaca, la más alta colocada en el medio, justamente detrás de *Junta.* Todas llevaban vestidos largos, apretados en la cintura, sombreros con frutas, flores y velos, rellenos y remolinos de tela en las caderas. No parecían llegar de la Capital sino de mucho más lejos, de años de recordación imprecisa. Ahora giraban, tomadas del brazo, charlando con deliberadas estridencias, medio paso detrás del hombre de negro que las conducía, para dirigirse hacia la valla de madera verde, hacia donde esperaban los dos changadores y se estremecía el capot del Ford de Carlos. La mujer más alta me miró un segundo cuando daban el cuarto de vuelta para salir de la estación; me sonrió y entornó los ojos, su boca se escondió atrás del perfil de oveja de la rubia flaca.

—¿Qué te parecieron? —preguntó Tito.

Continuamos inmóviles contra las bolsas, oímos el jadeo del tren que se iba, presenciamos el adelgazamiento y la desaparición del rayo de sol que había tocado oblicuo los campos de la Escuela. Sin hablarnos, imaginamos el paso del estremecido cochecito negro por las calles de alrededor de la plaza, por el camino de Soria, junto a los viñedos, por la carretera cuidada de la Colonia, flanqueado siempre por la hostilidad y la ausencia, por puertas cerradas, por ventanas y balcones ciegos y oscurecidos. Imaginamos a Carlos en el volante, falsamente atento al camino, desinteresado de lo que llevaba junto al brazo y a sus espaldas; a Larsen, negro, disimulando el desconcierto, con la sombrerera encima de las rodillas, el puño blanco de la camisa tocando casi los tallos de las flores secas que empuñaba como un arma. Las mujeres con sus vestidos que eran como uniformes, planeados para deslumbrar a Santa María, descendiendo a través del calor de tormenta y del evidente repudio; sacudidas y humilladas por el agobio de los elásticos del cochecito, rodando hacia la casa aislada en el bajo, cerca de la fábrica de conservas y el rancherío; temiendo y desanimándose ante la persistencia unánime de la clausura, oliendo las grandes flores prendidas en el pecho, el calor que trepa de los inverosímiles descotes triangulares. Pero la soledad de las calles continúa entrando en el Ford como las nubes de tierra ardiente y nada puede asordar las negativas que les repite Santa María, dormida y despoblada en medio de la tarde.

—¿Qué te parecieron? —volvió a preguntar Tito.

—Son mujeres —dije, sacudiendo desinteresadamente una mano.

Atravesamos la puertita verde y fuimos cruzando lánguidamente la plaza desierta y pelada; pensé en Julita, la comparé con la mirada, la sonrisa de la mujer alta.

—No me gustan —dijo Tito—; pero lo que me deja loco es la idea de que cualquiera pueda ir hasta la costa, pagar y elegir.

—¿Por qué? —dije, para que no dejara de hablar.

«A las once de la noche tengo que salir al jardín, rodear la casa y subir hasta el dormitorio de Julita. Antes, hace un mes, creía comprender algo cuando me repetía: "Es mi cuñada, era la mujer de mi hermano muerto, mi hermano dormía con ella." Iré a verla y es posible que le invente algo sobre las mujeres que llegaron hoy, que le diga que sólo yo estaba en la estación, en la ciudad. Y nunca pasará nada; tal vez me haga besar el retrato de mi hermano y me obligue a explicarle cuánto lo quería, compare su amor con el mío y me corrija con persistencia y dulzura.»

III

Aquella noche del día en que llegaron a Santa María las mujeres inverosímiles, el doctor Díaz Grey eligió el lugar más oscuro en el bar del Plaza, lejos del mostrador ocupado por Marcos, sus amigos, las mujeres. Después del silencio, del corto ruido de la lluvia apagado en seguida, el muchacho moreno golpeó el linóleo con su vaso.

—Como decía hoy Marcos... Tenemos que votar por nosotros, por el país.

—Sí —dijo Marcos—. Pero lo que importa ahora no es la política. Lo que hay es que cuando la basura llega a tu casa tenés que barrerla. De cualquier manera.

Desde su mesa, Díaz Grey los miraba mientras bebía. Vio las caderas anchas de los hombres desbordando los taburetes y las raquíticas nalgas de las dos mujeres. La lluvia regresaba tímida, emparejaba su rumor, quedó fija como un objeto agregado a la noche. En la costa, alrededor de la sabiduría, la confianza, la disimulada excitación de *Junta,* las prostitutas estarían tomando mate, interesándose, aplastando bostezos, mirando arder y gastarse esta primera velada en la casita.

Echándose hacia atrás, las mujeres que acompañaban a Marcos y sus amigos, una con pantalones, la otra con pollera e impermeable, se miraron y cambiaron una sonrisa desganada; detrás de la charla sobre fuselajes, cilindradas, radios de acción, sintieron por un instante que tenían algo decisivo que decirse; parpadearon, abúlicas y soñolientas, seguras de que nunca habrían de descubrirlo. Sonrieron nuevamente y aproximaron los pechos al mostrador, al mundo de los varones. La lluvia continuaba sin violencia, estática, como una extensa superficie de sonido. Díaz Grey imaginó a *Junta,* un poco borracho en la celebración, conmovido por la revancha, por la victoria conseguida a los cincuenta años, audaz, cegado por el triunfo y el orgullo, impulsado a revelar a las tres mujeres el secreto de la empresa, el verdadero, increíble móvil a que estaba obedeciendo. Enfriadas y con desconfianza, heridas por el viaje a través de la ciudad vacía, ellas rebuscarían palabras sucias para imponer normalidad al mundo.

En el mostrador, como todas las noches, emborrachándose, los hombres discutían de máquinas y carrocerías; tomadas del brazo, las mujeres habían atravesado, lentas y susurrantes, el gran salón oscurecido que separaba el bar de los tocadores. Díaz Grey pensó en el sueño o el insomnio del boticario y concejal Barthé, en el dormitorio encima del negocio, en aquella noche de mansa lluvia, justo en el principio de la realización de su viejo ideal civilizador, gordo y horizontal, con blanduras femeninas que rodeaban y suavizaban la cabeza calva en reposo, próximo a la respiración del muchacho empleado. La hora del triunfo, el sí que venía a quebrar doce años de negativas, a cubrir el recuerdo de doce sesiones inaugurales del Concejo con sus monótonos, previstos seis votos en contra, le llegó a Barthé en el sótano de la farmacia, meses atrás, mientras vestido con un largo guardapolvo recién lavado aspiraba el olor de la bolsa de tilo que sostenía abierta el peoncito.

Una vez por año, doce veces, había pedido la palabra apenas terminado el discurso patriótico del presidente, antes de que acabaran los aplausos; y los seis pares de ojos, siempre los mismos aunque cambiaran sus dueños, estaban ya vueltos hacia él, expectantes, pacientes, lejanamente amigos. Barthé proponía que fuera tratado el proyecto que había depositado una semana antes en Secretaría. Impasible, más blancas las redondeces de la cara, la pequeña mirada atravesando con desdén por encima del óvalo de la mesa y sus cartapacios, por encima de la burla que dejó de ser manifestada después del segundo año y del escándalo que se hizo a sus espaldas a partir del primero, el boticario pronunciaba las frases necesarias —tal vez sólo para esto hubiera votado la creación de su puesto de taquígrafo cuando la mayoría pasó de radicales a conservadores—, comunicaba a la posteridad haber nacido con un cuarto de siglo de anticipación, firme y desapasionado, pronto a morir por sus convicciones.

—No voy a fundar el proyecto porque viene acompañado de sus fundamentos y se ha hecho el repartido entre los señores concejales.

—Si no hay objeciones... —decía el presidente; y votaban, siempre seis votos contra el de Barthé; pasaban a discutir sobre alcantarillas y recorridos de ómnibus.

El farmacéutico renunciaba velozmente a la absurda, breve esperanza; se despojaba de la prevista amargura y se disponía a mezclar su voz aguda y acariciante con las demás. Seis votos por la negativa, algunos gestos evasivos, fútilmente piadosos, una preocupada admiración en las caras que se animaban a enfrentarlo; eso era todo, desde un mes de marzo hasta el siguiente.

—No quiero molestarlo —gritó el doctor Díaz Grey, aquella tarde de principios de invierno, inclinado sobre la trampa abierta del sótano de la farmacia. Barthé estaba invisible; el médico hablaba con la luz amarilla que trepaba por la madera polvorienta de los escalones, con los ruidos de la caldera que empezaba a calentarse, con el melancólico olor de la humedad, de los yuyos, del frío—. Tengo que hablarle y me parece mejor ahora. ¿Puedo bajar?

—Doctor... —la cabeza redonda de Barthé surgió casi horizontal, sonriente, entre las sombras retintas y las zonas de claridad mezquina; sus palmas abiertas mostraron la excusa, la desolación.

—¿No prefiere aguardar un momento?

—Es que me esperan en el dispensario. Voy con retraso. —Díaz Grey empezó a bajar, de espaldas, el sombrero y los guantes en una mano, el impermeable barriendo los escalones, toda su atención puesta en proteger el traje azul, recién estrenado. Sostuvo en su mano la blanda e inmóvil del otro, observó la blanca sonrisa redonda, la excitación que iba manchando las mejillas carnosas, el vello rubio y gris bajo la unión de las clavículas.

—Mi querido doctor —estaba bondadoso y estremecido, la cabeza hundida en el ridículo como en las curvas de grasa que lo rodeaban; le quitó el sombrero y los guantes y lo fue empujando hacia el centro del sótano, donde bajo la lámpara amarilla el muchacho equilibraba una bolsa con las piernas y la sostenía abierta—. Como si hubiera adivinado el momento justo de todo el día en que no puedo atenderlo como usted merece. Hasta hace unos minutos estuve aburriéndome arriba. Habrá más enfermedades con el tiempo lluvioso; pero no hay más clientes. Quería revisar estas bolsas de tilo. No se debe empaquetar si está muy fresco y además hay que saber repartir las flores y las hojas. Pero ya estoy con usted. Un poco para acá, querido, así —el adolescente se inclinó y torció la bolsa; esperó a que Díaz Grey no lo mirara para examinarlo rápidamente—. Muy fresco... con este tiempo... —otros aromas llegaban desde las pilas contra las paredes del depósito, rodeaban el del tilo, lo carcomían.

—Gracias, querido —dijo Barthé. Se arqueó sobre la bolsa y hundió en ella un brazo desnudo; con los ojos entornados, alzó un puñado de tilo hacia su cara y lo estuvo oliendo, lo hizo girar contra la nariz y los labios. La estrecha frente del muchacho se mantenía inclinada—. Sí —dijo Barthé dentro del puñado de tilo—. Fresco, demasiado fresco —abrió la mano sobre la bolsa—. Es mejor volver a cerrarla. Si se necesita, siempre podemos poner un poco a secar.

Mientras el adolescente arrastraba la bolsa fuera de la luz, el farmacéutico enderezó el cuerpo y dirigió a Díaz Grey una cara que mostraba, como intenciones, la felicidad y los cincuenta años, como si ambas cosas hubieran estado ocultas allí siempre y él, ahora, las revelara para sorprender, para rematar la escena con la bolsa de tilo.

Se limpiaba el polvillo dorado del labio y los agujeros de la nariz.

—Todas esas bolsas de yuyos... Mucho mejor el campo, claro. Pero aquí está... la naturaleza, reunida, doctor —tomó para palmearla la mano libre del médico; una vez más Díaz Grey lo sintió intacto y mutilado—. ¿Es que necesita algo? ¿Puedo ayudarlo?

Sin valor para desprenderse, mirando la detenida ansiedad en la cara redonda y blanca que brillaba próxima a la lámpara desnuda, Díaz Grey sonrió e hizo una voz baja y clara para contestar. Sentado en el suelo, maniobrando en el agujero de la bolsa sujeta con las piernas, el muchacho los observaba con disimulo.

—No —dijo el médico—. Se trata de usted. Arcelo estuvo en mi consultorio. Ya me había dado a entender algo anoche en el hotel. Esta tarde me encargó que le transmitiera una proposición concreta.

Barthé soltó la mano del médico y dejó caer los cortos brazos; la cara era todavía los cincuenta años pero ya no la mansa felicidad; era los cincuenta años más la austeridad, el deber, la indignación, un poco de lástima por sí misma.

—Sí —dijo, recogiendo el murmullo de la voz del médico—. Quiere que le vote la concesión del puerto.

—Perdón —dijo Díaz Grey—. Yo no le propongo nada, no me interesa lo que usted resuelva. Es Arcelo —recogió el sombrero y los guantes y se puso a golpearlos, arrepentido, con fastidio.

—Nunca —susurró Barthé.

Sin necesidad de mirar, Díaz Grey veía la pequeña boca rosada, saliente e incorruptible.

—Me dijo que no se trataba de la concesión del puerto. Sólo del servicio de los changadores.

—Nunca —resopló Barthé; sonreía en el martirio—. Da ganancias. Será un mal servicio comunal, es posible que esté desorganizado. Pero da ganancias, pertenecen al pueblo. Y aunque no fuera así; los servicios públicos deben ser administrados por la comuna, socializados.

—Sí, de acuerdo. Le diré a Arcelo —pero el otro continuaba, intenso, contenido, como si le confesara secretos.

—Es cuestión de tiempo. Hoy estoy solo en el Concejo. Pero ya veremos, la verdad se abre paso, doctor. Y con el nuevo plan de escuelas para la provincia...

Hubo un silencio y les llegó el rumor del viento, acercándose desde el río, confuso y separado de ellos como un recuerdo, removiendo la tristeza del anochecer. El jovencito se puso de pie y acomodó la bolsa entre el brazo y el hombro.

—Usted lo sabe mejor que yo, doctor —suplicó la cara gorda, paciente y dolida—. No quiero hacerle un discurso.

—Bueno, estoy muy apurado. Me esperan en el dispensario y tengo dos visitas en la Colonia. Me comprometí con Arcelo a transmitirle la propuesta. Los conservadores quieren su voto para la concesión de changadores. Si usted la vota, ellos se comprometen a aprobar el proyecto del prostíbulo. ¿Entendido?

Sólo quiso ver la cara durante el primer segundo en que empezó a desinflarse, a perder dignidad; tal vez la estuvo mirando hasta que fue visible la inquietud de la esperanza, hasta que la cara mostró la consternación de las grandes alegrías estériles. La mandíbula pareció despegarse de la grasa y proyectó hacia el médico un gesto rapaz y masculino.

—¿Entendido? —repitió Díaz Grey—. Y todavía más. Ofrecen votarle el prostíbulo, antes, cuando usted lo indique, a cambio de su palabra de que votará más adelante la concesión de los changadores.

Desde el estante junto al techo en que el empleado trataba de acomodarla, la bolsa de tilo cayó con un golpe seco y liviano; quedó torcida y abierta, dejó escapar un grueso chorro verde. Encima del perfume del tilo, con el guardapolvo agitado como si el viento entrara en el sótano, Barthé sacudía los brazos e insultaba al miedo del muchacho que se había colgado de una viga para mirar. Díaz Grey vio los ojos llenos de lágrimas en la cara gorda y encendida, escuchó el temblor que imponía descansos a la voz aguda y sollozante. El muchacho gateó por el borde del estante y empezó a bajar.

—Tengo que irme.

—Doctor... Perdóneme esto —pero los brazos de Barthé no señalaban el sótano de la droguería, la luz escasa, ni los movimientos encogidos del muchacho alrededor de la bolsa—. Perdóneme. Quiero pensar. Cualquier cosa que le dijera ahora...

IV

Barthé dijo que sí en la segunda entrevista, después de cuatro días en que se negó a ver al médico, en que dejó la droguería a cargo de un empleado y desapareció sin dejar otro rastro que la consigna: «El doctor Barthé se ha ausentado en viaje de negocios. Creemos que a la Capital. No sabemos cuándo regresa.»

En la mitad del cuarto día el muchacho de la farmacia subió las escaleras de Díaz Grey y esperó turno en la salida, doblado y apático, la mandíbula en los puños, mirando sin parpadear la mayólica verde sobre la mesita. Cuando entró al consultorio, mostró los dientes y se estuvo haciendo sonar la nariz, con los ojos desviados hacia la luz de las ventanas, con una mano escarbando bajo el saco.

—¿Qué te pasa? —preguntó Díaz Grey—. No tenés cara de muy enfermo.

El muchacho volvió a sonreír y mostró la mano con un sobre.

—Aquí le manda el doctor Barthé, doctor. Para entregar en manos propias.

La carta estaba fechada en Finca El Descanso, la chacra que tenía Barthé entre la Colonia y el camino al Rosario, y había sido escrita con una tinta azul muy clara, con letra pareja y pequeña.

«Querido ciudadano, doctor y amigo: He sido sorprendido por la enfermedad cuando tal vez un presentimiento me llevó a descuidar mis obligaciones por unos días. He venido a buscar reposo y energías en esta pobre su casa. Y un ataque muy doloroso reumático me obliga a molestarle y honrarme solicitando su ayuda del profesional y amigo. Sabría agradecerle que se llegara aquí esta tarde si su verdadero apostolado lo permite. El portador, experto en los caminos, podrá traerlo en mi coche a su mejor comodidad. Su amigo incondicional, como bien sabe. *Euclides Barthé.*»

Atravesando la tarde húmeda y neblinosa, cruzando paisajes solitarios, confusos, que parecían haberse mantenido invariables desde el principio de la mala estación, haber conservado, contra las horas, los charcos quietos de los baches, el doblegamiento de los ramajes desnudos, la suave, deprimente luz que se depositaba en el aire y en la tierra, Díaz Grey bajó desde Santa María hasta la Colonia, recorrió una L de calles asfaltadas y limpias, de casas blancas con tejas, con diminutas ventanas en el piso superior, defendidas y nunca abiertas; pasó del centro de la Colonia a los caminos de las granjas, fue remontado por el coche, por el chofer silencioso (la nuca rapada se inclinaba innecesariamente sobre el volante, los hombros alzados se protegían de cualquier ataque, de una temida pregunta), cruzando el repetido, idéntico escenario, barro, cercos de alambre, puertas de madera con el esqueleto de las madreselvas, el humo de las cocinas rígido y hundido en la niebla. Llegó a lo alto del cerro para volver a encontrar, descendiendo, el mismo paisaje, como resuelto y fanático ahora, proclamando los elementos que había adoptado a partir del primer frío de junio: un cielo gris y bajo, árboles despojados, chorreantes, negruzcos, la oscura tierra resbaladiza con su aroma poderoso entristecido, la luz como un obstáculo para la intrusión del coche, para los primeros pasos envarados que hizo Díaz Grey hacia la casa, detrás del lomo bamboleante del muchacho.

Marcharon ateridos hasta la entrada imprecisa, entre árboles muy separados, sobre el pasto irregular, pretencioso, mal cortado; atravesaron el proyecto del jardín en silencio, lentos.

—Doctor —dijo el muchacho, cuadrado frente al boticario, tocándose la sien.

Algunas ramas humeaban en la chimenea; casi no había diferencia con la temperatura de afuera. Barthé fingió sorprenderse mientras detenía las manos con el pan y la taza. Llevaba un saco de tela muy gruesa con alamares y un pañuelo alrededor del cuello.

—Lamento tanto haberlo molestado... —llevó al médico hasta un sillón cuyas patas lamía el humo de la chimenea—. Podés cortar un poco de leña afuera, en la galería de la cocina.

—Sí —dijo el muchacho—. Si le parece aprovecho y cambio la batería.

El frío parecía aumentar junto a las ramas crepitantes. Apretándose las rodillas con las manos enlazadas, Díaz Grey vio al hombre gordo mover con precaución las piezas de porcelana y encender el calentador para preparar el té; la cara redonda iba mezclando, en proporciones apenas variables, la preocupación, la astucia, una profunda calma que simulaba la bondad. «Lo mismo sería si estuviera solo; es el actor y el público, el héroe y la historia. Pero no está loco; se abandona a su porcentaje de estupidez con más furia que los demás.»

Mientras bebía el té claro y ardiente, el médico lo escuchó referirse al prostíbulo mediante eufemismos fantásticos, jugar al secreto de la grave entrevista política cuyos resultados o divulgación podían —debían, forzosamente— influir en el futuro de Santa María.

—Por extraño que le parezca, doctor, entrando en materia... Yo no tenía una respuesta pronta. Y si la hubiera tenido, ¿cómo saber si era la apropiada, la justa? Usted comprenderá el dilema en que me colocaron sus palabras. Y no quise improvisar una respuesta. La responsabilidad, al cabo de una vida sin motivos de arrepentimiento...

Con su voz de matrona y ayudándola con los carnosos dedos sin vello, Barthé trasmitió el hermoso ensueño del caso de conciencia, del aislamiento de la cima de la montaña, de los días de lucha y meditación en que estuvo luchando, minuto tras minuto, para apartar del juicio la escoria de las consideraciones egoístas.

«Tal vez aspire, en el fondo, a que coloquen un cartel iluminado, Gran Prostíbulo Barthé, o a que la justicia anónima y popular termine por bautizarlo así.» Y ahora, de regreso de la montaña y de la angustia, limpio del horror de las anticipaciones, exhausto y serenado, alzaba la traslúcida taza de té con dos dedos, tomaba conciencia de la habitación enorme, cargada de adornos, potiches, retratos, puntillas, láminas, cintas, almohadones, flores de papel, polvo y frío; tomaba conciencia del significado del momento y de la generación que lo escuchaba por las orejas de Díaz Grey.

Era un hombre de más de cincuenta años, con un pelo como plumón alrededor de la piel sonrosada del cráneo, con una cara fofa y desnuda, con esporádicas luces de astucia e interés bajo las precoces canas de las cejas. Se acomodaba, correcto y pesado, en el asiento circular de la silla, los zapatos diminutos, brillantes y reunidos, la mano izquierda recorriendo curvas en el aire u ofreciéndose palma arriba sobre el muslo. Tal vez supiera de qué estaba hablando cuando imponía el relato de su vida, enumeraba y disminuía injusticias; cuando la voz chillona recorría lugares comunes: el capitalismo, la oligarquía, las cooperativas agrícolas y el laborismo inglés; cuando daba a entender que todo esto había sido, si no un deliberado prólogo, un fatal antecedente de la existencia de un prostíbulo en Santa María.

Asistiendo encogido junto a la estufa, donde ardía y se apagaba la brazada de ramas verdes que había acarreado el muchacho, Díaz Grey buscaba reunir todo lo que el vehemente, repetidor hombre gordo ignoraba de sí mismo. «Nació aquí, en la costa, y las superficies del río, de la arena, del campo lo estuvieron aislando y lo anularon durante cincuenta años, mientras que la frecuencia de la balsa le dio, le mantiene la ilusión de participar en los hechos lejanos que él considera decisivos. No es una persona; es, como todos los habitantes de esta franja del río, una determinada intensidad de existencia que ocupa, se envasa en la forma de su particular manía, su particular idiotez. Porque sólo nos diferenciamos por el tipo de autonegación que hemos elegido o nos fue impuesto. Un pequeño país en broma, desde la costa hasta los rieles que limitan la Colonia, donde cada uno cree en su papel y lo juega sin gracia. Y así yo, cuando me distraigo, cuando dejo de estar alerta y participo, soy el doctor Díaz Grey, hago el médico, el hombre de ciencia con conocimientos menos discutibles que los de las viejas que atienden partos, empachos y gualichos en el caserío de la costa. Y así también este pobre hombre, al que me empeño en querer, dejó de ser el auténtico y para siempre ignorado Euclides Barthé hace muchos años; y todos, sin desconfianza, lo ven representar el boticario, el herborista, el concejal y —ahora hasta su muerte— el profeta de los prostíbulos sanmarianos.»

Ahora, la voz de canario preludiaba la aceptación del pacto con el ala derecha de la administración comunal; anunciaba que iban a incorporarse al anochecer de invierno, al principio de velada en medio del campo chato, la inolvidable frase y el inolvidable gesto con que anticipaba, en beneficio de los más altos intereses, aceptar que cambiaran de patrón los faquines portuarios.

«De modo que es necesario que me esfuerce y me apresure, que corra todos los riesgos de error para cumplir mi pacto con Dios, según el cual debo mirar y conocer a cada uno, y saber que lo estoy haciendo, aunque sólo sea una vez y ésta dure un segundo; de modo que clavo los ojos en el variable agujerito central que tiene Euclides Barthé en la cara y aún se agita afanado por dar forma a sus ideas. Debo ver qué cosa única hay dentro y aparte del mezclador de limonadas purgantes, del concejal, del mancebo de botica que llegó a dueño, del propietario de esta agrietada casa de campo con su desolador remedo de parque inglés; y qué debajo de su envejecimiento y sus costumbres, debajo de la fachada y del estado de ánimo en que lo veo. Debe ser eunuco; Euclides Barthé se hizo polvo y fue aventado con los años, según sucede regularmente. Perorando ante el mal fuego de la chimenea, recitando períodos tediosos, agitándose prudente encima de la fragilidad de la silla, no descubro otra cosa que un indistinto anciano blanduzco al que la arterioesclerosis hace temblar las manos y le escamotea con frecuencia el final de las frases. Estoy friolento, aburrido, sin amor; sólo veo esta cosa, tan semejante a cualquier otra de su edad, disolviéndose en la decrepitud, apuntalada aún por la vanidad y miedos imprecisos.»

—Entendido —dijo Díaz Grey al levantarse—. No sé si podré ver a Arcelo esta noche; pero sí, con seguridad, mañana. Le diré que usted acepta. Le votarán el prostíbulo en la primera sesión; después usted votará la concesión de la changa en el puerto y todos seremos felices.

—Me van a calumniar; todavía más, doctor —repitió Barthé desde la chimenea—. Pero estoy preparado.

—Eso es seguro. Si un prostíbulo es una necesidad social para

Santa María, es casi seguro que sea también, de paso, un buen negocio.

—No pensaba en eso. Se me ocurre que los radicales, cuando me vean votar la concesión del acarreo, van a creer que me pagaron por hacerlo.

—También eso —convino Díaz Grey—. Es muy posible. Pero, en cierto modo, le pagaron. No con dinero, claro. Llame al muchacho, por favor; tengo que irme.

—Doctor... —suplicó Barthé con una martirizada sonrisa. Fue hasta la puerta y la abrió para gritar; la noche fría y oscura, sin viento, vino a reunirse con ellos en la gran habitación mal iluminada.

—No sé, doctor —dijo Barthé acercándose—, cómo hacerme perdonar esta molestia, el viaje, el tiempo suyo perdido. Pero usted se hace cargo de la gravedad de mi decisión y de que es necesario que nadie pueda sospechar... Por otra parte, el reumatismo me tiene mal. Ya iré a su consultorio, a mediodía, con la cara descubierta —trataba de arrastrar los ojos del médico a la expresión austera que había construido, sin propósito de engaño, por un automático sentido de adecuación, para sellar la entrevista.

—Todo parece perfecto —dijo Díaz Grey mientras se calzaba los guantes—. Usted tiene la fuerza necesaria para resistir las calumnias. Santa María tendrá un prostíbulo y las enfermedades venéreas aumentarán o decrecerán. Ya interpretaremos las estadísticas.

—Mande —interrumpió el muchacho desde el frío azulado de la puerta.

—Andá calentando el motor, que el doctor se va. Pero usted me ha dicho, doctor, que en otros lugares, en Londres, por ejemplo...

—No se sabe; yo, por lo menos, no creo saberlo. Hay argumentos en pro y en contra, cifras en pro y en contra. Habría que instalar prostíbulos en los hospitales; que un médico examinara a cada cliente.

—Bien, un ideal utópico. ¿Pero el otro problema? ¿El de los muchachos? La juventud masculina, quiero decir.

—Sí, claro. Y las muchachitas de la costa. Ya hemos hablado de todo eso. Pero lo que ahora me interesa es el aspecto práctico del asunto —entrecortado, el motor del automóvil se puso a roncar afuera, aumentando, entristeciendo el silencio en las pausas.

—¿Sí? —ayudó Barthé.

—Quiero decir... —un olor desanimado de cocina de campaña y el olor a vejez de los muebles y los adornos—. Usted obtiene que los representantes del pueblo autoricen la instalación de un prostíbulo. ¿Pero quién lo instala? ¿Quién lo administra? ¿Cómo se hace eso, alquilar la casa, traer mujeres?

—Excelente objeción —dijo el boticario; casi permitió que una sonrisa victoriosa le recorriera la cara—. Pero, aun sin esperanzas, también he pensado en eso. Teoría y acción; dualidad necesaria para quien aspire a construir. Porque, usted lo ha imaginado con sutileza, podrían aprobarme la ley y encargarse, ellos mismos, de que nunca se transformara en realidad. Doctor: tengo el hombre necesario. Un sujeto que trabaja en la administración de *El Liberal*. No recuerdo su nombre; suelen llamarle *Junta*.

—Sí, lo conozco, lo he visto en el Berna. Una vez vino a mi consultorio. Se llama Larsen.

Barthé tomó la mano del médico, ahora enguantada. La cara blanca, cerosa, resplandeció débilmente al acercarse, sudando y emocionada.

—Y ahora llegamos al momento más difícil de la entrevista, doctor. Al momento en que no puedo ignorar que estoy abusando. ¿Quiere sentarse un minuto?

—Tengo que irme —dijo Díaz Grey, impaciente, con un poco de odio.

—Bien, no importa, son dos palabras. Tengo que pedirle otro favor. No sé si usted... Estuve en contacto con ese sujeto por este asunto. Vino hace tiempo del Rosario y dice que se ha quedado aquí, trabajando en el diario, por culpa mía. No es cierto; yo me limité a decirle la verdad, a decirle que confiaba en que la ley llegaría a aprobarse. Y usted sabe ahora que no me faltaba razón. Es un hombre despreciable, pero necesario. Sé que tuvo en otros lados actividades de ese tipo. Después de todo, se ha quedado entre nosotros y se gana honradamente la vida.

—Sí, lo conozco. Tal vez él pueda hacerlo.

—Propuso hacerlo. Pero esto fue hace tiempo, cuando yo estaba seguro de que el partido tendría dos concejales. Tuvimos una escena, él grosero y yo tranquilo y firme. No he vuelto a tratarlo, usted comprenderá —afuera, enronquecida, como si la sofocara la niebla, sonó la bocina del automóvil—. Muchacho de miércoles, insolente. ¿Será abusar de usted, doctor y amigo, pedirle que vea a ese hombre y averigüe si está aún interesado?

—No se preocupe. Mañana converso con Arcelo y con él. No sé cuál de los dos es más asqueroso; pero *Junta* me divierte más.

Desde los ladrillos del frente de la casa, insinuando su gordura en el aire inmóvil y helado, el boticario alzó la voz para la despedida:

—Usted, doctor, no lo será políticamente, pero de corazón es un verdadero correligionario.

Friolento y saltando en el asiento trasero del coche, Díaz Grey olvidó la jornada mientras recordaba sensaciones de otros paisajes invisibles, de otras travesías nocturnas en inviernos lluviosos, de rostros y ademanes, de soledades, de repentinas y cortas creencias. Desde hacía muchos años su memoria era impersonal; evocaba seres y circunstancias, significados transparentes para su intuición, antiguos errores y premoniciones, con el puro placer de entregarse a sueños elegidos por absurdos.

V

Acepto el fracaso, me pongo el impermeable, la boina; frente al espejo, agradezco a Julita el secreto —cualquiera sea el secreto suyo que da origen al que compartimos—, antes de apagar la luz culpo a Julita por el poema y le atribuyo los cuatro versos que acabo de escribir.

Y yo la, lo pierdo doy mi vida.
A cambio de vejeces y ambiciones ajenas
Cada día más antiguas, suciamente deseosas y extrañas.
Ir y no lo haré, dejar y no puedo.

Mientras bajo la escalera me convenzo de que la culpa es de aquella parte de la estupidez de Julita que no llegan a cubrir el amor ni la locura, aquella parte que no le pertenece pero morirá con ella, inseparable; lo que le agregaron e impusieron los padres, este aire cándido y provinciano, las amigas, mi hermano muerto, yo mismo y mi manera inadecuada de quererla.

Son las once de la noche; camino con los ojos cerrados por el corredor oscuro, escucho ansioso la lluvia, ya muy suave. Salgo y vuelvo a oírla en los árboles del jardín, me paseo para hacer tiempo, para llegar tarde a la cita, para que ella pueda pensar que me perderá. No busco aumentar su locura o su enfriamiento, tengo miedo de que crezcan demasiado, que ella no pueda soportarlos y llegue a explicar todo, a sustituir por algo concreto, permanente, este absurdo nocturno, ritual, en el que me es posible estar cómodo, incrustarme sin comprender.

Sólo quiero enterarla de que su existencia no es indispensable para la mía; de que yo soy yo, Jorge, no ella ni su juego. Yo soy yo, este ser, este «muchachito» de ellos, triste, distinto, tan inseguro y firme como ninguno de ellos podría sospechar; tan aparte y por encima de todos ellos. Yo soy éste al que miro vivir y hacer, con simpatía, sin exceso de amor; éste de la paciencia cortés e inagotable para cada una de las comedias tediosas y sin gracia en que ellos se empeñan en complicarse para que les resulte inteligible, para preservarse de novedades y desconfianzas. Paseo un jardín cuidado y húmedo, recibo en la cara la lluvia que nada explica, pienso distraídas obscenidades, miro el resplandor en la ventana de mis padres. No quiero aprender a vivir, sino descubrir la vida de una vez y para siempre. Juzgo con pasión y vergüenza, no puedo impedirme juzgar; toso y escupo hacia el perfume de las flores y la tierra, recuerdo la condena y el orgullo de no participar de los actos de ellos.

Por fin me resuelvo y llego, friolento, excitado, hasta el pie de la enredadera que enmarca la ventana de Julita y abre algunas manchas violáceas contra el musgo y la suciedad de las paredes. Me alzo en puntas de pie y silbo; pienso que ella no bajará, que está muerta junto con el resto, con todo lo que se inició la tarde de verano en que Julita, luego de enterrar a mi hermano en el cementerio de la Colonia, empezó a enloquecer, a mirarme, a perseguirme para sólo situarse donde pudiera verme, y desde allí mirar sin hacer pedidos, sin súplica ni curiosidad ni amor ni propósito, para sólo mirarme y apaciguar los miedos que ella me suponía, alzando el labio, mostrando lo que ambos nos obligamos a tomar como una sonrisa. Vuelvo a empinarme, a silbar; la ventana se oscurece y se abre, reconozco el tono de acusación y bienvenida de la pregunta. No contesto.

Imagino el ruido dormido de las zapatillas en la escalera, imagino sin esfuerzo el pelo rubio, colgando, sacudido apenas en el descenso, la cara blanca en que acaba de pintarse la boca gruesa, cuadrada, que le gustaba morder a mi hermano. Ella eligió estar loca para seguir viviendo y esta locura exige que yo no viva; yo no soy más que un sueño variable desde que ella volvió del cementerio y se apelotonó en el sillón y recito con alegría: «Fue un entierro maravilloso, dimos un paseo al sol, los Küttel habían tejido ellos mismos la corona, supongo que pasaron la noche en eso, creí que iba a desmayarme de felicidad con aquel olor a primavera cuando el padre Bergner empezó a rezar.»

Estoy pensando en las mujeres que dormirán con *Junta* en la casa de la costa cuando Julita abre la puerta y las palabras quejosas, previstas, se escapan como animales hacia el barro, hacia el ruido de las gotas que bajan de los árboles. Trato de no mirarla, de no equivocarme: todavía no sé quién soy; ofrezco las mejillas, la frente, me dejo quitar la boina y acariciar la cabeza. Luego empiezo a ser, tímidamente, el que sube la escalera precediendo el cálculo de sus zapatillas, el murmullo de sus rezos. Entramos en la habitación donde ella dormía con mi hermano; Julita cierra la puerta y me sonríe; yo giro para desabrigarme, para no verla, se me ocurre con desconsuelo que la adolescencia no es una etapa de la vida sino una enfermedad mía, un vicio de conformación, una lacra incurable.

Me acuclillo junto a la chimenea encendida, para ganar tiempo;

«Jorge», me nombro, para palparme y despedirme. Pronto, sobre mi nuca, ella empezará a llamarme Federico o Fritz o cualquiera de los nombres que él le aceptaba; presiento la voz de las primeras palabras, grotesca, falsa, lastimosa, desconfiada:

—¿Estás muy cansado? ¿Seguro que no? Pero te empapaste. Estuve toda la tarde pensando que ese trabajo tuyo en la granja es una locura. Yo te animé, es cierto. ¿Nunca te miras las manos? Están rotas, hinchadas, sucias de tierra. Pero son manos para mí, no para almácigos, vacas, trilladoras y hombres. Cuando la última lluvia estuviste una hora con el coche hundido en el barro.

Yo me pasearé, perdiendo rápidamente la vergüenza, imitando las zancadas de las botas de mi hermano, me reiré con la burlona, tierna risa en fa, le tocaré al paso el hombro, la mejilla, las trenzas sólidas y anudadas.

Pero ella viene en silencio y me coloca las puntas de los dedos en la espalda. Está por hablar; tendré que entregarme como una mujer, morir durante unas horas para que ella vuelva a tener a mi hermano. Va a nombrar a Federico, va a resucitar las partes confesables de la intimidad perdida, y sólo ésas. Afloja los dedos y después hace resbalar las manos por mis hombros y mis brazos; la oigo reír, adivino que está sacudiendo lentamente la cabeza.

—Estoy tan feliz, Jorge... —dice—. Si pudieras saber... Tenía tanto miedo de que no vinieras esta noche, que tuviera que esperar hasta mañana para decírtelo...

Muevo la cara y le sonrío, para hacer algo, para irme acostumbrando; me voy levantando, estiro el dolor de las piernas. Voy hasta la pared, hasta el retrato de Federico junto a la cama y la redoma con flores amarillas.

—Tan milagroso, Dios mío... —murmura ella, con la intensidad exacta para que yo la oiga—. He rezado tanto, al principio, para que sucediera esto...

Es el tono habitual de las grandes mentiras, para las escenas que ella sabe excesivas; es intenso, posesivo, casi nunca conviene a las palabras, suena un milímetro arriba o abajo de lo que ellas me hacen imaginar. Todo queda como una lámina mal impresa, con los colores corridos. Todo se hace inexacto y doblemente increíble; puedo sentirme libre, despreciar y callarme. Abandono el perfume tristón de las flores amarillas y al volverme la veo tal como la había presentido: con las manos en la espalda ofrece al fuego de la chimenea una expresión maravillosa y pertinaz, los ojos, muy abiertos, parpadean sin inquietud, como si sólo quisieran acariciar y dar lustre a la mirada. Me acerco para preguntar, insistir, interesarme; pero cuando me mira distingo, como siempre, el odio y el miedo, las únicas cosas que ella no puede esconderme, las únicas que tal vez importen en nuestras relaciones.

—Jorge —dice ella, y me toma las orejas para volver a besarme en la frente—. No me animaba a creerlo.

Me obliga a sentarme en el sillón frente a la chimenea y se achata a mis pies, los tobillos debajo de las nalgas. Es menuda, pero tiene treinta años o cerca y nunca lo olvidé; demasiado vieja para que yo crea en lo que está evidenciando y quiere trasmitirme, así empequeñecida y sumisa, tocándome las rodillas con la dureza del pelo enroscado. Sé lo que está preparando, no es la primera vez que juega al hijo póstumo; pero siempre hay novedades, siempre cambia el enfoque.

—Nunca me animé a creerlo. Porque yo rezaba para que fuera verdad y en el fondo sabía que sí. No me animaba porque no lo merecía, no lo merezco, ¿entiendes? Sólo por mi amor, porque lo quiero. Pero tampoco es mérito mío, no tengo otro remedio —levanta la cabeza y me mira durante el tiempo que emplea su sonrisa en formarse y desaparecer—. Ahora está muerto. Muerto. Hay que repetir la palabra. Antes era obscena, recuerdas, mil veces peor que la palabra más sucia. Ahora no; sólo él está muerto, está, es un muerto. ¿Verdad que no te molesta, que no te duele?

La cabeza de pelo claro estirada como la de un perro contra mis rodillas, la sonrisa tan simple, desprovista de intenciones hasta hacerse repugnante. En cuanto a la palabra, nunca sonó tan sucia, tan hedionda, marchita y miserable.

—No, no me duele —digo, y adivino que todo está a punto de cambiar; algo me liberará de la anterior sumisión, otra cosa se acerca para esclavizarme.

—No puede dolerte. Muerto. Está muerto. Es tu hermano. A veces te miraba pensando cómo sería ser hermano de Federico...

Empiezo a tener miedo; una cobardía incomprensible que me sube desde el vientre, desde la cabeza y la voz de Julita apoyadas contra mi cuerpo.

—¿Lo querías? —me pregunta.

—Más que a nadie, casi puedo asegurarlo.

Es mentira; tenía por él más envidia y admiración que cariño, estaba unido a él, sobre todo, por un desafío que él ignoraba. Sin embargo ahora, en el miedo, lo que digo es verdad. Hago chocar los dientes para que ella oiga el golpe; cierro lentamente un puño, como si algo me lo impidiera, frente a sus ojos.

—Más que a nadie —insisto, sólo para que la parte impersonal de su estupidez la obligue a pensar en mi madre, a introducir un pequeño rechazo en su júbilo. Pero cuando alza la cabeza sólo me muestra agradecimiento con sus ojos azules, secos y grises.

—Él también te quería —concede, la mandíbula encajada en mi pierna.

La recuerdo, recta e inflexible, despidiendo y dando gracias a los que no habían ido al cementerio o volvían de allí; recuerdo mi odio por sus ojos secos y sin sangre, por sus palabras y sus movimientos cotidianos, que no dieron a nadie la oportunidad de medirse menos desgraciado que ella y aplacar el remordimiento compadeciéndola. Recuerdo aquella expresión que parecía nacer del orgullo de la eficacia y aquella otra que no estaba en su cara, que se mantenía erguida y rígida a su lado, pero pronta para incorporarse, y en la que descubrí un desprecio inexplicable, capaz de tragarse aquel presente y cualquier futuro como el mar un naufragio.

—Está muerto —repitió soñolienta; la garganta me hizo cosquillas en la pierna—. Quiero oírte decir que está muerto, por favor. Que no te da miedo ni tristeza. Es tan así...

Así la pudrición y antes la inmundicia de la agonía y después el pudor grotesco de la cara cerrada hacia las vigas del techo, la nariz crecida, independiente, la cara que estuvo haciendo durante la madrugada un solo gesto, que la borraba y la suprimía, que negaba con cinismo todo el pasado de la cara y cuya total indecencia era revelada por la lentitud inhumana con que se cumplía.

—Muerto, está muerto —repito vanidoso y entusiasta, deslumbrado por los escasos puntos de fuego que quedan entre la ceniza de la chimenea.

—¿Verdad? —murmura ella, riendo—. Por eso —antes de asomar a la boca su voz atraviesa la garganta y me roza la pierna— cuando nazca mi hijo le voy a enseñar a decir que Federico está muerto.

Como ya lo esperaba, puedo quedarme quieto, los ojos entornados hacia las brasas, la pierna soportando siempre el calor de su cabeza. Prefiero refugiarme en un miedo anterior, más débil, más frecuentado: Federico con una nariz desconocida, que nos estuvo escondiendo como un vicio imperdonable, cara al techo, sudando la cadaverina que sujetaba, contra las paredes y las maderas, el perfume de las flores, formando allí pequeñas zonas olorosas que imitaban contornos de pétalos.

Le acaricio la cabeza hasta que la levanta; entonces le muestro una sonrisa, aparto mi pierna y me pongo de pie. Voy hasta la cama —mi hombro izquierdo, mi avezada prudencia me protegen de los ojos del retrato— y recojo el impermeable, me retardo moviendo los dedos sobre la boina.

—No voy a quererte menos —afirma sentada en el suelo—, no olvidaré nunca que fuiste más que bueno, increíblemente comprensivo para tu edad...

Dieciséis, diecisiete años, pienso con rabia; no los bastantes para visitar el prostíbulo. Está apoyada con los codos en el asiento que acabo de dejar y el anillo de la trenza sobre la oreja derecha parece desatado, flojo, apartado de la locura. La mueca de éxtasis le invade toda la cara menos los ojos; tal vez los ojos impongan la brillante expresión absurda al resto y se abstengan de la entrega, me estén mirando atentos, con odio y miedo. Retrocedo hasta tocar la pared, hasta empujar con la nuca el vidrio de la fotografía, hasta saber que estoy sustituyendo con las mías las cejas, la sonrisa, la tristeza de mi hermano. Entonces silabeo, resuelvo hacerle comprender con sólo su nombre que quiero echarla sobre la cama, que tengo miedo, que ninguno de nosotros se animará o puede dar al otro lo único que importa.

—Julita —pronuncio. Tiene los ojos abiertos hacia mí, hacia mi cara ansiosa y toda la súplica que puedo mostrar. Pero no ve otra cosa que el muchachito que necesita y utiliza. Y tengo que reconocerme en sus ojos, como en todos los ojos de adultos que me enfrentan, débil, variable, contradictorio. Me estoy viendo y acepto: débil, puro, incapaz de soledad, sin más destino posible que ser un elemento en la existencia de otro, otros. Estoy seguro de poder cruzar el dormitorio rectamente, sin apuro, desde la pared en que me apoyo hasta la puerta, pasar junto a ella sin rozarla ni hablarle y salir de esto para siempre.

—Un hijo de Federico... —se interrumpe para darme a entender que las palabras no alcanzan, para sonreír al asiento de la silla; la yema de un dedo no trata ya de sujetar la trenza: la recorre, yendo y viniendo en el laberinto. Un poco de saliva le brilla en el labio inferior y se alarga, descuidada; pero no altera la belleza, la paz de la sonrisa que blanquea entre los barrotes de la silla—. Pero no es un hijo de Federico. Es Federico. Aunque sea mujer.

Asiento con la cabeza; quiero decir alguna palabra afirmativa con un tono indudable de seguridad, de desdén por toda imaginable suposición contraria. Pero la palabra, como un insecto en un papel cazamoscas, se me queda forcejeando, muda, en las mucosidades de la garganta. Ella ha vuelto a tranquilizarse; tan ajena a mi incredulidad como al hilo de baba que se enfría y se estira desde su boca hasta el asiento de la silla, recobra su sonrisa vacua, maravillada.

VI

También a fines del invierno, en un período de días lluviosos o de niebla, Díaz Grey preguntó por el señor Larsen, alias *Juntacadáveres,* en la administración de *El Liberal,* y le dijeron que estaba con licencia, que tal vez lo encontrara en la pensión en los altos del Berna.

Así que caminó lentamente por las calles empapadas y ventosas, por encima y en el interior de la perceptible furia de la primavera postergada, viendo golpear en el barro las últimas hojas de los árboles, sintiendo las volteretas, casi visibles, del viento que le tocaba la cara. Anduvo, tratando de no fatigarse, relativamente escondido por el mal tiempo, examinando el resto de dolor que le había dejado en el pecho la enfermedad, conservando inútilmente una sonrisa cordial para hacerse disculpar el bastón recién comprado. Saludó, sin reconocerlo, a un hombre pequeño que agitó una mano desde la puerta del Berna, restaurante y cervecería; dobló a la izquierda y, después de comprobar el número, fue subiendo la escalera de la casa de pensión.

«Vengo a decirle que sí, que es posible. Me gustaría poder espiar sus ojos, su cara envilecida, para saber cuánto vale para él lo que le traigo. Pero va a disimular y a esconderse; y mucho más si lo que le traigo es la felicidad.»

Miró calmoso la suciedad de la puerta, el descascarado cinco en la chapita de metal; contuvo un ataque de tos frente a las inscripciones del empapelado de la pared. Creyó que lo habían oído, que sus pasos en la escalera y el silencio hecho al detenerse habían provocado otro silencio dentro de la habitación, una inmovilidad desconfiada y expectante; luego oyó estornudar y una música de guitarra preludiando un tango. Alzó el bastón para golpear, después llamó con el puño.

—Sí. ¿Quién? —gritaron desde adentro. La voz era antipática y triste; borró el recuerdo de Larsen, las imágenes con que el médico había especulado en las calles y en la escalera: un hombrecito redondeado y erguido que cruzaba enérgico la plaza en los mediodías de sábado, una cabeza sin canas que colgaba y dejaba colgar sus ojos protuberantes encima de los libros de contabilidad de *El Liberal,* una cabeza aguileña e inexpresiva que se apoyaba durante horas en una mano junto a una ventana del Berna—. ¿Sos vos, Vázquez? Entrá que está abierto.

Empujando con el puño y una rodilla, sosteniendo los guantes y el bastón, Díaz Grey entró por primera vez en la habitación de *Junta,* parpadeó sonriendo en la penumbra llena de olor a eucalipto. Antes de descubrir el ridículo, lo vio anunciado en la cara, en la semisonrisa de Larsen. Estaba sentado en una silla, con el sombrero puesto, los pantalones arremangados y los pies perdidos en el humo de un tacho de agua caliente con hojas oscuras flotantes. El fonógrafo, muy viejo, deliberadamente antiguo, con una gran bocina de flor, hacía girar y rascaba, empujaba apenas, lo suficiente para que cayeran afuera, las palabras y la música de un tango.

—Pero buenas tardes, doctor. El último que se me podría ocurrir —hubo una rigidez en el cuerpo de *Junta,* el deseo, y la inmediata renuncia, de levantarse, descubrirse, sonreír una untuosa bienvenida.

—¿No lo molesto? —preguntó el médico, y dejó en seguida de preocuparse por saber si molestaba. Miró con calma el ridículo e intuyó el otro, adherido al visible; del confuso, voluntarioso, inevitable persistir que *Junta* hubiera reconocido como su alma.

Avanzó a la luz escasa que llegaba desde la cabecera de la cama, una mano en alto para hacerse perdonar, exagerando la cojera para justificar el bastón, admirando ansioso los pocos elementos que componían el ridículo: el fonógrafo gangoso, su bocina colgante y como ablandada, la gran manivela de la cuerda próxima a la mano de *Junta;* la luz en la cabecera de la cama que rescataba de la sombra de la pared la estampa de una Virgen y la fotografía en colores de Gardel; el mueble con la palangana y la jarra y el espejo donde flotaban inmóviles postales y recortes de revistas; el mismo *Junta* intimidado y rabioso, ancho, corto, ensombrerado, su cara humedecida por el vapor.

—Siéntese, doctor —y él se sentó frente a *Junta,* próximo, introduciendo la punta del bastón en la zona olorosa donde trepaba la blancura del humo. En el suelo, entre ellos, estaba abierto un ejemplar de *Crítica* manchado de agua.

Junta aceptó la sorpresa hundiéndose un poco más el sombrero, y movió los pies en la palangana.

—Aquí me tiene, doctor. Para lo que no es grave, yo me curo solo. No crea, me acuerdo de la sulfamida y, otra vez, muchas gracias. Pero en otras cosas, disculpe, no creo en médicos. Para un resfrío, esto y un poco de alcanfor. Creía que era Vázquez, el muchacho ese, encargado de la reventa. ¿Conoce?

—Creo que sí —mintió Díaz Grey. Estaba seguro de que *Junta* sólo quería tener la iniciativa, no alejarse de su mundo habitual, mirarlo con los ojos entornados, protegido por el vapor—. Lo fui a buscar al diario y me dijeron que viniera aquí.

—Sí, estoy de vacaciones. Y justo en las vacaciones me vengo a enfermar —no hizo más que mostrar los dientes amarillos, separar sin alegría los labios finos—. Si abre la cómoda, hay una botella de vino dulzón, de viejas.

No esperó la negativa: alzó los pies y dejó chorrear el agua, los puso sobre el diario en el suelo y manoteó una toalla. La púa sonaba en el disco concluido.

Díaz Grey apoyó las manos en el puño del bastón; se inclinó hacia el tacho y su niebla, hacia las hojas verdes y alargadas que se movían en el perezoso remolino, sonriendo y disimulando la dulzura de su sonrisa detrás de los nudillos, tentado por la posibilidad de comprender repentinamente al hombre que resoplaba, doblado, parsimonioso, calzándose las medias y los zapatos.

—Vengo de parte de alguien que usted conoce. Por un asunto que también conoce.

—Bueno —contestó *Junta* mientras se enderezaba y sacudía las piernas para hacer bajar los pantalones—. Diga nomás —dio cuerda al fonógrafo y volvió a poner la púa en el borde del disco—. Es un tango viejo —alzó la palangana y la empujó debajo de la cama.

Las guitarras sonaban demasiado lentas y remotas, preludiaban una burla melancólica, un remedo apresurado de la compasión. «No lo voy a conocer, está a la defensiva, tal vez descubra de qué se defiende.»

—Creo que también hay grapa, doctor —dijo *Junta*, acercándose: cambió apenas la posición de su silla y tiró el sombrero sobre la cama antes de sentarse—. Estaba por salir en seguida de la cura, me agarró justo. Aunque el tiempo no invita.

—Si dura la tormenta —miraba la cabeza redonda del otro, el pelo escaso y bien peinado, el mechón brillante que se aproxima a la ceja; le sonrió francamente, para ganar tiempo, porque creía reconocer la mirada fija, su gastada costumbre de imperio, el movimiento nervioso del hombro derecho y de la boca—. Pero usted estaba por salir y yo tengo que ver enfermos. Será mejor no perder el tiempo.

Larsen asintió y dejó de mirarlo; se frotaba las manos cortas, muy blancas. Contra el pantalón y el chaleco, el vientre avanzaba redondo, independiente del resto del cuerpo.

—Nada tengo que ver en el asunto, entiende. Usted dice que sí o que no. Vengo de parte de Barthé.

—Barthé —repitió *Junta* como una cortesía, sin emocionarse.

El médico tosió y fue doblando la cabeza para escuchar el viento; por la bocina del fonógrafo iban resbalando las palabras del disco:

Tenés un camba que te hace gustos
y veinte abriles que son diqueros.

Ahora *Junta* acompañaba las guitarras moviendo los dedos sobre la carpeta verde de la mesa, manchada de tinta, quemada por cigarrillos. El mal tiempo proclamaba afuera su victoria sin regocijo, ganaba la calle, excitaba al río.

—Perdone —dijo el médico con brusquedad—. ¿Usted viene del Rosario?

—Sí —dijo *Junta;* detuvo la mano y fue separando el mentón del cuello—. Es decir, cuando llegué aquí venía del Rosario —esperó un momento; luego se puso de pie y detuvo el disco; volvió a esperar, entreteniéndose en recorrer con un dedo el borde sinuoso de la bocina—. ¿Qué pasa con Barthé?

—Sí. Es muy sencillo. Consiguió mayoría en el Concejo para que le voten el prostíbulo.

—Siga —dijo *Junta;* avanzó un paso y lo deshizo, alzó una mano hacia la boca entreabierta; con los ojos hundidos en la polvorienta campánula verde de la bocina ofreció al médico una mejilla engrosada por los años, rayada de violeta por el alcohol, temblorosa—. Disculpe, doctor. ¿Así que consiguió? Todos los años, lo mismo. Ya no me interesa. Precisamente ahora...

—Esta vez es cierto. Lo sé por Arcelo. Sé que los conservadores lo van a votar. Me pidió que hablara con usted.

—Disculpe, doctor —repitió *Junta,* y empezó a pasearse—. Que hable conmigo.

Ahora Díaz Grey se creía próximo a reconocer la actitud del cuerpo, a la vez erguido y encorvado, que iba y venía entre la puerta y la bocina verde, con la cabeza inclinada, las manos unidas en la espalda. «Lo he visto en otro lugar o lo he leído, tal vez haya tropezado con él alguna vez en la Capital.»

Junta se detuvo de golpe, perniabierto, sardónico, dejando avanzar el vientre, frente a la silla donde Díaz Grey hacía girar el bastón entre las rodillas.

—Hay que ver —dijo, y nuevamente trató de sonreír. Encogido y malicioso, Díaz Grey examinó la pequeña desesperación que alteraba y ennoblecía la cara usada del hombre. «Cuál será el nombre de la furia que le entreabre la boca y la estira hacia un costado, a compás, como si fuera marcando con la jeta los segundos que pasan y nos van gastando. Y los ojos salidos, hipertiroideos, frenéticos e impotentes, fingiendo, sin propósito, que conocen lo dramático e implacable de la cuenta del tiempo que llevan, para mi edificación y beneficio, las contracciones de la boca ensalivada.»

—Disculpe, pero ya no me interesa. Hace tres años que estoy aquí por eso, nada más que por eso. Y dos o tres veces por año Barthé me hace decir que el asunto está arreglado. Ahora me río —trató de hacerlo—. ¿Comprende? En este pueblo inmundo. Y yo me seguí quedando, pudriéndome aquí. No me importa decírselo, usted conoce. Y ahora viene con otro aviso, tiene la poca vergüenza de mandarlo a usted. Pero para mí se acabó, ya tengo bastante de Santa María.

—Entiendo —dijo Díaz Grey; acomodó el bastón en un hombro y se frotó con suavidad el frío de las rodillas—. No sé qué pasó antes; tampoco tengo nada que ver con lo de antes ni con lo de ahora. Sólo vine para hacerle un favor a Barthé, porque él me pidió que lo hiciera. Creí que también le hacía un favor a usted. En todo caso, esta vez es cierto. No porque lo diga Barthé.

—¿Esta vez? ¿Y si yo le dijera, doctor, que lo estoy creyendo, y que porque creo que es verdad, que esta vez es cierto, tengo ganas de romper a patadas todos los muebles, y el Berna, y *El Liberal,* la cara del farmacéutico y toda esta cochina ciudad? Perdone. Puede decirle a Barthé que me voy. Estaba loco, estuve loco todos estos años y sólo ahora me doy cuenta. Ahora que es cierto, ¿entiende? —hablaba refrenando con facilidad la furia o tal vez fingiéndola, una mano bajo la solapa, la otra frente a la cara y moviendo el índice contra la quietud del médico.

—Es curioso —dijo Díaz Grey—. Pero se puede entender —levantó, lenta, ostensiblemente, los hombros; estaba seguro de que el otro seguiría hablando si él mostraba deseos de no escucharlo—. Pero eso, todo lo que dice, es asunto entre Barthé y usted. Yo vine a decirle que consiguió mayoría en el Concejo para que le voten la ley. A usted no le interesa, eso es todo. Mañana le digo a Barthé que ahora a usted no le interesa —sin moverse en la silla, arrastró el bastón por las tablas del piso y cambió de mano los guantes.

Oía el viento estirarse en la calle, lo adivinaba correr desde la costa hacia la ciudad, alzarse para recibir y conquistar a la noche que llegaba; volvió a sentir que el frío se apoyaba en la flacura de sus piernas, notó el dolor manso, casi inmóvil en los huesos de la cadera.

—Pero póngase en mi lugar —decía *Junta*—. Sé mucho de usted, sé lo que dicen de usted los pobres de los rancheríos. Usted no es como los demás, todos esos del club y del hotel. Porque lo respeto le pido disculpas si le falté.

—Gracias —ahora lo que le dolía era el aburrimiento, el dolor en los huesos titilaba apenas. Miraba sin entusiasmo al hombre ancho y oscuro como si lo estuviera soñando así, construido con sustancia de tedio y absurdo. «No tengo salvación; y no puedo recordar qué esperé que me interesaría en todo esto, en este canalla envejecido. Volver a casa, ponerme una inyección, escuchar música y pensar en Molly, en la casa en la arena, en el hotel de madera, río arriba; pensar que es posible que muera antes de que termine el año, suponer que soy Dios y suponer que me importan el pasado y el destino del doctor Díaz Grey, lavativero desteñido y provincial.»

—Espere, hágame el favor —la mano abandonó la protección de la solapa y los dos brazos se tendieron horizontales hacia el médico—. Me voy para siempre, doctor. Primero vuelvo al Rosario, pero es seguro que en seguida, de rebote, me voy a la Capital. No nos vamos a ver —dejó caer los brazos y esperó a que desapareciera el ruido de las palmas contra los muslos. Fue hasta el mueble coronado por una palangana y una jarra y volvió con una botella de oporto y dos copas—. Hágame el favor, aunque sea un traguito —suplicó sonriendo, sumiso. Se sentó junto a la mesa y llenó las copas; Díaz Grey encendió un cigarrillo y dejó el paquete sobre la carpeta verde.

—Salud —dijo *Junta* alzando la copa. Díaz Grey tomó un trago—. Vine porque Barthé me mandó llamar. Yo estaba en el Rosario y, créame, estaba bien. Pero me vinieron a conversar. Y a mí siempre me gustó cambiar, hacer cosas. Esto no lo había hecho nunca, comprenda. Un negocio que yo iba a organizar solo, de arriba abajo, como se me diera la gana, sin rendir cuentas. Me vine entusiasmado y la cosa fracasó. Podía haberme vuelto y olvidar el asunto. Pero no, yo estaba emperrado. Barthé decía que en seis meses todo se arreglaba. Siempre pensé, disculpe que es amigo, que el hombre estaba un poco loco; pero parecía serio y de palabra. Yo ya había elegido la casa para instalar, ya había tomado el pulso al elemento; por ahí anda un presupuesto y un plan completo para el negocio. No se ría, doctor. Así que me gustó quedarme y esperar aquí; para eso busqué un empleo en el diario. Usted ya sabe: llevo los libros de la administración y podría llevarlos en una firma diez veces más importante. Los hombres dan sorpresas. No le gusta el vino. ¿Quiere un trago de grapa?

—No —dijo Díaz Grey—. Gracias, ando un poco enfermo. Siga diciendo.

Ahora escuchaba con más entusiasmo, pensando a la vez en las próximas horas de insomnio, imaginando el gemido que haría el viento hasta la mañana.

—Yo, que desde los veinte años, puedo decirlo, no trabajé —siguió *Junta*—. Y casi me fui acostumbrando a vivir de otra manera, a vivir de un sueldo, piense. Y cada seis meses y sobre todo cada mes de marzo, cuando empezaban las sesiones, venía alguno de parte de Barthé para decirme que todo estaba arreglado y que me preparara. A mí, que estoy preparado siempre. Y a fin del año pasado, y ahora me explico, supe que Barthé se corría una fija con la votación. Otra. Pero el asunto ya no era conmigo. Piénselo: yo me había enterrado aquí más de dos años, estuve viviendo una vida como para morirse de risa. Sin contar con que él no quería verme, teníamos que entendernos por terceros, como si yo tuviera sarna, como si no fuera él quien quiere instalar un prostíbulo en el pueblo. Y entonces me entero de que la cosa ya no es conmigo, que se puso en tratos con *la Tora,* una loca que tiene una casa en Colón. Tuve un lindo ataque de rabia, para qué se lo voy a negar. Pero me quedé, me quedé porque sabía bien que *la Tora* no se iba a animar a explotar aquí si yo estaba en Santa María. Que ella y los amigos de ella le digan por qué. Pasó; la fija de Barthé era como las anteriores —alzó la copa, sonrió, distante, grotescamente suavizado por la tolerancia, y estuvo haciendo buches con el vino antes de tragarlo—. Y ahora parece que es en serio y me lo manda a usted. Quiero decir, le pide que venga. Otra vez conmigo, el asunto. ¿Y quiere saber por qué? Él habla mucho de sacrificio, de progreso, del pueblo. Pero lo que sucedió fue que *la Tora* no quiso pagarle la coima. No para él, dice; quiere sacar un diario y busca ayuda en ese negocio. Me parece bien, hay que vivir y dejar vivir. Pero pasa que él pide bastante; y como *la Tora* sólo ve lo que tiene delante de la nariz, no iba a decir que sí, aunque yo le dejara el campo libre —vació la copa y rió, comprensivo y desdeñoso—. ¿Cómo es que me conviene a mí? Sencillo: porque yo siempre pienso no para éste sino para el año próximo. Que me dejen hacer y después veremos. Así son las cosas, doctor; y créame que lamento que le haya tocado a usted. Ya no tengo veinte años; y, que yo sepa, sólo en una cosa he cambiado: en que ahora soy capaz de charlar mucho cuando respeto a quien me escucha. El otro día me dio por pensar qué estaba haciendo en Santa María. Me llegó una carta de un amigo y me puse a pensar. Es para reírse. Pero ya se acabó, una semana más y estoy en el Rosario. Y lo siento, si es que ahora va de veras, porque le doy mi palabra de que iba a poner una casa como para estar orgulloso. Siempre quise instalar algo así. Pero qué le vamos a hacer. Que se busque a *la Tora;* a lo mejor arreglan.

—Sí —dijo Díaz Grey—. Entiendo —se apoyó en el bastón para levantarse—. Un poco de reumatismo —explicó sonriendo.

—Hasta los médicos se enferman —bromeó *Junta* con cautela; de pie, se puso nuevamente el sombrero y estuvo tironeando de los puños de la camisa hasta hacerlos sobresalir—. Bajamos juntos, estaba por salir —abrió la puerta y retrocedió para apagar la luz de encima de la cama—. Este invierno es muy traicionero; sobre todo aquí que es litoral.

Iban bajando la escalera, entrando en el viento frío que se metía desde la calle; Díaz Grey, con los ojos entornados y el bastón colgando de un brazo, apoyándose en el pasamanos y dejándose guiar por él, volvió a sentir, con tanta intensidad como cinco años atrás, pero con una cariñosa curiosidad que no había conocido antes, la tentación del suicidio. Bajaba en la penumbra hacia el viento y la soledad de las calles, hacia los hábitos, hacia la comida a solas, la repetición de ademanes y frases dirigidos a la sirvienta, hacia los antiguos trucos con que lograba no pensarse, no enfrentarse. «Dios inclinado un segundo sobre el breve caso Díaz Grey, soportándome a mí mismo con Su indiferencia, Su benévolo asombro.» Iba un escalón delante de *Junta*, con los párpados casi cerrados, con una sonrisa de mansedumbre, con la desviada conciencia del dolor entre los riñones y del dolor oblicuo en el pecho y de los golpecitos del bastón contra la rodilla.

—Gracias y disculpe, doctor —dijo *Junta* con lentitud—. Pensándolo bien, puede ser que todavía le haga una visita a Barthé.

VII

Estuve escondido detrás de la cortina del altarcito, inmóvil todo el tiempo que demoró Julita ayudando a su hermano a vomitar en el baño. Los oí hablar y susurrar, escuché a Marcos repetir amenazas contra el prostíbulo y contra toda la ciudad. Después, los ruidos de derrumbe en la escalera y el motor del cochecito rojo rodando hacia la costa. Julita estuvo dando vueltas por la habitación antes de separar las cortinillas, acomodar las flores y las imágenes, e invitarme a rezar.

—Pobre querido —murmuró, inclinada para acariciarme.

Deslumbrado y ridículo, tratando de alzarme del suelo sin torpeza, yo sabía quién era, cómo iba a llamarme al nacer de la oscuridad.

—Es tarde —dijo—. Vamos a rezar.

Ella se fue inclinando muy lentamente, con visibles precauciones por su cuerpo, como si acabara de descubrirlo o se lo hubieran confiado, y las rodillas, una a una, tocaron sin ruido el piso.

Hincado, con la boina entre las manos, mientras fingía pensar las palabras, la oí emplear las frases del ángel para saludarse, bendecirse y confirmar el anuncio; espié sus ojos cerrados. La supe segura de que la sonrisa que había levantado apenas las puntas de los labios expresaba humildad y bienaventuranza; pero aquella sonrisa no era para mí más que un dibujo insignificante, una forma vacía a la que sólo atinaba a llenar con hastío y con miedo y este miedo recorría veloz, instantáneo, las sinuosidades de la boca y saltaba hacia mí, desde las comisuras y desde el centro, desde el punto donde el labio superior de mi cuñada viuda sobresalía hinchado, alzándose como el de un niño de pecho.

La desesperanza, colocada en el cuadro de la sonrisa, girando en la poco profunda mueca de los labios, se convertía, corrompida, velozmente transformada, en miedo, y este miedo chorreaba hacia mí como una exacta devolución del mío.

—Y bendito el fruto de tu vientre —decía Julita con una voz áspera.

La vi enloquecida y muerta; la trenza suelta colgaba inmóvil, opaca y filosa como un enredo de fibras vegetales. Reconocí mi miedo, y aunque ella pueda sentirlo y respirarlo, aunque se mezcle con los miedos de todos los otros que están en el mundo, sé que es mío, que es el más doloroso de sufrir, el único en que puedo realmente creer y soportar.

—Bendito el fruto de tu vientre, Jesús —repitió Julita; parpadeando, bisbiseó con una expresión absorta y cuidadosa, apoyó una mano en mi hombro para trasmitirme el *Ite misa est* y ayudarse a levantar. Me llevó hasta la puerta y cuando iba a besarme se apartó de mí. Comprendí que por primera vez yo era Jorge para ella, sentí que ya no podía dejar de serlo y enrojecí, intimidado, como si mirara a una desconocida.

Abrió los ojos para dármelos, con tanta furia que yo podía esperar que cayeran, sentir el golpe simultáneo contra el suelo de las dos gotas blandas, azules o verdes. Me sonrió con la boca abierta, asombrosamente grande; estaban, sólidas, parejas, las dos filas de dientes, pero lo único que contaba era el agujero redondo y negro, el conjunto completo de los elementos correspondientes al grito que ella era capaz de hacer. Después usó la boca para respirar, fue bajando los párpados y estuvo mirándome, algo más alta que yo a pesar de haberse descalzado, con una sonrisa maravillada e infantil. «Voy a recordar esta noche, voy a seguir viendo mañana y cada vez que quiera, toda la vida, esta cara abierta, sin negativas, ofreciéndose con el hueco de la boca y la dilatación de los ojos», me obligué a jurar.

—¿Pero te das cuenta? —murmuró—. Un hijo. Nadie lo sabe, sólo te lo dije a ti. Lo voy a esconder mientras sea posible. ¿Te das cuenta?

Me tomó de las puntas del cuello del impermeable, riendo con su sonido de llanto. Antes de que se acercara pensé en mí mismo, como si pudiera mirarme; reconstruí y adiviné la altura, la debilidad y la actitud tranquila de mi cuerpo, apoyado con un hombro en el marco de la puerta; vi la inclinación de la boina sobre mi cabeza y el gesto tibio, maduro, comprensivo de la cara que yo situaba frente a su sonrisa. Pensé que mi mirada expresaba suficientemente la entrega pero que nunca podría entregarse a nadie.

—Un hijo de Federico —completó; como si fuera imposible mover la sonrisa, movía la cabeza hacia un hombro y otro. Loca, yo estaba menos desamparado, menos joven que ella. Pero seguí sabiendo que era una mujer, más fuerte, infinitamente más antigua; completa y solitaria como la unidad. Sin empujarme, sin peso, colocó una mejilla contra mi pecho y se rió, puso la otra mientras lloraba. Le acaricié la cabeza con una mano entorpecida y falsa; con la otra apretaba la pipa en el bolsillo del impermeable. Detrás de mí estaban el vacío y las tinieblas de la escalera, el paso de la noche y la negativa de su silencio. Julita alternaba contra mi cuerpo los costados de su cabeza, a compás, lentamente, para que yo pudiera continuar acariciándosela. El hueco de la escalera, nada más que la sombra despoblada a mis espaldas. Recordé la cara de ella un momento antes, comprendí que había visto allí, deliberado, exhibido con voluntaria exageración, el sentido de todas las caras humanas, el fin para el cual crecen, actúan, existen los huesos, la piel, los músculos, los pelos y agujeros de las caras: imponerse a los demás, abolirlos, ser en ellos y obligarlos a ser en nosotros.

Volvió a besarme y apoyó los nudillos contra un bostezo. Sin cuidarme del ruido y haciendo sonar por gusto los zapatos desde la mitad de la escalera, bajé los peldaños, abrí la puerta con los ojos cerrados para separarme del quejido de los goznes y salí al jardín, a la noche calurosa y ya sin lluvia. Había estrellas y grandes nubes livianas y cenicientas que se iban.

Exactamente como siempre, como cada vez que salía de las habitaciones de Julita y pisaba la tierra, los yuyos, el césped corto y aplastado, sentí que todo lo que acababa de pasar —ella y yo, las palabras y las situaciones del secreto, de la incomprensible mentira que nos juntaba— no tenía más valor que el conjunto de sucesos de un sueño.

Aquí estaba yo, nuevamente, real y despierto, saltando sin ruido los charcos, encendiendo el resto del tabaco maloliente que conservó la pipa; yo, éste al que designo diciendo éste, al que veo moverse, pensar, aburrirse, caer en la tristeza y salir, abandonarse a cualquier pequeña, variable forma de la fe y salir.

Este que descubre los brillos lunares del cochecito de Marcos embutido e inclinado entre hojas de sauce y de zapallo, en la huerta. Este que se acerca a la ventana de Rita, la sirvienta, y sólo puede ver esta noche —porque no quiere trepar, porque tiembla al imaginar la humedad y la frescura de las ramas de la enredadera contra su cara— la cabeza de la muchacha en la luz de la vela, la cabellera que asciende en la almohada, y el grueso antebrazo de Marcos, inmóvil, derrumbado, en el disco del reloj pulsera donde se refleja, sin temblores, la luz amarillenta.

Tal vez haya llegado demasiado tarde o aún no haya sucedido; pero esta noche no me importa. Lo que puedo ver y recordar de los dos cuerpos desnudos no me excita ni me avergüenza.

No tengo sueño, no tengo ganas de robar comida en la cocina y subir a mi cuarto y mascar mirando las páginas que dejé encima de la mesa. No debe ser mucho más de medianoche; puedo ir caminando hasta el pueblo y esperar a Lanza en el Berna, o entrar en el diario e ir contestando los saludos al hijo del patrón hasta la escalera de hierro del taller, bajarla y sentarme junto a Lanza en la mesa mal armada donde estará corrigiendo galeras.

Empujo el portón y salgo al camino; pero no tengo verdaderas ganas de hacerlo, de repetir hoy la comedia nocturna con el viejo Lanza. Lo voy haciendo con las manos en los bolsillos del impermeable, cuidando de que los hombros queden sueltos, abandonados, tratando de que los brazos no participen del esfuerzo de la marcha, evitando a veces con trabajo y alarma los baches llenos de agua, pisoteándolos otras veces con rabia. La nariz abierta para intentar descubrir el origen (la forma de árbol, de montón, de hueco o escondrijo sombrío) de cada olor de fin de verano que la noche húmeda pudre y endulza; la cabeza alzada en aquel ángulo que indica la desesperación y la voluntad de asimilarla, aquel ángulo exagerado, viril y doloroso que determina la caída de la boca y los párpados. Lo voy haciendo —a largos pasos por el camino que sube y baja y que parece torcerse continuamente hacia la derecha, en espiral— porque tengo muchas ganas de hacer lo otro; subir a comer e inclinarme, mascando, consciente del brillo de la grasa en los labios, sobre la estupidez desolada de los cuatro versos sin destino, que no debían haberse formado, de cuya inútil introducción en el mundo soy responsable y que no puedo sacarme de la memoria.

Porque tampoco tengo ganas, esta noche, de rozarme la cara y las manos, mojármelas con la enredadera de la ventana de Rita para verla desnuda contra Marcos, mirarlos empujar mientras tratan de mezclarse, o de simular que se mezclan, mirarlos dejar de ser para perderse, con una corta furia anónima, en cualquier vaca, cualquier paloma, cualquier perro.

Paso frente a una curva de naranjos, camino mirando las manchas sucias de los vellones colgados del alambrado y cuando me siento solo taconeo con fuerza en el medio de la carretera. Ahora estoy cerca del molino y de las luces que iluminan, sin tocarlas, las últimas nubes, blancas. Mañana tendré buen tiempo, calor y es casi seguro que nos encontraremos en la gruta con Tito y Alejandro. A veces están dentro de mí todas aquellas cosas en las que no quiero pensar porque es imposible pensarlas; pero generalmente están detrás, a mi espalda, como una sombra olvidable y a la que no me es permitido pisar. Ellos me harán preguntas cuando las miradas, las sonrisas y el silencio se hagan transparentes y muestren el vacío, la soledad, la separación; yo les hablaré de Rita y Marcos como si los hubiera visto hoy, encogeré los hombros y apartaré la pipa para escupir con asco.

—Pero nunca lo hiciste —repetirá Tito—. No podés saber.

Y aunque estoy seguro de que él tampoco lo hizo, reconoceré, sin decírselo, que tiene razón en parte. Sentiré que les estoy diciendo adiós o hasta luego, que me atrapó un mundo más impuro que el de la distraída amistad y no puedo saber, es cierto, hasta cuándo.

Pero estoy solo; Tito, Alejandro, el Alemán, Julita, mi madre, mi padre, todos están con el oído contra mi boca; pero no pueden entender que cuando yo lo haga no habrá ninguna relación con lo que ellos hicieron o puedan hacer. Ni en esto ni en ninguna otra cosa.

Hay un vigilante sacudiéndose el capote bajo un farol; una cuadra más y empezaré a cruzar la plaza. Nada de lo que es importante puede ser pensado, todo lo importante debe arrastrarse inconscientemente con uno, como una sombra. Sin embargo, puedo intentar, esta noche, ponerme ante los ojos al hijo de Julita, esa cosa que ella se agregó a la cara, a los movimientos, y que alterará, mucho o poco, el aire del dormitorio donde nos vemos. En algún banco de esta plaza o andando bajo los árboles, alguien que podría ser mi amigo estuvo o estará; alguno, hombre o mujer, más próximo a mis gustos que las gentes con las que vivo. No lo veré nunca, no sabré que respiró la humedad de una tormenta de verano mientras cruzaba la plaza de Santa María e iba cambiando ociosamente, por juego y desesperanza, la colocación de los materiales que componían su mundo. Tal vez haya decidido, aquí mismo, paso a paso sobre el pedregullo revuelto, dedicar su vida a un solo propósito o, lo mismo da, renunciar a todos los propósitos. Me es igualmente fácil compartir su fe y la risa un poco asombrada, un poco miedosa con que acogerá o acogió su renunciamiento.

Un hijo para Julita, un hijo de Julita que no soy yo, pienso al doblar la esquina; insisto en la idea absurda mientras cargo la pipa a la luz de los faroles esféricos de *El Liberal*, junto a la placa de bronce que recuerda —hay, además de la fecha y de la frase con dos adjetivos, el contorno de una lámpara de aceite y el perfil de una mujer— que fue mi abuelo quien fundó el diario. Subo la escalera de mármol, cruzo la luz gris del vestíbulo sin que nadie me vea y bajo la retorcida escalerita de hierro que lleva al taller.

El viejo Lanza tiene la cabeza recostada en un puño y alza el labio para mojarse el bigote gris, ralo y hundido; contra el borde de la mesa una mano aparta el humo del cigarrillo, mitad ceniza.

—¡Hola, hola! —dice, y se sacude despertando, carraspea, está feliz de verme. Mientras le toco el hombro y la punta de los dedos siento que lo quiero más de lo que había pensado. Tiene sucios el cuello de la camisa, los puños y las manos. Las manos son hinchadas, peludas, pecosas, casi sin uñas, con las venas salientes en el dorso; hicieron cosas, se movieron entre ellas y se gastaron.

—Cuánto tiempo, ¡caray!, que no se acordaba de los pobres. Siéntese. Todavía podemos conseguir un café y una copa. Si usted lo pide, sobre todo. ¿Qué hay de esos versos? ¿Qué hay de Juan Ramón y de la jota? Ya no llueve, ¿verdad? Estuve pensando en usted, en lo que hablamos la última noche y, buscando, encontré entre las pocas cosas que tengo un librito que viene al pelo. No lo traje pero ya se lo haré llegar. Ahí viene el sujeto; pídale café, haga el favor.

Sé que no tiene nunca presente que soy el hijo del dueño; trataría de usted a cualquier muchacho de mi edad. No cree ayudarme, al revés de los demás; yo lo distraigo, le doy oportunidades para recordar en voz alta. Tiene los ojos brillantes, se burla sin amargura, es inteligente y en el masaje que se hace en la sonrisa con los dedos compruebo que se conserva vivo y despierto.

—Aquel bruto de su cuñado o hermano de su cuñada, ¿cómo sigue? —pregunta para ponerme en un terreno donde mi adolescencia pueda estar cómoda y espontánea.

—¿Marcos? Bruto y borracho —contesto; me quito la boina mientras nos miramos riendo.

—Es triste —dice Lanza, con tristeza—. No creo en él ni siquiera como borracho. No creo en los borrachos con excusas.

Repentinamente, hago lo que estaba seguro de no hacer: saco del bolsillo las cartulinas dobladas en dos con los versos escritos a máquina y las tiro sobre la mesa.

—Lléveselos y después me dice.

No me importa que él los lea o no, no me interesa lo que puedan decirme, no me interesa lo que nadie pueda decir de los cinco poemas. Son malos y buenos para mí; lo que sean para otro no tiene sentido.

Tomamos café y Lanza bromea con el muchacho que le trae las galeras. Está viejo, es un viejo; desde hace años todo lo que hizo estuvo tan separado del hombre que él fue como el eco de una campana del momento del tañido, y de la campana misma. Con cara bondadosa, casi con amor, mira mis versos, mueve los anteojos frente al primer poema, el peor de los cinco, y se guarda los papeles. Nombra otra vez a Juan Ramón y bromeamos fumando, separados por la mesa angosta, manchada y fría. Aunque el viejo no lo sepa, equilibramos las bocas en un borde de mi desesperación, donde es posible que él, muerto, juegue a entenderse conmigo, con este que no va a ser nunca.

Sin rebeldía, sólo con una sensación de fatiga que arrastra y hace presentes todas las fatigas de la jornada, pienso que hice el camino hasta el pueblo con los pasos resueltos de mi hermano y que también robé a Federico el movimiento veloz y seguro con que extraje y tiré sobre la mesa las cinco cartulinas de los versitos.

—De modo que llegaron las mujeres —dice Lanza exagerando

una guiñada—. Nosotros, la muchachada, tenemos derecho a divertirnos, ¡qué caray!

No ha pensado en mí al decirlo, no intenta dirigirme ni ensuciarme, tal vez no sepa que la casa donde instalaron el prostíbulo es de mi padre, que mi padre la alquiló al tipo que llaman *Junta.*

—Las vi en la estación —asiento con la voz calmosa y campesina de Federico, con su sonrisa cortés y abstraída.

VIII

Dos días después que el doctor Díaz Grey subiera renqueando las escaleras de la pensión, Larsen hizo una visita al farmacéutico. Audazmente, la inició con el más difícil de sus trucos. Planteó desapasionadamente su rencor por las pasadas tentativas de Barthé con *la Tora* y luego se inclinó hacia el otro con un gesto frío y muerto, lo mantuvo muchos segundos con los ojos entornados. Todo podía suceder entonces, todo podía ser esperado: desde el síncope hasta la apresurada alegría del juicio final. La cara y el silencio, sin aludir a ninguna amenaza, las incluían a todas. Después retrocedió con un movimiento definitivo y en la estupidez de las mejillas se formó una sonrisa de alivio.

—Ahora me necesita. Ahora, arréglese con *la Tora.*

Barthé juntó las redondas manos sobre el pecho. Estaban en el rincón de la farmacia donde, a la sombra de la caja registradora y de los grandes botellones con líquidos coloreados, el boticario había hecho colocar un pupitre de colegial al que llamaba su escritorio. Miró a *Junta* con indiferencia, sin mostrar más tristeza que la del tiempo perdido. Desde el sótano abierto trepaba el olor bucólico de los fardos de yuyos.

—Lamento no contar con la presencia del doctor Díaz Grey —dijo *Junta.*

—Sí —asintió Barthé; el tiempo no había mejorado en los últimos días, en las ventanas sucias se aplastaba un anochecer oscuro y mojado—. Está enfermo.

—Ya sé que está enfermo —interrumpió *Junta,* irritado de pronto por la mansedumbre del boticario, por la blanda piel infantil, por la ansiedad inalterable de la boca redonda, por las manos que reposaban en el pecho como en un niño—. Ya sé. Reumatismo. Con ser médico, no sabe curarlo. Yo no voy a meterme. Y usted tampoco.

—Lo ataca todos los años, cada invierno —comentó Barthé—. Una semana, diez días.

—No quiero meterme. Ustedes son los doctores —*Junta* encendió un cigarrillo y mantuvo la llama un rato próxima al solitario del meñique. El boticario continuaba mirando los vidrios de las ventanas y las vidrieras.

—Bueno —murmuró—. Usted sabe que mis negociaciones con esa mujer están terminadas.

—Espere —protestó *Junta*—. Es justo lo que decía. Que me gustaría tenerlo acá al doctor como testigo. Usted, con respeto, no sabe quién soy yo.

—Puede ser —convino Barthé—; es difícil conocer a la gente y nos hemos tratado poco —la voz le sonaba aguda, invariablemente terca—. ¿Para qué necesita testigos? Nunca me desdije, todo fue siempre claro. Esa mujer me hizo una propuesta y yo la rechacé.

—Mal hecho —dijo *Junta*, aconsejador—. Porque yo, ahora, no le sirvo. Ya no me interesa el negocio. Estuve esperando un año y meses, hasta el día en que me desperté y me dio por preguntarme qué estaba haciendo en este pueblito. Yo; piense —se quitó el sombrero y ladeó la cabeza para que Barthé viera en la penumbra las canas sobre la oreja y la sonrisa juvenil y cínica que aún era capaz de hacer.

—Verdaderamente... —dijo el boticario, y no podía saberse si objetaba o asentía. Una mujer oscura y barrigona arrastró al entrar una melancólica zona de mal tiempo; se apoyó en el mostrador y estuvo haciendo sonar, sin impaciencia, una moneda contra el vidrio de un botellón.

—Yo —repitió *Junta*, con asombro y jactancia—. Pero usted no puede comprender por qué me pasé todo este tiempo en Santa María. Ni tampoco, del todo, el doctor. Algunas cosas se hicieron para que las comprendan unos hombres; otras, para otros. Al principio, porque esperaba y seguía creyendo que sólo me quedaba aquí para esperar. Pero cuando me di cuenta... —se puso el sombrero con un rápido, exagerado golpe de rabia—. Imagínese; este poblacho que ahora llaman ciudad. Cuando me desperté, como le decía, descubrí que ya hacía mucho que no esperaba, que desde meses el negocio había dejado de interesarme.

—Usted sabrá —dijo Barthé, sin interrumpir, como ayudándolo a continuar. Con el gordo cuerpo encogido, frotándose los blandos bíceps, mostró que era tarde y hacía frío. La cara estaba ahora en la sombra como una simple blancura, como un volumen pálido ofrecido a los dedos que quisieran darle forma. También mostraba la infinita paciencia de una obsesión hecha costumbre, destino. Sólo esto comprendió *Junta* con una corta mirada.

—Claro que yo sé —exclamó *Junta* y puso sobre el pupitre un puño flojo, lo estuvo mirando con simpatía y curiosidad.

A un metro de ellos, la mujer dejó su última frase, su última risa de escamoteo y convite al dependiente y se apartó contoneándose del mostrador. Dejó ver, al salir, un poco de la noche de humedad, ahora sin viento, goteante y silenciosa. El mozo apagó una luz y cruzó sobre la blandura de las alpargatas para bajar una de las cortinas de hierro.

También Barthé estuvo mirando el puño en abandono que *Junta* había colocado sobre el pupitre como una cosa cualquiera separada de él: los pliegues bajo el pulgar, el inconsciente gesto obsceno que alzaba uno de los dedos. Muy próxima a la suya, estaba la cabeza de *Junta,* con la calvicie escondida por el sombrero, los ojos salientes, la nariz vencida profetizando la derrota, con la periódica, casi imperceptible contracción de la boca hacia la mejilla derecha. Entonces el boticario adivinó o supuso en el otro una forma de la hermandad, una vocación o manía, la necesidad de luchar por un propósito sin tener verdadera fe en él y sin considerarlo un fin.

—Yo sé lo que usted no puede saber —dijo *Junta* con distraída agresividad—. Algunas cosas hay que vivirlas para saberlas.

El boticario entornó los ojos y su boquita rosada se alargó un poco para sonreír. «Él cree que vivir es lo otro y sólo eso. No entendería nunca el significado de mi dinero, de mi prudencia, de mi falta de anécdotas para contar.»

—No puedo decir para qué me quedé —insistía *Junta*—. Entre esta gente, todo este tiempo, sin hacer nada, sin esperar nada. ¿Se da cuenta? Había creído que podría al fin tener un negocio propio y dirigirlo como se me diera la gana, sin que nadie viniera a meter la nariz. Estaba seguro de que con usted eso iba a ser posible. Una concesión al firme y durable, y elegirlo yo todo, los muebles, las mujeres, el horario, el trato. Hasta los perfumes y el *rouge* y los polvos, pensaba; se los iba a comprar a usted, claro, los iba a elegir yo mismo. No pudo ser, paciencia.

El dependiente pasó, arremangado y lento, barriendo; se detuvo para toser y el sonido en el negocio vacío sorprendió a *Junta* y al boticario. La tos, seca y agresiva en un principio, después húmeda y casi confidencial por las flemas que el dependiente escupió sobre la basura, les hizo saber que la entrevista terminaba. *Junta* contrajo el puño, golpeó suavemente el pupitre y luego lo acercó, aflojándolo, al pecho.

—Paciencia —repitió.

Entonces, con muy poca pena, sin la sensible superioridad que permite la lástima, el boticario volvió a sonreír y se abandonó por un instante a comparar su imposibilidad de mujeres y la relación con mujeres que había sido toda la vida de *Junta,* con aquella obvia dependencia que era indispensable considerar si se quería comprender algo del hombre ensombrerado y sarcástico que se demoraba buscando una fórmula de despedida que resultara útil a su vanidad y a su interés.

—Querido amigo... —dijo por fin el boticario—. Si ha esperado tanto tiempo inútilmente... —no quería mirarlo; extendió una mano para jugar con el lápiz sujeto al escritorio por un piolín sucio—. Ahora puede hacerse.

—Ahora —coreó *Junta,* y trató de reírse. «Toda esa basura debe contagiarse —pensó Barthé—; es él, un hombre viejo, el que está histérico, dando vueltas para decir que sí, como una mujer.»

—Mantengo las mismas condiciones —recitó el boticario mirando la mitad de lápiz que empuñaba; había otros en el escritorio infantil, más en el bolsillo de la túnica—. No me importa el producto de la explotación del negocio. Sólo quiero quinientos pesos por mes para ayudar a los gastos del semanario —se calló y estuvo mirando las mordeduras del lápiz, alzado en el centro del silencio.

«¿Sí? —se dijo *Junta*—. Muy bien. ¿Y los gastos previos, los gastos de organización? Alquiler, traslado, muebles: todo antes de ganar un peso. Porque no se pensará que voy a poner un aviso en *El Liberal* o en el diario suyo para buscar mujeres.»

El boticario separó los dedos y dejó que el lápiz cayera y rebotara sobre la mesa; suspiró, recostándose en la silla, y puso nuevamente las manos redondeadas sobre el pecho.

—Nada —dijo amablemente, como si ofreciera algo—. No tengo nada que ver con esas porquerías. Usted se arregla como crea mejor. Y me da quinientos pesos cada mes, a contar de la apertura.

Junta examinó un rato la cara adormecida del otro; volvió a inclinarse con su expresión de indiferente amenaza, pero se enderezó en seguida.

—Está bien —dijo, levantándose—. Ahora usted reparte las cartas. Pero quiero ver primero que le aprueben la ley. Hay muchos intereses en contra —sonrió, protector y misterioso.

—En eso nunca tuvo usted nada que ver —contestó Barthé.

Junta sólo alzó una mano de despedida; se dobló rezongando para salir por la puertita de la cortina de hierro que sostenía abierta el brazo del dependiente.

Aquella noche pidió licencia en el diario, diez días sin sueldo para ir a la Capital y consultar un médico. «No es que no los haya por aquí, y buenos; pero lo que necesito es un especialista.» Tenía en el bolsillo el boleto para el tren de la mañana; pero mientras tomaba el último vaso de cerveza en el Berna antes de subir a acostarse, parado en el mostrador junto a Vázquez, el de la reventa, *Junta* descubrió que le sería muy difícil dejar Santa María si no lograba antes, para sí mismo, una especie de confusa justificación.

Tal vez se hubiera acostumbrado con exceso a esperar el momento del triunfo encorvado sobre los libros de contabilidad, en el alto escritorio del diario; y a solas en su habitación encima del Berna; y a solas o apoyado con naturalidad en la admiración de Vázquez, en el mostrador del Berna. Era como si él mismo y todos sus móviles se hubieran convertido en aquella espera y le fuera imposible ahora rebasarla.

Tristón, un poco desconcertado, sin la audacia necesaria para aburrirse al lado de *Junta*, Vázquez se acariciaba el bigote con dos dedos. Ignoraba el porqué del viaje de *Junta* y se mantenía resuelto y pequeño contra la callada preocupación de su amigo, el sombrero contra la ceja derecha, la gran moña negra de la corbata deslizando sus puntas bajo el cuello, los dedos manchados yendo y viniendo sobre la suavidad del bigote.

«Alguna cosa hay que me olvidé —pensaba *Junta*—; no algo que tenga que hacer, seguro. En cuanto me acuerde, todo va a estar bien. Tal vez esté viejo.» Sonrió. Entonces Vázquez detuvo los dedos contra la nariz y aspiró con sorpresa, como si no la conociera de memoria, la mezcla de nicotina, sudor, tinta de imprenta y perfume.

—¿Te acordás de María Bonita? —preguntó *Junta*.

—Sí, cómo no. Ya sé cuál. Aquella —más tranquilo, bebió un trago de cerveza y recitó—: La del Rosario y la Capital, la que te sacó de la cárcel, la que se fue y volvió, la que te tiró la muñeca arriba de la mesa del café. María Bonita. ¡Para no acordarme!

—Esa misma —dijo *Junta* y abrió una mano sobre el hombro estrecho y huesoso de Vázquez; con una seña ordenó más cerveza al patrón—. Estaba pensando, se me ocurrió, si no será que esta vida de pantalla como chupatinta en el diario me está gastando. Por eso me acordé.

—¿Gastando cómo? —protestó Vázquez—. Aunque lo cierto es que, de verdad, vos nunca hiciste esta vida.

—Muy joven, sí —corrigió *Junta*—. Y también algo hice en el Rosario, aunque más bien para estar a cubierto. Hubo un tiempo en que se la habían tomado en serio. Pero esto es distinto; son como dos años. Ocho horas con los números y siempre tranquilo. Y fue la misma María Bonita la que me dijo una vez que era peligroso. Además ya uno no es joven.

Bebieron y quedaron en silencio contra el mostrador, codo con codo, unidos por el pasado y el misterio de la simpatía. Mirando los paisajes de invierno de las enormes fotografías que interrumpían como ventanas las paredes del restaurante, *Junta* pensó que el recuerdo de María Bonita no tenía ningún significado, que evocando a la mujer y al tiempo que la rodeaba en la añoranza, no podía superar la conciencia de fracaso que empezaba a angustiarlo. No era ahí donde podía encontrar aquello que necesitaba ser meditado antes de subir al tren para la Capital. Así que tiró unos billetes sobre el mostrador, apretó largamente el hombro fiel de Vázquez y salió a la calle.

Sabía que no iba a dormirse; ya en la escalera, estuvo recordando la cara de antagonismo con que Barthé había insistido y negado. Allí, en aquella cara blanca, en el momento de humillación que había aceptado, estaba el origen de esta debilidad de ahora, de la indiferencia que lo apartaba del futuro y de sí mismo. Se desnudó, dejando una luz encendida; incorporado contra la almohada, acariciándose el vello del pecho, chupando distraído la medallita que llevaba al cuello, estuvo mirando la penumbra, las formas familiares de los muebles, esperó el amanecer reclamando su propia presencia, queriendo examinarse separado y otro, exigiendo el nombre del acto o del pensamiento que sabía imprescindible para reconciliarse.

IX

Durante meses, lejanos, anclado en el Rosario, Larsen había estado perdido, entregándose sin luchas visibles a la inercia y el paso del tiempo. En eso estaba, gordo, distraído, cuando le dijeron que *la Tora* quería vender la casa, llevarla como un baúl a otra ciudad cualquiera.

«Pedirá un platal», pensó mirando indiferente al informante.

No le iba mal; podía vivir con decoro, hacerse dos o tres trajes por año, cumplir con el rito diario de la peluquería y ofrecer una comida, por lo menos semanal, a los amigos. Pero estaba seguro de que ni aunque lograra duplicar el número de cadáveres tutelados hasta la fecha y hacerlos trabajar de una madrugada a otra, ni aun así, ni multiplicando por diez el provecho obtenido, reuniría el dinero necesario para pagar el precio de la llave a *la Tora.*

Conocía la casa y le hubiera gustado si pudiera disfrutarla como un cliente; pero estaba obligado a mirar con ojos críticos, estaba condenado a tropezar con sus defectos como contra esquinas de muebles mal ubicados. Con el sombrero en la cabeza, distinción impuesta por *la Tora,* las manos en los bolsillos, sentado sin abandono sobre una sola nalga, como para establecer la falta de intimidad, registraba con amargura y orgullo cada una de las cien diferencias que separaban la casa de *la Tora* de la que él había imaginado, tal vez ahora definitivamente irrealizable, pero viva, sólida, una mina de oro cuando la comparaba.

Pero la vida no había terminado y siempre era interesante conocer la cifra que pedía *la Tora.* Volvió a visitarla, esperó, sin una mirada a las muchachas que fumaban conversando de vestidos y cine en el patio de mayólicas, de sobredorados, de púrpuras que se ennegrecían en la luz atenuada, a que *la Tora* bajara la escalera. «Por qué esta luz de velorio si el patio es tan chico que nadie puede aprovecharla. Sería bueno echar abajo aquel tabique y llenar esto de mesitas o divanes con una tabla giratoria que haga de mesa. Por qué, si vende bebidas, en lugar de hacerlas traer de la cocina no pone un barcito con una vitrola y discos. Lo pueden atender las mujeres o ella misma.»

La Tora bajó, vestida de largo y negro, sonriéndole desde el pasamanos, bamboleante y vigorosa. El traje de la mujer, las joyas en el pecho y los dedos cuidados le hicieron recordar que el día siguiente era feriado y que llegaba un tren oficial de la Capital para una inauguración.

—¿Por qué no lo hicieron pasar? —preguntó *la Tora,* mientras se detenía, primero a él y después a las muchachas, que sonrieron alzando los hombros, desolándose brevemente. «Demasiado polvo, demasiada pintura, las tres tienen el mismo peinado.» *La Tora* abrió la puerta del escritorio y arañó la pared hasta encender la luz; lo hizo pasar, puso sobre la mesa la botella de marrasquino y una sola copita.

—No la voy a demorar —dijo *Junta,* acomodándose casi de perfil a la mujer, en una de las sillitas de madera rosada—. Disculpe por venir en una noche como ésta, de trabajo.

—No importa, m'hijo; es temprano. Usted sabe que en verano no madrugan.

Prolongaba un poco las erres, había teñido de rubio el pelo negro de india, y la cara pesada, cruel, buscaba disimularse con un inmóvil aspecto de paciencia y fatiga. Entre la carne hinchada, los ojos se entornaban para ver mejor y parpadeaban para esconder el esfuerzo.

—¿Me dijo por teléfono que era un asunto importante, m'hijo? Sírvase; yo no voy a tomar porque ando con el hígado. La edad. ¿Cómo está Ercilia? ¿Bien? Mejor así. Era muy buena chica cuando no andaba con la loca. No, no voy a tomar. Es el hígado y mis muchachas. Le juro que es una vida... Una madre no tendría paciencia, m'hijo. Pero qué se le va a hacer, una también fue joven.

Fumaba con una larga boquilla rodeada por una hiedra de plata, con movimientos regulares, descubriendo exageradamente los dientes postizos cuando la boquilla se acercaba a la boca, soplando el humo con un gesto de entrega y asco de los gruesos labios cuando la boquilla, lentamente alejada, colgaba vertical de los dedos.

—Sí —dijo *Junta,* y avanzó una sonrisa de simpatía hacia la pulsera boliviana, candorosamente sonora, que ella acercaba en aquel momento a la seda negra del vestido—. Es una lucha.

«Pronto te vas a hacer llamar madame.» Las alusiones a la juventud de las muchachas que esperaban en el patio y al pasado de Ercilia, uno de los quejosos, humillantes cadáveres que él administraba, le habían parecido deliberadas, hechas para señalar diferencias de condición y evocar los cuerpos doblados y deformes, las caras raídas, grotescas, las enfermedades mismas de los cuatro obscenos restos de mujer que él apacentaba, ayudándolas intuitivamente con sopapos y minúsculas infamias, con largos, reiterados monólogos que prometían la felicidad o, por lo menos, la paz en la tierra a todas las putas de buena voluntad que aceptaran mantenerlo.

—Vengo a hablar en plata —dijo *Junta;* había oído sonar el timbre de la puerta y el murmullo, el silencio, tan conocidos, inconfundibles, de las chicas que se levantaban para recibir—. Me dicen que quiere vender. Cuánto, al contado —terminó su sonrisa y fue retrocediendo, alejando del choque de la boquilla y la dentadura de *la Tora* una expresión severa y definitiva.

—¿Vender, m'hijo? Ni loca que estuviera. Nadie me va a pagar lo que esto vale, lo que costó acreditarlo —el vaivén de la cabeza y la sonrisa, la boquilla detenida en su viaje con el humo del cigarrillo casi consumido, no mostraban burla, lástima o incredulidad; *la Tora* no quería expresar otra cosa que la satisfacción de un triunfo que podía ser compartido sin envidias.

—Entonces estoy mal —se disculpó *Junta*—. Me dijeron que vendía y se iba a Santa María.

—¿Quién le dijo?

—Dicen.

—Saben más que yo, m'hijo —rezongó ella resignadamente; se humedeció las uñas con la lengua y liberó la boquilla del cigarrillo.

—Si me dan un millón, no digo... —inclinó el cuerpo para reír y dio en el aire un golpe con la mano abierta. La campanilla de la puerta volvió a sonar y desde el patio vino el ruido insincero de las voces que saludaban.

—Parece que hay gente —dijo *Junta;* se levantó y alzó la copita para vaciarla—. Si tiene que atender...

—No, m'hijo. Las muchachas saben trabajar. Más tarde, cuando está lleno, claro. O si pasara algo raro. Pero por ahora se arreglan sin mí —hablaba con cierta prisa, con un tono de queja impersonal, como si no estuviera en juego el ser creída o no, ser escuchada o no. Mientras rezongaba, recuperaba la pronunciación francesa de las erres, iba metiendo otro cigarrillo en la boquilla y volvió a llenar la copa que *Junta* había abandonado—. No se vaya por eso, m'hijo. Si tiene que hacer, es otra cosa. ¿Así que dicen que vendo y me voy a Santa María? ¿A qué? ¿A trabajar en la cosecha o a morirme de hambre?

—No sé —dijo *Junta,* y volvió a sentarse con una sola nalga—. Me dijeron que vendía y vine a preguntarle cuánto, al contado.

—Me imagino que al contado, m'hijo. Si me decido a vender... Bueno, usted conoce la casa y sabe lo que representa como negocio. Bastante me costó que sea lo que es; sólo yo sé lo que me costó. Pero, para vender, tendría que encontrarme con un loco, m'hijo; alguno que me dé, plata en mano, el doble de lo que vale. Sólo así.

Junta se endulzó la lengua con la bebida y encendió un cigarrillo. Estaba seguro de que *la Tora* no regateaba; simplemente, y hacía bien, no creía en él, consideraba absurda la idea de que pudiera comprarle la casa. Sospechaba que *Junta* había venido a sacarle un precio para ofrecer el negocio a otros y ganarse una comisión. Todo estaba en orden, ella no iba a decir una cifra y él había venido solamente para oír esa cifra, para medir con ella la distancia, el tiempo ya imposible de vivir que lo separaba de uno de sus sueños. Pero decidió quedarse porque sí, porque estaba cómodo perfilado en el escritorio, con una nalga en la sillita insegura, o porque no tenía nada que hacer hasta la hora del vermut antes de la cena o porque deseaba estar unos minutos más junto a ella, junto a alguien que, sin justicia, había triunfado en una empresa casi idéntica a la que él había ambicionado en aflicción y parodia irremediables. Decidió quedarse un rato, oírla y mirarla, mientras se repetía el timbre de la puerta y las muchachas taconeaban en el patio y distribuían bienvenidas con sus voces que empezaban a enronquecer.

No consiguió oír la cifra que andaba buscando: pero escuchó, sentado e incómodo en la silla cubierta con raso, comentarios cínicos y falsos entre el ruido de las idas y venidas en el patio que fortalecían la confianza, la despegada superioridad de *la Tora.* Bebió la última copita dulce, emocionado, puesto en guardia contra sí mismo, mientras *la Tora* guardaba la botella en el mueble panzón, negro y bajo.

Se alzó para despedirse, calculando que cada timbrazo en la puerta significaba un mínimo de diez pesos para *la Tora.* Evocando las sonrisas, las miradas, las astucias, los recursos que estarían ahora repitiendo en cabarets oscuros y mal ventilados los cuatro cadáveres con vestidos de baile que debía ver, tal vez acariciar, escuchar en todo caso, entre medianoche y la madrugada, para reunir, y porque era víspera de fiesta, un máximo de cuarenta pesos, deducidos los gastos de alimentación y de las eventuales borracheras.

Al día siguiente, a mediodía despertó en la pieza de la pensión y encendió el primer cigarrillo. Era feriado, tres aparatos de radio mezclaban músicas más allá de la puerta y del balcón ennegrecido por la cortina, bombas de estruendo estallaban regularmente en el centro de la ciudad, una de las cuatro mujeres roncaba desnuda, a su lado, la cabeza anónima cubierta por el pelo apoyado en su brazo, en la manga corta de la camiseta.

Volvió a pensar en *la Tora* y en Santa María, se recordó en la juventud, formulándose juramentos solitarios en desteñidos cafés de barrio, descubriendo, comprobando, con asombro, con miedo, con perplejo orgullo, que era distinto, inconciliable con el destino victorioso y mezquino que le deseaban y profetizaban los amigos, las primeras deslumbradas mujeres.

Aquel mediodía, mientras el cadáver de turno, inmundo, gordo, corto, con manchas de sueño y de pintura en la cara colgante y aporreada, manejando con gestos rápidos el cigarrillo y el vaso de vermut lo perseguía para contarle el sueño pavoroso y simple que acababa de soñar, *Junta* pasó revista al dinero que tenía guardado, a las joyas que le quedaban. Las tasó, y redondeó una cifra con cautela y avaricia. Alcanzaba.

—Me da por comer huevos fritos, querido —dijo el esqueleto, sentado ahora en la cama, haciendo sonar codos y rodillas con las falanges y el vaso entre los fémures abiertos, segregando los años, la insensatez y el acabamiento.

—Pedimos —respondió *Junta,* magnánimo, tocando la bocina verde del fonógrafo que había resuelto no vender. Sospechaba que ya nada tenía que ver el cadáver gordísimo, apenas verdoso, maloliente, con esta presencia.

—Morite —dijo, riendo, doblado en el borde de la cama—. Digo que me da por los huevos antes de acostarme y debe ser por eso que sueño.

—No te había entendido, perdoná —dijo *Junta*—. Casi seguro que soñás por eso.

—Pero hay sueños que significan —murmuró la cosa; bebió y dejó caer el cigarrillo dentro del vaso.

Peludo, vestido con la camiseta marrón que retorcía su borde junto al ombligo, recorriendo con un dedo la forma de flor de la bocina verde del fonógrafo, *Junta* oscilaba entre la piedad y el asco. Siempre sucede con los muertos. Dio un paso y fue mirando curioso la mano que adelantó para tocar el cabello rojizo, quemado, seco y aún perfumado del cadáver sentado sin gracia en la cama.

—No te dejes llevar por sueños —aconsejó, acariciándolo. Con un movimiento de la lengua dejó caer su cigarrillo en el interior del vaso sostenido por los enormes muslos apretados de la gorda blancuzca y quieta—. Los sueños son según. A veces quieren decirte todo al revés. Mientras yo te quiera, ¿por qué te vas a preocupar, decime?

El cadáver alzó la cabeza y trató de sonreír. Larsen pensaba en una ciudad rica, blanca y venturosa junto a un río, extrañaba su imaginado aire particular como si hubiera nacido allí y enfrentara, por fin, la oportunidad de volver. Miraba el cadáver que se iba enderezando, más amplia la sonrisa sin carne, bruñida la pequeña calavera, hundida en el hueco del vientre la copa vacía. Perdonador y generoso, aspiraba la putrefacción de los escasos cartílagos, examinaba sus coincidencias con el hedor de los otros cuerpos que tal vez acabaran de despertar y que, muy pronto, empezarían a llamarlo por el teléfono.

Junta estuvo dos días en Santa María y volvió al Rosario para vender lo poco que fuera posible, embalar el fonógrafo y mentir a los amigos y las mujeres que salía de viaje hacia el norte por dos semanas o un mes. En alguna sobremesa imaginó vender las muertas que abandonaba, soñó entre diversiones y sonrisas que cambiaba a la Ercilia y a las otras tres difuntas por favores sencillos, tragos de caña o palmadas de amistad.

Y, sin embargo, no había nada para él en Santa María, no había otra cosa que la probabilidad de derrotar a *la Tora* y una promesa absurda, avalada por el boticario Barthé. Pero diversas formas de la juventud lo esperaban, estables y ofrecidas, en el pueblo o ciudad. Habló con Barthé en la trastienda, estuvo mirando durante una hora cómo la desconfianza, el desdén y la pasión animaban la cara blanca, redonda y sin pelos, amenazaban desgarrar la boquita sangrienta que parecía untada por la grasa de la papada.

Durante una hora ayudó a hablar al boticario, se dejó fascinar por la tentación de medir con la suya aquella forma de la locura. Creyó en el prostíbulo que Barthé ofrecía —no a él ni a *la Tora,* a la humanidad— y se dedicó a organizarlo, a proyectar la distribución de los muebles y la psicología, las edades, los antecedentes raciales de las mujeres que tendría que contratar. Consiguió un empleo en la administración de *El Liberal* y estuvo, sistemáticamente, sin placer, conociendo el pueblo y sus habitantes, prodigando a los hombres la torcida sonrisa de su juventud, buscando clientes para el futuro hipotético y esforzándose por descubrir qué clima, qué trato, qué tarifa, qué estatura de mujer preferían.

Y cuando Barthé obtuvo los votos conservadores para su proyecto y quedó eliminado el peligro de la competencia de *la Tora,* cuando el boticario en la trastienda exageró su alegría y le estuvo explicando por qué era inoportuno hablar de contratos, él, *Junta,* debajo de las astucias, las reticencias y los disimulos que le aconsejaban el orgullo y la experiencia, se sintió pronto para correr a la Capital, encontrar a María Bonita y cumplir con ella un sueño que nunca le había confesado.

Estaba viejo, incrédulo, sentimental; fundar el prostíbulo era ahora, esencialmente, como casarse *in articulo mortis,* como creer en fantasmas, como actuar para Dios.

X

De martes a viernes, la casa de las persianas celestes cerraba a las dos de la mañana. Era la hora en que María Bonita volvía a pintarse, a ponerse el vestido negro, de seda brillante, los zapatos con altos tacones que había usado al principio de la tarde para recibir a las visitas. Entraba sonriente en el vestíbulo, con un cigarrillo recién encendido humeando en la larga boquilla que había aprendido a manejar como un abanico. A veces no necesitaba más que su presencia, frases lentas y corteses, algún bostezo entre la risa, para que los hombres —que deseaban quedarse y no podían, que miraban con grosera envidia, desde las mesitas del patio cubierto, las puertas de los tres dormitorios inmultiplicables— se levantaran para pagar y beber de pie la última copa, generalmente a la salud de la mujer corpulenta que los echaba.

María Bonita corría el cerrojo y echaba la tranca; y mientras la vieja medio dormida iba recogiendo ceniza y humedad de las mesas, mugre y paquetes de cigarrillos vacíos del suelo, ella, hubiera o no un hombre esperando en su dormitorio, juntaba los restos de grapa y caña en un vaso alto y se sentaba por cinco minutos en el alféizar de una de las ventanas, se inspeccionaba las medias de seda, separaba la ceniza del cigarrillo contra un barrote de la reja y entre los olores que llevaba consigo y los de la invisible noche de verano, siempre indefinidos, apenas alusivos, se entregaba al juego de simularse preocupaciones y recuerdos.

Era su momento de felicidad en la jornada, la compensación por cada disgusto, por los relámpagos de la conciencia de estar aburrida y del tiempo que corría. Se estaba fumando y bebiendo y se creía a solas, por fin, cada veinticuatro horas. Creía reencontrarse y tolerarse en aquellas citas furtivas en la ventana enrejada: encima de la noche madura y su aire, encima de la ausencia de los hombres, del ruido de la escoba de la vieja en las baldosas rojizas, del fraseo convincente y los ronquidos que llegaban de los dormitorios, ella jugaba a suponer una María Bonita apenas envejecida, en calma, construida con actos de bondad y comprensivas renunciaciones, con trajes y modales que habían nacido para ser copiados, con una sensación de la vida que no chocaba ni habría de mezclarse con las ajenas.

Cerraba la ventana y hacía caer el centímetro de cigarrillo en el fondo del vaso que entregaba a la vieja. Hubiera o no un hombre esperándola en la cama, iba a verse por sorpresa primero, en el espejo del dormitorio, intentaba descubrir con una siempre fugaz curiosidad aquella dura decisión y aquel cansancio que eran de ella. Examinaba después, mientras corregía el *rouge*, mientras escuchaba a sus espaldas el silencio o cualquier voz masculina, la cara de María Bonita, las sutiles arrugas sin historia que sólo parecían representar las fatigas del día.

Ya no podía reconocerse del todo; miraba los brillos, las blanduras, las líneas de sombra, comprobaba que no tenía en realidad una cara, y que la única cosa que le era posible emplear para distinguirse, era aquella fluctuante excitación sin motivo ni esperanza; eso y los grandes ojos rodeados de negro donde languidecían viejas fibras amarillas. La boca estaba aún fresca, aún distante de la gordura creciente del mentón, del trozo en forma de herradura que lo separaba del cuello. El mundo había terminado hasta mañana; iba a dormir, o a trabajar unos minutos antes de dormirse.

La casa cerraba a las dos; pero en las noches de sábado el límite era impuesto por la cantidad y el entusiasmo de los visitantes. Los lunes se abría recién al anochecer, cuando el sol había dejado de calentar las persianas celestes, la tierra reseca de las macetas con plantas de malvón muertas.

El lunes era el día, la tarde de salida de las mujeres. Desde la primera semana, María Bonita había renunciado al privilegio de pasearse por Santa María, gastar dinero en sus negocios, sentarse en una mesa de café pobre para hacerse servir. Había visto y oído el desprecio del pueblo, espontáneo, sin agresividad, como un cambio en el estado del tiempo que los incluyera a todos, hombres y mujeres, a los frentes de sus casas y al declive de las calles.

Había sorprendido los rubores, los disimulos torpes, las miradas blancas de hombres que habían estado con ella, o por lo menos en la casa, la noche anterior; no quiso volver a salir, no por miedo, sino, simplemente, porque imaginaba que Irene y Nelly iban paseando por el pueblo, cada lunes, su ausencia, su voluntad de no ir, su equivalente desprecio. Se quedaba en la casa y, después de la siesta, llegaba *Junta;* tomaban mate en el dormitorio y conversaban de negocios entre largas pausas, buscando cada uno mostrarse más duro e interesado que el otro, ya que, desde un principio, se habían declarado mutuamente que sólo buscaban ganar dinero para ayudarse, María Bonita a *Junta* y éste a ella.

En la penumbra listada por la persiana, bajo la gran lámina en colores de San Judas Tadeo y las flores semanalmente renovadas, los

«¿te acordás?» se repetían, maravillados, alegres, diversamente significativos. Mentían y olvidaban, o se ayudaban a mentir y a olvidar; como el rostro de algunos muertos, el pasado se iba limpiando de impurezas, renegaba de las circunstancias y de los móviles, y ocupaba, dócil y pujante, el aire cálido del dormitorio, rotundo como un texto de historia, como una leyenda de coraje, sabiduría y sacrificio.

A veces volvían a abrazarse como dos fantasmas, en la oscuridad, y forcejeaban por el placer, sin egoísmo ni prisa, seguros de que el espejo junto a la cama rejuvenecía en veinte años sus cuerpos al copiarlos, y que desde los tuétanos a las pieles crecía impetuosa la dignidad, una virtud que cada uno pensaba y designaba con palabras distintas y no formuladas.

Entretanto, Nelly, la rubia, e Irene, la gorda, unidas por las manos y los codos, terminaban de subir la calle empinada que desembocaba en la plaza, comentaban el calor con suspiros y diminutas risas asombradas, iban meneándose bajo la sombra intermitente de los árboles.

Un poco insegura, Irene se apoyaba a veces en la sombrilla rosada que no se atrevía a abrir; con las cabezas excesivamente altas, conscientes de sí mismas como de cosas, desde los complejos peinados hasta los zapatos de plata y oro, iban pisando la diagonal de la plaza, se detenían con lánguidas brusquedades frente a las vidrieras de las tiendas y cambiaban, sin escucharse, palabras que sólo tenían una relación remota con sus motivos.

Hacían algunas compras, sin llevarse casi nunca lo que habían venido a buscar, sin discutir los precios, sin reparar en la grosería de los vendedores ni en sus caras; separadas, como ciegas, de la irritación que despertaban sus vestidos de verano largos hasta el tobillo, del odio que removían sus voces mesuradas, un poco inexpresivas, cantarinas.

En el fondo —lo sentían a veces, durante el paseo, como el olor de los perfumes y del talco con que habían completado el baño después de la siesta— lo que arrastraban por el pueblo era el miedo, la sensación de no tener derecho a pisar aquellas veredas, a hundir las manos en las pilas de seda y lana de los mostradores. Lo sabían sin saberlo bien y por eso nunca lo nombraban.

Cada lunes trepaban las calles bajo el sol, iban estropeando con el cansancio y el sudor sus caras recién hechas, vigilaban angustiadas la facilidad de los pasos y el tamaño de las sombras húmedas que les crecían en las axilas. Avanzaban hacia la semanal humillación porque ésta contenía el gozo de sentirse vivas e importantes, el don, desconocido hasta entonces, de provocar, sin palabras, sin miradas, una condenación colectiva; se hundían en ella —lentas, apenas sonrientes, apenas amables y cobardes las sonrisas de labios pegados—

porque no habrían podido sufrir el sentido de un lunes de tarde en la casa, porque, a pesar de todo, eran demasiado jóvenes para ignorar el destierro y la injusticia.

Después de las compras y el curioseo, bajaban hacia la avenida junto al río. Y entre las siluetas duras y oscuras de las familias de colonos, escasas los días lunes; entre la paciencia de los pescadores, extendida e inmóvil sobre el paredón del muelle; entre los rombos recién trazados de los canteros, donde árboles raquíticos y tiernos luchaban por vivir; entre la decadencia de la tarde y aquella tristeza provinciana que bajaba entonces sobre Santa María, sus vestidos de colores fuertes recorrían el paseo como un contrasentido largamente planeado, como una provocación ingenua. Cuchicheaban bobadas para disfrutar el abandono que les permitía decirlas, se molestaban y se acariciaban golpeándose los hombros.

Las caras llenas de pintura, manteniendo aún, ya fatigada, endurecida, la doble expresión de humildad e indiferencia, se deslumbraban con los reflejos de la última luz de la tarde en los remos de los botes sobre el río, trataban de descubrir rasgos personales en los bustos con camisetas blancas que se movían, pequeños, sin mostrar el esfuerzo, a compás.

Irene y Nelly terminaban el paseo del lunes en un café de la costa, fresco, casi siempre vacío; acomodaban los paquetes y las carteras en una silla y conversaban de los precios que habían pagado, aventuraban las reacciones de María Bonita ante las compras que le habían hecho. El mozo de los lunes era un viejo con peluca rubia, lento y abrumado, que se apartaba del coro de bromas del mostrador para acercarse y servirlas; sin necesidad, modificaba la colocación de los paquetes en la silla y mirando el trapo que arrastraba sobre la mesa dividía entre ellas la sonrisa, bondadosa y sin alegría, el inconfundible silencio con que les daba la bienvenida.

Comían bizcochos mojados en té con leche, se colocaban bajo las narices los jabones y perfumes que habían comprado y en voz alta comparaban sus olores con recuerdos. Tocándose mutuamente los brazos, los pechos y las gargantas, proyectaban los vestidos que mandarían hacer con las telas envueltas en los paquetes.

El sol bajaba hacia el río y ellas, fumando, lo seguían desde la ventana del café aún sin luces, donde empezaban a entrar los hombres de la fábrica de conservas. Frente al crepúsculo, rumiaban una tristeza dulce y leve a la que atribuían orígenes equivocados, contemplaban con indecisa vanidad las puntas de los cigarrillos manchadas de *rouge*. Estaban junto al final del día de descanso, y ahora el sentido del deber y el hábito crecían para excitarlas.

El miedo les había hecho recorrer Santa María sin mirar a sus habitantes; sólo habían visto manos y pedazos de piernas, una humanidad sin ojos que podía ser olvidada en seguida. De modo que al regresar, cargadas y disimulando su prisa mientras cruzaban la plaza donde surgían los globos sonrosados de la luz, llevaban hacia la casa la imagen, increíble como un sueño, de un pueblo sin gente, de negocios que funcionaban sin empleados, de ómnibus vacíos y veloces que se abrían paso con las bocinas en calles desiertas. Algunos distraídos insultos que no habían salido de ninguna boca les sonaban aún en los oídos; la gorda y la rubia bajaban sin aliento por la calle oscurecida, pensando en sí mismas, acusándose sin severidad, pensando en maldiciones caídas del cielo, atribuyendo a las palabras ofensivas voces familiares, perdidas en el tiempo.

Desde la puerta celeste de la casa, bajo la luz del farol, tomadas del brazo y disputándose el peso de los paquetes, se volvían un segundo para mirar la negrura que empezaba a tocar los plantíos, los troncos de los árboles, la tierra arenosa; saludaban el final de fiesta del lunes, se metían en la casa, cruzaban el patio donde dos o tres hombres aguardaban derrumbados, con las piernas estiradas descansando en las baldosas rojizas. *Junta* había desaparecido. Urgente y teatral, María Bonita golpeaba las manos, sonreía a los hombres, cargaba los paquetes y gritaba:

—Chicas. A cambiarse, que hay visita.

Salvo aquel lento viaje de las dos mujeres, durante dos o tres horas, en las tardes de los lunes, el pueblo sólo tenía con la casa de la costa la relación impersonal que establecían machos furtivos y nocturnos. Y días después de la llegada de las mujeres, cesaron los comentarios, las bromas de los hombres sudorosos que bebían cerveza en las veredas de los cafés, los cuchicheos de las muchachas en la rambla y en las salas con pianos y muebles enfundados.

Era un noviembre lleno de jazmines: mujeres con canastas en la cabeza, chiquilines descalzos, sucios y plañideros llegaban desde las quintas para ofrecerlos a un peso el ramo. Al anochecer aceptaban cualquier precio en monedas y las flores gruesas, con manchas marrones creciendo en el borde de los pétalos, iban quedando en el pueblo, y en la Colonia, encima de las piedras y las síntesis biográficas de los dos cementerios, en el altar de la iglesia, en salas, comedores y dormitorios. Algunas eran paseadas en manos, pechos y cabezas, a lo largo de la rambla junto al río, en los atardeceres de domingo; otras, o esas mismas, se pudrían en la plaza, pisoteadas contra el calor, refrescadas por la llovizna.

El olor de los jazmines invadió a Santa María con su excitación sin objeto, con sus evocaciones apócrifas; fue llegando diariamente, como una baja y larga ola blanca y cubrió muy pronto las huellas del arribo de las tres mujeres y de la apertura del prostíbulo en la costa. Todos tuvieron que abrir las narices y entornar los ojos para respirar el aroma de sabiduría y falsedad que venía desde las quintas; todos olieron los jazmines en secreto o con disimulo, comprobaron la existencia de perdones para cada injusticia, intuyeron que cada verdadero deseo engendra una promesa de cumplimiento. La realidad de las mujeres a diez pesos, la memoria de la casa pintada de celeste que se alzaba sobre el suave declive de la costa, naufragaron en la intensidad blanca del perfume.

El prostíbulo había sido comentado como una gracia obscena. Como todas las bromas que duran demasiado, sólo provocaba ahora la voluntad del olvido, una ignorancia exagerada, cortas sonrisas en las caras de los hombres que desde los negocios que rodeaban la plaza veían pasar, especialmente en las noches de los sábados, grupos o automóviles hacia el lugar despoblado donde estaba la casa.

Noviembre se llenó de asombros triviales por el exceso de jazmines y en su mitad fue un noviembre normal, reconocible, con precios y cifras de las cosechas, con renovadas discusiones sobre puentes, caminos y tarifas de transportes, con noticias de casamiento y muertes. Pero cuando *Junta,* en las madrugadas, regresaba contoneándose, con las manos en los bolsillos —acariciando la pistola con la misma distraída unción con que oprimía a veces la medallita que le colgaba del cuello—, desde la casa recién cerrada al pueblo, del último, maquinal beso de María Bonita, al Berna o a los cafetines próximos a la rambla, se empeñaba en descubrir hostilidades y amenazas, conspiraciones inmaduras en los faroles de las calles, en la última, solitaria luz de alguna ventana, en el rápido saludo de los conocidos con que se encontraba.

Y cuando bebía la última copa en el mostrador del Berna, solo o perfilado contra la admiración silenciosa de Vázquez, se veía forzado a reconocer que el entusiasmo y la aprensión se dividían su alma: «Fue un golpe llevar el precio a diez desde el principio; los que no han venido vendrán, de aquí a dos meses les importará tanto como visitar al doctor o al peluquero. Algo hay en contra, algo de lo que no hablan y a lo mejor ni piensan, por ahora. Todo es legal, tengo un decreto del Concejo. Nunca terminó de gustarme este pueblo, esas viejas de la primera misa, esos gringos de la Colonia. Mulatos y gringos, y a ninguno le queda tiempo para vivir a fuerza de estar mirando cómo viven los demás. No sé si será mejor traer otra mujer más, ni rubia, ni flaca, ni gorda, ni morocha. No sé.»

Terminaba de beber y salía del Berna sin preocuparse por si el patrón le sonreía o no, solo, pesado y desdeñoso, a la derecha de Vázquez, que lo acompañaba durante la media cuadra y a veces subía hasta su pieza.

Antes de acostarse contaba el dinero y anotaba la suma en una libretita. Orgulloso, desafiante, estremecido por la confianza, despreciando sin ofensa al brumoso, incomprensible *Junta* de seis meses atrás, se paseaba por la habitación y a veces usaba una púa de madera para escuchar un tango mientras se servía grapa y la iba bebiendo, ritualmente sentado a la mesa, limpiándose la boca con un dedo a cada trago, rodeado de fantasmas aquiescentes a los que no valía la pena individualizar.

Mustio, con el cuello quebrado sobre las hojas verdes, el jazmín que le había dado María Bonita agonizaba en la carpeta manchada de tinta y de cigarrillos. Al despertar en los mediodías, *Junta* parpadeaba a la luz de la ventana y le suponía cualidades especiales, matices, agresividades y reservas que no permitían confundirla con la luz de las doce de cualquier otra parte del mundo.

«Estoy en Santa María», pensaba rezongando al manotear el primer cigarrillo; mientras se rascaba la cabeza iba reconociendo, también como distintos e inconfundibles, los ruidos que llegaban desde la calle y desde las otras piezas de la pensión. La luz sobre la casa de la costa, sobre los pequeños montes, la playa y el río, era, a toda hora, una luz que no podía ser colocada en ningún recuerdo. En realidad, este bullicio, la velocidad de vida que representaban el sol, las voces, los motores en la calle y los trajines en la pensión, eran extranjeros, incomprensibles en su esencia.

—Pueblo jodido, pueblo de ratas —murmuraba *Junta* al sentarse en la cama y calzar las zapatillas; lo enfurecía y lo desconcertaba no encontrar, mediodía tras mediodía, un objetivo concreto de odio.

XI

Díaz Grey se volvió, desde el borde de la plaza, para mirar en dirección al río, seguro de que no podría ver nada, nada más que el resplandor atenuado, una luz combada en el cielo, una indicación geográfica.

Sin la habitual escolta de motonetas, el cochecito rojo de Marcos estaba frente al hotel. Entró al Plaza por la puerta del bar y el *barman* le sonrió para saludarlo y se detuvo, mirándolo, con la mano alrededor de una botella; apoyado en el mostrador, vuelto hacia la entrada, con una rodilla aplicada al pantalón de felpa de Ana María, borracho, con una mano colgada de la solapa de un hombre demasiado bien vestido, Marcos se reía. Había inventado aquella risa para ayudarse y la obligaba a llenarle la boca y a extenderse por la cara sobre el brillo del sudor. Reía suavemente, sin interrumpirse, sin significar nada, como si se sintiera escondido por la risa y temiera gastarla demasiado pronto.

Sólo estaban, junto al mostrador, Marcos, Ana María y el hombre con traje nuevo. Ella y Marcos se habían trepado a un taburete; el otro estaba de pie, cabeceando cortésmente, con el pelo peinado y brillante, un sombrero en la mano. Había tres vasos altos frente a ellos. El *barman* retrocedió con la botella, la cara siempre dirigida al médico. Ana María se volvió para mirar, aburrida, neutral, apartando un cigarrillo y soplando el humo por la nariz. Detrás de la ascensión del humo estaba la cara enrojecida de Marcos, su risa obediente. «Estaba hablando de mí o de algo en que encajo.» Díaz Grey miró la mesa junto a la columna en que se sentaba cada anochecer. Se apoyó en el bastón e hizo una reverencia mientras se quitaba el sombrero. Apoyado en la estantería, la espalda contra el espejo, el *barman* miró el perfil de Marcos y movió en seguida la cara hacia el médico. Ahora estaba desinteresado, buscando confundirse con las botellas, apenas unido a los demás por su curiosidad. Díaz Grey encontró los ojos de Marcos y sonrió. Lentamente, más rengo que nunca, fue acercándose al mostrador, arrastró un taburete junto a la mujer y se sentó. Separado del suelo, las manos sobre el bastón y cubiertas por el sombrero, se sintió en paz y resuelto.

—San Martín —dijo.

—Seco, doctor —asintió el *barman*.

A pesar del calor, la mujer, Ana María, tenía una tricota que le cubría la mitad del cuello y un saco de franela, desprendido. La rodeaba un perfume dulce, insistente, tonto, un perfume matinal.

—Bien seco, doctor —dijo el *barman* colocando la copa en el mostrador; lo miraba y le sonreía; ya nada tenía que ver con los otros tres, le estaba ofreciendo una complicidad sin límites.

—Gracias —murmuró Díaz Grey; bebió la mitad y dijo que sí con la cabeza. El *barman* volvió a sonreír e hizo correr una servilleta sobre el mostrador. De pronto, simultáneamente, Díaz Grey percibió y recordó el silencio de los otros. Marcos había dejado de reír, el hombre de pie tomaba pequeños traguitos, Ana María fumaba frente al espejo, soplaba el humo para cubrirse o enturbiar la cara reflejada, parpadeaba y volvía a soplar.

«Inmóviles y callados, rígidos en contra de mí, silenciosos contra mí. Y un perfume como una corta frase cualquiera que se murmura en secreto para darle importancia.»

—Tomamos otra —dijo Marcos—. Sirva otra.

Volvió a reír lento, lleno de cuidado, como si quisiera dar a la risa una forma determinada.

—Todos, Hansen. A nadie le importa. No hablo de los que están contentos porque les trajeron mujeres de alquiler desde la Capital. No hablo de la basura. Pienso en la gente decente o la que uno creía decente. A nadie le importa, a todos les parece natural.

—Entiendo —dijo suavemente el hombre de pie. Sonrió al resto de bebida que le quedaba en el vaso—. Ya le dije, Marcos: hay que separar la parte moral y la legal del asunto.

—¿Sí? —preguntó Marcos; con el brazo extendido esperó que el *barman* le llenara el vaso—. ¿De veras? Pero puedo fregarme en la parte legal de esta porquería. Dígaselo al gobernador; dígale que hay en Santa María más de un hombre que no lo va a soportar. Todas esas triquiñuelas de legalidad, todo eso es cosa de rusos.

Hansen se rió, volviéndose hacia Ana María; Ana María había encendido otro cigarrillo y se miraba humear en el espejo, entre reflejos y botellas, junto al hombro blanco del *barman*.

—No lo vamos a soportar —repitió Marcos—. Esté seguro, Hansen. No son palabras.

—Entiendo —dijo Hansen; chupaba traguitos del vaso—. Pero no era eso lo que discutíamos. Para mí eso no es problema a discutir.

Díaz Grey se volvió para mirarlo a través del perfume; no tenía cara de llamarse Hansen, el pelo le brillaba, unido, como un pedazo de madera oscura; tenía bigotes recortados, retintos y los dientes muy blancos, exhibidos; la pequeña frente chata, sudaba.

—Si es legal o no es legal —se rió Marcos—. Si lo tenemos es porque es legal. Ya sé. Pero es una trampa. Usted es abogado, usted sabe que siempre se puede hacer trampas. Es el viejo juego de los judíos.

—Bueno —dijo Hansen—, no hay judíos en el asunto.

—Siempre hay judíos —dijo Marcos—. Usted también sabe esto, no diga que no. En el fondo de cualquier porquería siempre hay un judío. El proxeneta que da la cara, *Juntacadáveres,* estoy seguro que es judío. Espere, no me importa que me oigan —alzó una mano y con la otra levantó el vaso para beber; luego lo puso en el mostrador, sin soltarlo, moviéndolo sobre la mancha de humedad. Con el cigarrillo colgado de la boca, Ana María se miraba en el espejo la cara cortada, interrumpida por una línea de humo.

—No es eso, Marcos —insinuó Hansen, sin esperanza.

—Es esto —contestó Marcos—. Ahora se lo voy a probar. Primero, que *Junta* es judío. Segundo, que la concesión puede ser todo lo legal que se quiera, pero es una trampa, es una indecencia. Y si legalmente resuelven que hay que escupirle la cara a su madre, usted no lo aguanta. No averigua si está bien o mal. No puede soportarlo, simplemente. En esto estoy. Y si *Junta* no es judío, escuche, tampoco importa. Los peores no son los judíos; un judío es un judío y todos sabemos que hacen cualquier cosa por dinero. Los peores son los otros; los que no son judíos y hacen el juego; los que siguen siendo amigos de Barthé y de *Junta* y de toda la basura que hay que barrer de la ciudad.

—Usted... —empezó Hansen, siempre sonriendo; miró a Ana María, al *barman,* bebió un trago largo—. Está mal planteado el asunto. Respeto sus sentimientos personales, Marcos, aunque me parece que exagera. Quiero decir que desde mi punto de vista... Pero no discutimos eso.

—Bueno —dijo Marcos—, no hablemos más. Pero dígale al gobernador que no lo vamos a aguantar. Que sea legal o no, vamos a terminar con la casita, con las mujeres, con toda la porquería. Y vamos a terminar, también, con los que creíamos decentes; con los que habían llegado a ser alguien en Santa María y ahora prefieren el prostíbulo.

—Vamos, Marcos —dijo Hansen, alzando un hombro y el vaso.

—Con todos ésos. Tal vez cobren una coima; tal vez no puedan conseguir mujer de otra manera. Vamos a terminar con todos los amigos de Barthé. Dígaselo al gobernador.

Díaz Grey pidió otra copa y contestó a la sonrisa del *barman:* «Habla para mí, quiere provocar, pero sólo para darse el gusto de discutir conmigo. Antes del prostíbulo venía aquí cada noche con la mujer y los amigos y hablaba de motores, de marcas de automóviles, de pistones y cigüeñales. Se emborrachaba o ya llegaba borracho, trataba mal a Ana María, se ruborizaba con el entusiasmo; siempre miraba hacia mi mesa, entre un tema y otro, para medirme, despreciarme, excusarse. Pero, en el fondo, se aburría. Ahora cree estar seguro, piensa que la guerra santa contra el prostíbulo puede justificarlo, puede hacerle sentir que está completamente vivo.

»Llegaba en el autito rojo, seguido por los coches o las motocicletas de sus amigos parásitos; yo bebía en mi mesa y a veces lo escuchaba; se volvía para sonreírme, odiándome porque yo era distinto y tenía el coraje de estar solo. Ahora supone que puede tratarme de igual a igual, imagina que el prostíbulo, la casa en la costa, María Bonita, Barthé y *Junta* constituyen un conflicto, un gran tema que nos separa porque a los dos nos interesa. Nos apasiona, debe pensar. Pero él es un pobre hombre y todos los demás son pobres hombres y pobres mujeres. Ya no puedo ser empujado por los móviles de ellos, me parecen cómicas todas las convicciones, todas las clases de fe de esta gente lamentable y condenada a muerte; tampoco me interesan las cosas que, objetivamente, socialmente, deberían interesarme.

»No comprendo, lo reconozco, a este yo trepado junto al mostrador de un hotel de Santa María con el bastón y el sombrero entre las piernas; pero, ahí está, tampoco me preocupa comprenderlo. Ahora, que la vida me interesa, que soy curioso, que me gusta actuar sin aprensiones por los éxitos; me gusta participar, impersonalmente, sin egoísmo.»

—Una limpieza general —dijo Marcos—. Dividir así, a la gente, en amigos y enemigos. Los prostibularios de un lado, las personas bien del otro.

—Encienda un cigarrillo —dijo Díaz Grey a Ana María.

Le miraba la cara en el espejo.

—¿Yo? Gracias, doctor. No quiero fumar más.

Estaba blanca de miedo pero no miró a Marcos.

—Me gustaba su cara en el espejo; el humo que la hacía irreconocible. Pero no importa; lo que más me gustaba era su mirada, la atención con que se examinaba la cara.

Ahora ella miró a Marcos y después sonrió balanceando la cabeza; estuvo moviendo una mano entre el saco y la tricota y puso una cigarrera sobre el mostrador.

—Díganos qué estaba pensando cuando fumaba mirándose en el espejo. Lo digo porque tenía que preguntárselo, sé que no me va a contestar. Hábleme, entonces, del perfume que usa; estoy seguro de conocerlo, sólo que no me puedo acordar.

Ana María rió para alzar la cabeza, colocarla ostensiblemente entre Marcos y el médico. Encendió el cigarrillo en el encendedor de Hansen.

—Qué le voy a decir —dijo—. En serio, fumo demasiado. A veces me quedo ronca que no puedo decir una palabra. Debo estar enferma. ¿Qué le parece?

«Aunque uno esté más allá, por encima, separado de todo esto, sólo puede actuar y decir como si estuviera en esto y ligado. La verdad sería el silencio, la quietud completa.»

—Algunos no se dan cuenta —dijo Marcos—. No son rusos, a lo mejor no son basura, pero no se dan cuenta.

—¿Está seguro que pasa a medianoche el tren? —preguntó Hansen—. Sería mejor ir a comer. No me tuvieron el coche a tiempo.

—Así está bien —murmuró el médico—. La cara y el humo en el espejo.

—Vamos, cállese, no se ría, doctor —dijo Ana María tratando de meter los ojos en el humo que dejaba salir de la boca.

—Cuénteme de ese perfume, hábleme de la ronquera y el dolor de garganta.

—Ya nos vamos —dijo Marcos—. Tomamos la última. Otros se van a ir para siempre, le juro.

—*Souvenir d'amour* —contestó Ana María mirándose la boca en el espejo—. *Souvenir.* ¿Está bien? No me duele; a veces me quedo ronca, nada más.

—No es nada, estoy seguro de que no tiene nada. Pero vaya por el consultorio cuando quiera. *Souvenir.* No, no creo conocerlo.

—Se van a ir aunque tenga que limpiar la ciudad yo solo —dijo Marcos; mostraba los dientes sin sonreír, apenas más blancos que los bordes de la nariz. El sudor le brillaba como a propósito, como una expresión.

—Es que hay muchos perfumes parecidos, doctor —dijo Ana María.

—No me parece que esté enferma; si estuviera enferma tendría fiebre. Será de tanto fumar. Aunque nunca se sabe. Hay gente que pasa toda la vida creyéndose sana y de repente...

—Usted conoce mil, claro —estaba nerviosa, envejecida, suponía que su charla y los balanceos del cuerpo en el taburete bastaban, o podrían bastar, para separar a Marcos del médico, para que no oyera, no viera, no se enterara de la presencia del otro.

—Me voy —dijo Hansen.

—Bueno, yo me quedo —contestó Marcos—. Tengo mucho que hacer esta noche.

—Pero ibas a llevarlo hasta la estación, Marquitos —recordó ella.

—Puedo llevarlo. Hay tiempo, tiempo para muchas cosas.

—No tiene importancia —dijo Hansen—. Tomo un coche en la plaza. Buenas noches, señora. Ya saben, si se corren hasta allá la semana que viene...

Volvió a saludar con la cabeza antes de ponerse el sombrero; pasó frente a Díaz Grey con una sonrisa de amistad, de sorna.

—Que se vaya —comentó Marcos. Tenía la boca abierta contra el vaso, sin beber; la ancha espalda se encogía exageradamente, mostrando que, junto con Hansen, había sido abandonado por todos los hombres y que él era capaz de soportarlo.

Ana María se volvió rápidamente para hablarle al médico pero sólo pudo sonreír; separó los labios como si fuera difícil o doloroso despegarlos, y por un momento estuvo mostrando su sonrisa a Díaz Grey.

«Está envejecida y desesperada; debajo del miedo que tiene ahora hay otro, permanente, interminable; muy pronto quedará convertida en miedo, no será más que eso.»

Ella se abanicó con las solapas del saco de franela y dejó de sonreír. Encendió un cigarrillo en la boca de la cara en el espejo; luego fue sofocando el fuego del cigarrillo en un platito húmedo.

—Sí, señor —dijo Marcos a la copa.

«Puede ser que ella no aguante más —pensó Díaz Grey—, que éste sea justo el instante en que no puede aguantar más, siempre creemos que llega un instante así, y se ponga a gritar de miedo mirándose la cara en el espejo. Puede gritar al descubrir, fuera de ella, el miedo; puede ser que grite por lo que el miedo ha hecho de ella.»

Ana María examinaba crecer y atenuarse una repentina gana de vomitar; imaginaba el resto de la noche con Marcos, las probabilidades de ser golpeada, los orígenes posibles de aquel impulso, ahora frecuente, que la obligaba a provocar golpes. Los golpes significaban una final, una pausa, un anonadamiento; la sustitución de sí misma, del mundo entero, por el llanto y la autocompasión. Significaban la corta libertad del odio, prometían un efímero, parcial regreso de la ternura: su boca temblorosa, abierta, taponada por el hombro de Marcos dormido. Las lágrimas y la respiración se extendían, en la oscuridad, sobre la piel del hombre, su olor, su temperatura. Suavemente, la piedad dejaba de dirigirse hacia ella misma y descendía de su pecho, de los recuerdos que estaba amparando, y comenzaba a cubrir, como una manta, como una caricia perfecta, el pesado cuerpo del hombre y su sentido.

Trataba de evocar, con asco y sin esperanzas, el olor que llegaba a ciertas horas de la cocina del hotel, descubrir qué tiempo o suceso había sido marcado por aceites o especias.

—Sí, señor —repitió Marcos, irguiéndose con lentitud encima del vaso vacío; el mozo no estaba detrás del mostrador; alguien hizo girar la puerta de entrada y los tres escucharon una frase, una bocina de automóvil, el silencio amartillado de la noche de verano.

Ella oyó resoplar a Marcos, sintió crecer, culminar la rabia que iba empujando en el hombre aquella deliberada infelicidad: «Será mejor que me pegue a mí, más tarde, y no a este pobre, ahora.» Mezcló, allá en el espejo, jugando a no estar entre los dos hombres y el antagonismo, mezcló cierto orgullo, cierta fina y melancólica distinción que extraía de la frase «He visto morir a mi madre como a un perro», con el recuerdo de un adolescente, flaco, moreno, anónimo ahora, que la invitaba a beber vodka con cocaína en el Trocadero del Rosario.

Marcos rezongó algo y el médico rió débilmente y golpeó las manos para llamar al *barman*. Los pantalones de pana, el desprendido saco de franela estaban, sí, encima del taburete. Mientras le fue posible, ella se mantuvo en el espejo, su cara enflaquecida, ojerosa, necesitada de polvos, mezclándose con la de su madre muriendo, cortada por el mechón duro que caía sobre la frente del muchacho del Rosario. Todo, ella incluida, tanto tiempo atrás; todo casi totalmente convertido en mentira, infinitamente menos reales las tres caras que las excitadas desesperación, ignorancia y avidez que iban, desordenadamente, simbolizando.

—Que se vaya él y que se vayan todos —dijo Marcos—. Yo no, yo me quedo y me voy a quedar hasta el fin.

Se volvió hasta el hombro de Ana María y, por delante del cuerpo de la mujer —ella estaba rígida en el taburete, hundida aún en el espejo pero consciente ahora del juego, incapaz de perderse—, mostró al médico una sonrisa mitad avergonzada y mitad insolente. Díaz Grey puso un billete entre su copa y la cigarrera de Ana María y volvió a llamar al *barman*.

—No alcanza —anunció Marcos; ella comenzó a parpadear, a mover la boca, a salir del espejo.

—No alcanza. Yo me voy a quedar; tal vez la función empiece esta noche y también termine.

A pesar de los pequeños ojos, muy próximos, del brillo del sudor y la palidez y las contracciones de la nariz, la cara de Marcos construyó una expresión serena, dulce y empecinada.

—No llame al mozo, doctor. Espere un momento. Si viene, pida otra vuelta. Pero no pague todavía. No me voy a ir, ¿oíste?

Ana María sacudió la cabeza para asentir; echada hacia atras, golpeando un anillo contra el filo del mostrador, buscaba dejar solos a los dos hombres.

—Todos se van. No quiero decir de aquí ni de la ciudad. Todos se van de las cosas, ¿sabe? Entiéndame. Todos los muchachos eran como yo, crecimos iguales, hacíamos y pensábamos lo mismo. Ahora sólo yo soy como era antes. ¿Y por qué? No porque sea mejor que ellos; lo que pasa es que no tengo miedo ni novedad. Nunca tuve.

Ahora sí golpeó el mostrador con el puño, medido, sin convicción; la voz, ya muy borracha, era confidencial y triste. «Tal vez no sea definitivamente bruto —pensó el médico—; una complicación inesperada. Tener que ir apartando, reconocer y respetar lo que hay de inteligencia, lo que hay de error en un bruto.»

—No quiero decir que sean cobardes, así, frente a otro hombre, al peligro. Usted entiende. Entienda, por favor —se apretó el pecho con la mano abierta—. ¿Ve? No es miedo. Son de mi escuela, se hicieron conmigo. Pero no quieren complicaciones, cambiaron, van a tolerar cualquier cosa si el asunto no es con ellos. Si no es personal quiero decir. Así que estoy solo. Vea a Hansen. Era como yo, íbamos juntos a la escuela. Ahora es secretario del gobernador y podría terminar con esa inmundicia si se le diera la gana. Pero tiene que pensar en las elecciones, en todo eso. Queda bien con Dios y con el Diablo. Y no se puede, yo les digo que no se puede. También usted está equivocado, pero yo lo respeto y quiero hablarle cuando no tenga copas. Voy a ir a buscarlo al consultorio y hablamos y no digo que me dé la razón pero me va a comprender.

Se bajó del taburete y estuvo vacilando frente a la cara del *barman* que acababa de llegar; después balanceó la cabeza para negar.

—No —dijo—; y no le cobre al doctor, todo esto es mío.

Con un suspiro, sacudiendo los hombros para ayudarse, Ana María estiró las piernas y saltó al suelo. Díaz Grey se volvió para saludarlos desde la puerta; Marcos sujetaba a la mujer por un brazo e iba dejando caer la cabeza sobre el pecho, encima del vaso que llenaba el *barman.*

«También él tiene miedo —pensó Díaz Grey al cruzar la calle—. Unidos por el miedo, sería tan melodramático como unidos por la culpa o por el remordimiento pero mucho más verdadero. Tal vez la muela a golpes cuando lleguen al falansterio. Me gustaría saber si hacen o hacían cama redonda con los otros Hermanos. Y no sólo aplicable a ellos; todas las parejas humanas, todas las amistades están motivadas por el miedo. Ahora tengo, transporto, voy organizando, divulgaré la teoría del miedo. Puedo ir a comer al Berna, aunque es seguro que queda carne fría en casa.»

Trazó una U yendo y viniendo entre los canteros; recordó su pierna y volvió a renquear para la sombra. «No indudable, pero mucho más convincente que el marxismo y el freudismo, mi teoría del miedo determinando la historia y la psicología de los hombres.»

Tropezó con un banco bajo un árbol, metido en la oscuridad; se sentó y puso el bastón entre las rodillas. Estaba cansado, como siempre, pero no aburrido, tampoco interesado. Un automóvil pasó enfurecido, invisible, junto al muelle; el ruido agitó un segundo el olor del pasto; de las plantas cónicas de los canteros. Era como si otro usara su cuerpo abandonado en el banco para mirar la noche y olerla, escucharla con entusiasmo; para improvisar divagaciones acerca de los destinos y los móviles de los fantasmas.

«Saber quién soy. Nada, cero, una compañía irrevocable, una presencia para los demás. Para mí, nada. Cuarenta años, vida perdida; una forma de decir porque no puedo imaginarla ganada. Algunos recuerdos que no es forzoso que sean míos. Ninguna ambición colocada fuera del día siguiente. Hay sentimientos de amor, solidaridades con paisajes, luces, bestias, cielos, vegetales, niños, gente que sufre, actos de bondad, mujeres jóvenes y graciosas. Tal vez convenga no hablar de sentimientos sino de impulsos de ternura, breves, satisfechos por sí mismos. Aunque llamado a escribir la teoría del miedo, no tengo miedo; y sin miedo no hay pasiones, la acción resulta absurda. Este que está sentado en este banco: nadie para mí. En cuanto a los otros, a los que me ven curar, hacer sufrir, presentar cuentas, a los que están obligados a considerarme como un pequeño dios que puede imponerles el dolor o suprimirlo, que puede o podrá matarlos o ayudarlos a vivir, nada igualmente.»

Solitario en la plaza de Santa María, poco después de cumplir los cuarenta años, en una noche de aquel verano en que la ciudad se llenó de jazmines. Era allá por el tiempo del golpe de Estado. Podía atender un parto, unir huesos, diagnosticar un cáncer, limpiar heridas, recetar pantopón y morfina. Tenía el cuerpo inclinado en dirección al río y rascaba el suelo con la punta del bastón; estaba rodeado por las gentes que dormían o velaban en la ciudad, y en las granjas, estaba rodeado por la raza humana que se distribuía, con sus miserias, sus siempre impuras, sus raquíticas grandezas, en climas y edificaciones variables; encima de su sombrero, un impresionante sector del universo brillaba y se estremecía.

No era nada más que saliva llenándole la boca, la urgencia de llegar hasta la fuente con carne fría y papas marrones. Acababa de intuir la teoría del miedo; aquella noche juró completarla, aceptó demostrar que cada uno es la sensación y el instante, que la continuidad aparente está vigilada por presiones, por rutinas, por inercias, por la debilidad y la cobardía que nos hacen indignos de la libertad. El hombre es disipación, postuló, y el miedo a la disipación.

Vivir junto al río tiene la ventaja, en verano, de que las noches son soportables, con frecuencia demasiado frescas. Hacia la esquina de la plaza, cuatro pies aplastaron metódicos la grava y se detuvieron. El silencio; se levantó y se puso a caminar con timidez, muy rengo, un hombro torcido, olisqueando con repugnancia el perfume de los jazmines, marchitos, húmedos y podridos, arrojados por los vendedores junto al recipiente para papeles y basuras. El hombre y la mujer se movieron en la esquina de la plaza y empezaron a acercarse, desandando camino, sin palabras, reiterando con los cuatro pies el rumor de destrozo en el pedregullo. Iban del brazo, la mano de él colgaba por encima del codo blanco y desnudo de la mujer; tenaz y distraída, ella se golpeaba la falda con una ramita, la usaba a veces para rascar la corteza de los árboles, rectos en el límite de la plaza.

«Vamos a cruzarnos, vamos a detenernos para ceder el paso; voy a impregnarme de cualquier cosa que traigan, de lo que avanza innominado entre los dos, de, por lo menos, la seguridad melancólica de que nunca habré de saber, realmente, quiénes son; de la seguridad de que no me importa saberlo. Puedo retroceder e irme al Berna, puedo dejarlos pasar sin mirarlos y acostarme sin comer. Bajo el farol, el pelo de la muchacha resplandece y se apaga; no la conozco, recuerdo el brillo dorado, la estrecha y confusa franja de luz que le rodeó la cabeza. También él es muy joven, y camina un poco agobiado, con aire de terquedad, de estar ausente y de compadecerse a sí mismo. Camino más lentamente, me demoro apoyándome en el bastón.

»—Buenas noches, doctor —dice ella; él me mira y murmura. Me quito el sombrero sin reconocerla; tal vez sea la hija mayor de Otero, el de la flota de camiones, el de la úlcera. Tenía una voz falsa y aguda, llevaba su ramo de jazmines prendido en un hombro.

»Desde luego, no es importante y, además, no puede ser probado; pero cuando cruzo la calle para entrar a casa —ahora la pierna me duele, realmente, y renqueo y me apoyo en el bastón sin exagerar demasiado, y el sufrimiento que vuelve a nacer en la rodilla me conforta como una compañía—, mientras tironeo del llavero en el bolsillo del pantalón, voy afirmando a cabezadas mi convicción de que, entre todos los Díaz Grey que hubieran sido posibles, el más deseable, el más conveniente, el menos acuciado por sensaciones de fracaso, renuncia y mutilación, es aquel desconocido Díaz Grey capaz de conquistar otro aire.

»En lugar del perfume de los jazmines amarillos y pisoteados, del que trae el viento desde el río, del que flotará siempre, inmóvil, en la sombra de mi escalera, un olor compuesto y respirado a media tarde en un café, en una ciudad populosa que nunca he visto. El más Díaz Grey de los Díaz Grey está sentado a una mesa, solo, sin esperar a nadie. No es un café familiar, no es muy lujoso ni muy pobre, tiene ventanas sobre una avenida ancha y mal lavada.

»Díaz Grey fuma, con el cuerpo en abandono, un poco sudado, fresco y cálido por esa leve humedad de las caminatas a fines de primavera; apoya el cigarrillo en el borde de una taza para desprenderle la ceniza. Alguien barre y desparrama serrín detrás del mostrador; han dejado abiertos los mingitorios y un olor a sexo y amoníaco, a caracoles muertos se frota contra el piso, contra el olor del serrín mojado. Desde la ventana llega el olor de nafta de la calle y el de diarios recién impresos; hay también un perfume de mujer, intenso, blando, con una intención que no logra concretarse.

»Desde luego, nada de esto tiene sentido ni importancia; de todos modos, voy subiendo cauteloso la escalera en sombras con una floja envidia por el supuesto Díaz Grey, con los ojos cerrados y la nariz inquieta, tratando de reunir y respirar los distintos olores que forman el olor que le conviene.»

XII

—Me acuerdo como si pudiera verme, un chiquillo así como usted y tal vez con una boina semejante encajada hasta las orejas —dice Lanza; respira con la boca y la deja abierta para que yo vea que sonríe, cuántos dientes le faltan y cómo manchó el tabaco los que quedan; me molesta, nadie tiene derecho a estar tan viejo—. Tal vez con menos sal, la boina, no tan inclinada ni hacia adelante. Claro que yo la usaba en invierno. Pero no hace. Me veo así, y ahora vamos a lo que interesa, seguro de que no tendría más remedio que escribir una obra genial. Y no una obra en el sentido de... —mueve una mano para recortar una circunferencia en el aire, se limita a un rombo y alza la jarra de cerveza; bebe un trago y se limpia el bigote con dos dedos—. Nada más que un libro. Pero un libro que lo dejaría dicho todo. Muertas la literatura, la filosofía, la teología, psicología y tantas otras cosas. De todo no es posible acordarse. Tal vez, claro, anduviera alguna mocita en todo esto. Y no era nada; yo creía que era el ansia de gloria, en el peor de los casos, admitiendo con humildad que no se tratara de predestinación ni mesianismo. Pero tampoco; eran las ganas de afirmarme, de crecer, de tomarme en serio. Porque, a pesar de todo, ¡eh!, a esa edad es necesario que nos ayuden, que empiecen los demás por tomarnos en serio.

Sonrió sin rencor; aunque me cuesta, asiento con la cabeza, pero le hago saber con los ojos y un movimiento de la mano que hay algunas cosas que él no sueña y acerca de las cuales no podremos entendernos; mis ojos le dicen que esta incomunicación me entristece.

—Puede ser —digo—. Pero le repito que yo sé que mi palabra aún no está formada.

Alzo la jarra para que él no vea mi vergüenza y sé que le resultaría ridículo por lo que he dicho si me tomara en serio, si mi edad no fuera ya una forma definitiva del ridículo. El nazi, atrás del mostrador, se rasca una axila y conversa con el mozo; miran hacia mi mesa. Entraron mujeres, tal vez quieren pedirme que me quite la boina. *Juntacadáveres* está sentado en el fondo con el tipo de la distribución de los diarios. No me voy a quitar la boina; le voy a decir al patrón que si *Juntacadáveres* puede poner los pies en Berna también yo puedo estar. Llamo al mozo y pido más cerveza, un paquete de cigarrillos.

Julita me puso cien pesos en la mano; bajó hasta la puerta del jardín, me besó en la boca mientras metía el billete en mi puño y me empujó hacia afuera. Dijo algo antes de cerrar. Lanza me vio mirar a *Junta*, se volvió hacia él y ahora me guiña un ojo.

—Cómo se tolera —dice sin ganas— que el propio demonio venga a beber y hartarse en este reducto de la buena causa. Vamos a oler azufre. Si es que no cae su pariente, Marcos, caballero cruzado, rescatador del santo sepulcro y nos hace oler un poco de sangre y de cerveza derramada.

Lo quiero sin ternura, y hasta los vidrios sucios de sus anteojos, las bocamangas comidas, la corbata grasienta me sirven para respetarlo infinitamente más que a mi padre. Es viejo y yo soy menos que joven; no es una diferencia de tiempo sino de razas, de idiomas, costumbres, moral y tradiciones; un viejo no es uno que fue joven, es alguien distinto, sin unión con su adolescencia, es otro. Nada podemos decirnos y aquí estamos, tomando cerveza y diciéndonos.

—Pero no olvidemos al otro —sigue—, no olvidemos al padre Bergner, su pariente ungido.

—¿Usted sabe —lo interrumpo, dejo de mirarlo en seguida— que el cura me parece una de las pocas personas inteligentes que conozco? Además no es pariente mío; es tío de la viuda de mi hermano, tío de Marcos.

—Está bien eso. Sí, yo sabía que era un parentesco así, por unión. Y es todo un tipo, el padre Bergner. Una vez, recuerdo, y también se acordará su padre, padre de veras ahora, llegó a *El Liberal* para protestar, es un decir, porque esta gente sólo protesta de verdad *in extremis,* para pedir que cuando lo aludieran en el diario no lo llamaran sacerdote sino cura. Me fue simpático.

Está viejo pero más vivo y limpio que cualquiera; lo que dice, no: cuando habla todo se va muriendo; oírlo es como leer. El nazi me mira otra vez y el grupo con mujeres también se vuelve hacia mi mesa. Si me piden que me quite la boina pago y me voy. No puedo usar el argumento de la presencia de *Juntacadáveres,* no puedo azuzar lo burgués contra *Juntacadáveres,* que es lo antiburgués en dos patas, un símbolo, algo verdadero, concreto, un pasado, además. Pero cada posición rebelde tiene también sus artículos de fe, sus prejuicios, su burguesía. Vuelvo a pensar en Julita; con desesperación y maravilla, sé que no me será posible librarme de seguir pensando toda la noche. Así que le ofrezco fuego a Lanza e insisto:

—El cura Bergner, como a él le gusta, es uno de los escasos tipos inteligentes de Santa María.

—*Ora pronobis* —dice Lanza—. No lo dudo. Y digo que no dudo por dos razones. Por la limitación geográfica que usted enunció y porque el domingo fui a escucharlo. Era un señor sermón, sin broma.

Bastaría con ponerle ropa nueva, afeitarlo, recortarle el bigote y el pelo, limpiarle los anteojos, arreglarle la boca que ahora deja caer los granos de maní que quiere morder.

—No crea —sigue diciendo—; debe ser una vieja superstición, ya definitiva, y que no es tanto superstición. En España, sobre todo en la España de los pobres, tuvimos que criarnos uniendo la sensación de la cultura con la Iglesia. Eran los curas los que sabían latín, historia o geografía; vamos, los que sabían leer y escribir. Y aunque hube de tropezarme con los curas más brutos de España, que ya es decir, la cosa quedó. Después, claro, vinieron la filosofía y la teología y la filología, es decir, cosas a las que no hay ajedrez que se compare. De modo que esto tengo y confieso, una admiración, una costumbre de admiración por gentes que han vivido leyendo. A pesar de todo, claro, para bien o para mal.

Digo que entiendo y que es cierto con una débil voz de mujer o de niño, porque estoy nervioso y empiezo a entristecerme: pido más cerveza con una seña y cruzo el salón para ir a orinar. Paso al lado de *Juntacadáveres* y él se pone a hablar con el tipo de la venta de diarios para no mirarme, para impedir que yo le niegue el saludo. Voy, orino y vengo, siempre pensando en *Juntacadáveres* para no pensar en otra cosa, en algo que se está pensando dentro de mí, libre de mi aquiescencia o mi negativa. Cuando me siento a la mesa sonrío a *Juntacadáveres*, agito dos veces mi sonrisa, pero él no me ve.

—Y esto que estaba diciendo antes de que usted se trasladara a las habitaciones del fondo me remonta a lo anterior —dice Lanza.

Espero, sin confianza, oír cualquier cosa que me provoque y me arrastre; le sonrío, animoso, mientras él abre la boca contra la cerveza fresca.

—Me refiero a la obra genial, al libro único y decisivo. Usted, claro, necesita poesía, tiene que ser, el suyo, un libro de versos. Pero yo, aunque los hacía, tal vez por no ser poeta de la misma manera que no soy nada, soñaba con un libro en prosa, tal vez novela, vaya a saber, aunque me inclino a creer que se trataba de un género distinto, absolutamente novedoso. Un libro de versos, se me ocurre, podemos discutirlo, nunca puede ser definitivo en el sentido que nos interesa; es siempre un principio, un camino que se abre.

Distraídamente, pregunto por qué y en seguida me siento temblar, despierto para la furia y los gritos.

—Hombre —dice, riéndose—, porque eso es interminable, porque no existe, porque la poesía está hecha, digamos así, con lo que nos falta, con lo que no tenemos.

—También todo el resto —me animo y golpeo la mesa con mi jarra—, los miles de libros que se han escrito, también se hicieron con lo que nos falta —lo incito con un gesto a seguir hablando, a no hacerme caso, y el pasajero entusiasmo se me escapa mientras le descubro una protuberancia en la frente que él trata de esconder con el peinado.

No me molesta mover un gesto de derrota porque estaba sobrentendido, está, que la verdad le pertenece, frente a mí, en esa clase de cosas. Discutimos por su bondad, para su placer y el mío. Dejo de escucharlo, le observo el bulto encima de la ceja donde se encorva el mechón de pelo gris, sigo el movimiento de su mano venosa sobre la mesa, en vaivén, como si alisara o limpiara.

En la mesa del fondo, *Juntacadáveres* fuma perfilado, moviendo los pulgares frente a un vasito y al silencio soñoliento del tipo de los diarios, con el sombrero negro arqueado hacia la nariz. Hay otros hombres con el sombrero puesto: no era por la boina que me miraba el patrón y los del grupo de las mujeres. La mano vieja se detiene, después vuelve a moverse, vertical ahora, dando golpecitos. «Hacerte más feliz», fue lo que dijo Julita al empujarme al jardín. Es hora de que me vaya a dormir; también es hora para Lanza.

—Ahora, no —murmura, con la mejor sonrisa de esta noche, mirándose la mano que golpea; las uñas están sucias pero no comidas, son anchas, cuadradas, chatas, tienen, como todo él, esa clase de dignidad a pesar de todo esencial y distraída.

—Ahora, en cambio —sigue conversando—, sólo quisiera escribir un libro, tiene que ser una novela, hecha del principio al fin con lugares comunes. A fuerza de corregir galeras de diarios...

Es, exactamente, esto: «Me puso el billete en la mano mientras me besaba, y mientras me cerraba el puño y me empujaba afuera dijo que tratara de ser feliz con ese dinero ya que ella no podía hacerme feliz de otra manera. Así que yo estuve inmóvil y solo en el jardín, junto a la puerta cerrada —un viento caliente y húmedo, la ambición de los árboles contra las nubes blancas y delgadas que corrían sobre la luna— haciendo sonar el billete entre los dedos, mezclando ese crujido con el recuerdo, la probable intención de lo que ella había dicho, hasta que llegué a creer que las palabras estaban allí, escritas en el papel, rodeadas, protegidas y corrompiéndose en el sudor de mi mano.»

—Pero no es sólo eso, mi querido amigo. Quisiera volver, con permiso, a esa ansia de cosa definitiva y universal, eso que usted tiene o yo le atribuyo. No quedó bien aclarado. En todo caso, que yo sí tenía a su edad y bastante después. Un libro que a fuerza de genio, de originalidad, lo dijera todo y para todos. Al mismísimo demonio con la literatura, la novelística, la psicología y etcétera. Escrito el libro, que inventaran otra cosa, otro juego. Bien, por esas contingencias, verdad, que tiene la vida, nunca escribí tal libro. Ahora se me ha ocurrido otro que puede equivalerlo. Lo que le decía, la novela hecha a fuerza exclusiva de lugares comunes. En vez de la originalidad genial, eso que podemos llamar el genio del sentido común.

—Entiendo. ¿Y empezó a escribirla? —pregunto con una sonrisa, con cautela. Lanza copia mi prudencia y vacía la jarra. Haciendo una mueca de expectación, lentamente, apoyado en la mesa, se levanta. Siempre se sienta sobre una sola nalga.

—También yo voy a trasvasar —dice—. Si se acerca esa bestia aria pídale, por favor, un atado de mis cigarrillos.

Lo veo irse un poco rengo, mover la cabeza cuando pasa frente a la mesa de *Juntacadáveres*.

«Después, en el camino, fui creyendo por un rato que aquello había sucedido así, que ella me había dicho que deseaba hacerme feliz de otra manera, mientras me besaba. El beso no fue distinto a los que me dio siempre en la frente; sólo que yo podía imaginarme haber sentido, como en un veloz dibujo, toda la forma de su boca. Había luz en el cuarto de Rita pero no vi por ningún lado el coche de Marcos.»

Pido los cigarrillos y más cerveza; miro la quietud de *Juntacadáveres* y trato, sin éxito, de adivinar cómo es, inventar su pasado, suponerlo con la mujer más vieja de la casa en la costa, María Bonita, la casa que alquiló a mi padre. Nada, ningún recurso sirve; sé que voy a morir joven, candoroso, ignorante, sin comprender. La vida que importa es la de los mayores y nada tiene que ver conmigo; si algunas veces consigo moverme allí sin incomodidad, casi convincente, es a fuerza de memoria, de imitación, de copiar actitudes, cuyo sentido profundo me es imposible fraguar. No fue mientras me besaba. Yo sólo quiero cosas, novedades concretas, absurdos que me hagan distinto; quiero que me miren, quiero ser el escándalo, quiero que les sea imposible confundirme con ellos mismos, tenerme y pensarme como un igual. No me interesa un pasado, el mañana es siempre territorio ajeno. Tiene que ser ahora, cada vez ahora y en seguida. Sólo me gustan las palabras cuando se convierten en cosas; todas esas palabras del viejo Lanza, todas las del padre, las del Colegio, los amigos, casi todas las que escucho son blandas como babas, caen, golpean, brillan, se secan y no están más. También yo las digo y me desgasto diciéndolas y las babas ajenas y las propias sólo sirven para gastarme. Gastan mi cuerpo; mi tiempo en soledad y en silencio, no existe, no se gasta.

«Pero, además, aparte, y siempre que yo pudiera aceptar este juego, esta vida que ellos inventaron, me gustaría también tener un pasado como un espacio vacío y llenarlo con algunos momentos del campo en mi infancia; con aquel Padre, aquella Madre que no tienen parentesco con los de ahora, con Federico y un caballo, el olor de animales muertos, mi envidia y mi orgullo al mirar a Federico. Esa superficie de tierra para mi pasado, ese amor al campo que disimulo y nadie sospecha. Entonces —además y aparte— podría dedicar una noche a colocar allí, en presente, como haciendo nacer esas cosas al ordenarlas, una Julita que me despierta y me besa de mañana al volver del viaje a la Capital; una Julita que me mira y no deja de mirarme mientras comienza a enloquecer cuando vuelve de enterrar a mi hermano; una Julita que me transforma en Federico, una que amasa la leyenda del hijo y vuelve a depositarme, Jorge, junto a ella. Pocas Julitas pondría yo en mi pasado; y me sería imposible conseguir que alguna de ellas tuviera mayor tamaño, se me acercara más que esta de las últimas noches que empieza a saber que el hijo y la locura se le van yendo, la abandonan como débiles hemorragias y emanaciones que huyeron de ella, incesantes, sin urgencia, desde las puntas de sus manos, desde sus pies, desde su pecho, desde la cabellera que ha dejado de peinar. Por esos lugares deben vaciarse de esperanza las mujeres.

»Alguna noche de la próxima semana se encontrará deshabitada y a solas, tendrá que reconocerse; no le valdrá llamarme Freddy ni quemar las pequeñas toallas en la chimenea.

»Aquella vez, en cuanto llegué, corrió a sentarse frente al fuego, con la cara roja y empapada, se puso el saco sobre la espalda y tembló. Canturreaba y yo estuve mirando, alternativamente, las fibras de tela y de algodón que habían quedado retorciéndose entre las barras, y su sonrisa, inmovilizada de inmediato, donde estaba declarando el éxtasis que conviene a la preñez.

»Todo esto lo sé; imagino además la inutilidad de repetir frases y actitudes en la cama, antes de dormir; la veo cortar el movimiento con que lleva, en los dedos, un beso al vientre. Y esas cosas no van a suceder en un pasado aceptable y que yo pueda poblar a mi gusto. Van a estar —o va a estar su consecuencia— frente a mí, contra mí, tratando, empecinadas, maquinalmente, de arrastrarme al centro de su angustia, a esa profundidad húmeda, maloliente, helada, donde tienen que vivir los adultos que fueron condenados. Nuevamente lúcida, tendrá que desprenderse de dilaciones y subterfugios, tendrá que admitirse y reconocerse, y sólo le concedo como preparativo horas o minutos en que estará golpeándose sin violencia la frente contra un ladrillo de la chimenea, contra el muro donde está el retrato de Federico, contra la puerta por donde yo entro a las once de la noche. Una viuda de pocos meses, a los treinta años de edad.

»Será semejante a mí, pisaremos el mismo suelo; como para mí, la palabra muerte sólo le significará suciedad y miseria; descubrirá que la vida no quiso detenerse, que su anécdota de fracaso y luto sólo sirvió para alimentar a la vida e impulsarla. Yo venía resoplando por el camino, con el recuerdo del beso y la frase, con el contacto del billete en los dedos, pensando en Federico y en lo que hay de negativa, de indiferencia y desamor en la cara de los muertos. No somos nosotros sino ellos quienes dicen que el plazo fue cumplido. Cara al techo, mostrando sin pudor aquella nariz sorprendente, Federico me estuvo repitiendo que lo que en realidad había muerto era mi tiempo con él, una cosa mía, una parte inmodificable, ajena para siempre a las explicaciones, intocable para la buena intención de los remordimientos.»

—¿No lo ha visto entrar? —dice Lanza al sentarse; se ayuda con ambas manos apoyadas en la mesa y va descendiendo como si el asiento estuviera erizado de vidrios—. Su cuñado Marcos y el doctor Díaz Grey pasaron a los reservados.

Demoró demasiado; está pálido y encoge rítmicamente el bigote hacia la derecha. Debe haber tenido un ataque de cólico; recuerdo que tiene enfermo el hígado y que no debe beber alcohol.

—Ojalá no tengamos una escena épica —terminó de acomodarse en la silla; tiene la voz blanda y temblorosa, como si hubiera vomitado; ahora intenta sonreírme. A través de la neblina de los lentes veo ojos inmóviles, atentos, vigilando el malestar de las tripas—. Me quedé conversando con el héroe local, el que juntó más cadáveres que Napoleón.

—La cerveza está caliente —lo atajo—. ¿No se siente mal?

—¡Qué va! —suspira, y se apoya en el respaldo; los dedos juegan con los pelos que le tapan el bulto en la frente.

—Pida dos jarras, si éstas perdieron o ganaron la temperatura.

La frente se le llena de sudor; jadea y por un segundo me mira suplicante. Enciende un cigarrillo y yo aparto los ojos. Le oigo reír y toser, golpear la mesa con la mano que huele a jabón.

—Oiga usted —empieza—. Quería recomendarle los sermones del cura Bergner.

Le acerco una de las jarras que acaban de traernos y él se pone a hablar rápidamente, excitado, atrayente, como si quisiera apartar mi atención de alguna cosa.

—Es lástima que no haya ido a persignarse el domingo. Pero no todo está perdido; esto va a ser una cruzada dominical hasta el fin de los siglos, es decir, hasta que echen cerrojo al lenocinio. Pero, en serio, su pariente, ese del que usted hizo apostasía y negó una vez que valía por tres, el cura Bergner, es todo un tipo. Y no le falta razón, debe ser inteligente. Aunque uno, como está acostumbrado a relacionar la inteligencia con otra clase de cosas... Debe medir como dos metros ese hombre.

—Cerca —digo; estoy pensando qué puede haber hablado Lanza con *Juntacadáveres,* qué habrán venido a hacer al Berna Marcos y el doctor Díaz Grey, que apenas se saludan.

Quiero irme, pero no me animo a decirlo. Al final de cada noche está el desencanto, nadie puede darme nada, a nadie le interesa lo que puedo dar. Con disimulo, aparto el dinero dentro del bolsillo, sujeto con dos dedos el billete de cien. Busco al mozo con los ojos y no lo encuentro; debe estar en el reservado.

Bruscamente me inclino sobre la mesa y pregunto:

—¿Usted sabe cuál es la posición política de mi padre?

Lo hago para burlarme, no de Lanza sino, simplemente, de alguien; Lanza no se atreverá a decirme lo que piensa, no mencionará la casa de la playa que mi padre alquiló a *Junta* o a Barthé, no hará referencia a los últimos, moralizantes editoriales de *El Liberal.*

—No puedo saberlo, rara vez nos encontramos y en esas ocasiones no tenemos tiempo para discutir política.

Ahora descubro que cuando me incliné sobre la mesa quería decir: «Necesito una mujer, lo único que me importa es una mujer.»

—Su padre siempre fue radical —continúa Lanza dócilmente, como una nodriza—. Claro que en los últimos tiempos, al ver lo que estaba pasando...

Él puede ver a Padre y yo no puedo, aunque lo imagino, sonriente, pero con una sombra de preocupación entre los ojos; puedo verlo y escucharlo comentar telegramas, consciente de la atención y el respeto de la docena de pobres que enderezan los lomos para escuchar. Esto debe bastarle para despreciarlo. Pero Padre no es su padre, y Lanza no tiene dieciséis años y está obligado a sentir ternura por él mientras lo oye bravuconear y mentir, durante horas y repitiéndose, mentir y bravuconear con una mano encima de mi cabeza o mi hombro. No soporta los ojos felices de Madre mirándonos. A veces la lástima y el asco nacen de la historia de lo que él hubiera podido hacer; otras, de la historia de lo que aún es posible que haga. «No tengo ningún temor acerca de lo que me traiga el futuro. Puedo perderlo todo, a condición de que me dejen mi máquina de escribir. Tú me comprendes», terminó, señalándome. Yo estaba loco de odio; pero me hubiera puesto a llorar por él.

Llamo al mozo para pagarle; se detiene y sonríe hacia el mostrador. El nazi redondea la boca y mueve una sola vez la cabeza antes de inclinarse para golpear el serpentín del barril.

—Todo está pagado —dice el mozo.

Una cosa así me hace bien y me despeja.

—No, no fui yo —dice Lanza—. Hubiera pagado con gusto la mitad como siempre. Debe haber sido su cuñado.

Yo no quiero que haya pagado Marcos; no pregunto nada al mozo para no enterarme y aniquilar el milagro. Marcos sale del reservado y se detiene junto a la mesa de *Juntacadáveres;* detrás de él, rubio, encogido, con el pelo brillante, vestido con un traje azul nuevo, el doctor Díaz Grey sonríe, alza el bastón y le toca la espalda. Recostado en mi silla sin soltar el billete de cien pesos, veo venir a Marcos, gigantesco, borracho, lleno de sudor en la cara y en el pecho que muestra una camisa verde abierta hasta la cintura. Se apoya en la mesa sin inclinarse, mira a Lanza y no lo saluda, vuelve a mirarme con una vaga insinuación de complicidad en la sonrisa, en los diminutos dientes.

—¿Qué estás haciendo acá, a esta hora? —pregunta Marcos. Comprendo, una vez más, que todo es imposible; creo, con tristeza, instantáneamente, que todo podría ser fácil y que esta facilidad, aceptada, transformaría el mundo.

—Nada —respondo; tengo dieciséis años. Lanza me muestra los ojos, celestes, pequeños y como ciegos mientras limpia los vidrios de los lentes con un pañuelo a rayas, manchado.

—Nada —repite Marcos; tiene la nariz blanca en las aletas y la boca entreabierta y no sonríe—. Son horas de estar durmiendo. Ya hay bastante porquería en la ciudad sin que los muchachitos como vos...

No fue él quien pagó la cuenta, no puede haber sido *Juntacadáveres.* Apoyado apenas en el bastón, Díaz Grey me sonríe con un cariño macilento.

—Vamos, que te llevo —dice Marcos; recuerdo esta noche, el conjunto de las noches que estuve con Julita y pienso que Julita es su hermana; pienso en el cuerpo de Marcos desnudo en la cama de Rita, pienso en Federico, mi hermano, y en Julita. También en la cama, debajo de la fotografía, donde tantas veces nos apoyamos para rezar.

—¿Te vas a levantar o no? —pregunta Marcos, suavemente, inclinándose. Se incorpora y muestra la mano llena de billetes, busca la cara del mozo. Algo hay que parece unirse definitivamente a él, algo que establece esta intimidad en la que puedo sentirlo inadecuado para mi odio.

—Ya está pagado —le digo sin moverme—. No voy a irme todavía. Si querés irte conmigo sentate y esperame.

Impasible, miro otra vez el apego enmohecido en los ojos de Díaz Grey. Marcos esconde el dinero y se llena el pecho de aire; sin mirarlo, le muestra el perfil al médico.

—Qué le dije —murmura al volverse—. Éste es de los míos.

Me golpea con suavidad la mejilla y deja unos billetes sobre la mesa. Saludo y recuerdo la mirada de Díaz Grey. Mientras me guardo los billetes examino la inmovilidad de *Juntacadáveres,* ahora solo en la mesa frente a la pared.

—Habrá que irse —dice Lanza; no quiero mirar los movimientos que va haciendo para despegar la nalga del asiento. Se me ocurre que una maldición especial, complaciente, una forma menor de embrujo ha caído sobre Santa María, sobre todos nosotros, nos provoca y nos pone a prueba. Me vuelvo a decir, casi con lágrimas, que necesito una mujer; en la calle, fresca, con viento, acomodando mi paso al rengueo de Lanza, muevo la cabeza para negar a Julita, a Rita y a las tres mujeres de la casa de la costa, la casa que Padre les alquiló.

Porque aunque ahora, repentinamente, sé y estoy seguro del destino que quiso imponer Julita al billete de cien pesos que me puso en la mano, comprendo que debo postergarlo, que no me animo todavía a caminar cuesta abajo desde la plaza hasta las ventanas celestes del prostíbulo y golpear dos veces en la puerta, también celeste, si ése es el rito.

XIII

Pasaron algunos meses desde el arribo de las mujeres. Nosotros, los que bajábamos el camino y los que no lo bajábamos, encogimos los hombros y aceptamos, indiferentes o no, que se quedaran para siempre. Los que íbamos a llamar en la gruesa puerta de la casa de la costa, hundida en el muro blanco y rugoso, flanqueada por los balcones con rejas y persianas pintadas de celeste, dábamos nuestro asentimiento, nuestra bienvenida, con los golpes, casi siempre desafiantes, de los nudillos en la madera. Los que no descendimos el camino sinuoso y polvoriento, suscribimos la aceptación en cuanto dejamos de hablar del prostíbulo, en cuanto preferimos volver a los viejos, probablemente eternos temas de discusión en Santa María: las perspectivas de la cosecha y de sus precios, la política, los progresos de la Colonia.

Parecía, pues, que todo el mundo, todos nosotros, habíamos dicho que sí y que el prostíbulo había pasado a confundirse con las tantas cosas que formaban la fisonomía de la ciudad: la rambla, los puestos de frutas y verduras que cubrían la plaza en las mañanas de los domingos, las líneas de ómnibus que unían la ciudad con la Colonia y con el barrio que se iba extendiendo alrededor de la fábrica de conservas. Es cierto que el cura Bergner, en cada sermón, aludía a las lluvias de fuego y a las estatuas de sal; pero nosotros pensábamos que estaba cumpliendo con su deber forzado en beneficio de nuestras mujeres y nuestros hijos.

Así, después del revuelo, del escándalo, después de marchita la novedad de los chismes que llegaban desde la costa, nos convencimos de que el prostíbulo era nuestro y antiguo y aprendimos, poco a poco, a mencionarlo sin sonrisas. Volvimos a saludar a Barthé y comprarle remedios y perfumes, consideramos fatigoso y absurdo cambiar de vereda para no cruzarnos con *Junta* o abandonar el Berna cuando él entraba.

Estábamos acostumbrados e indiferentes, estábamos discutiendo los subsidios fijados por el gobierno al trigo y al maíz cuando empezaron a circular los anónimos. Los hubo impresos, sobre todo al principio y en el final; éstos eran semejantes a los que se reparten en los mítines políticos o durante las huelgas, hechos en papel ordinario, con letras irregulares y gastadas que sugerían premura y clandestinidad. Los otros, los más numerosos, los más eficaces y desconcertantes, estaban escritos con tinta azul, por distintas manos, y coincidían en el tipo de letra alto y orgulloso: la caligrafía del *Sacré Coeur* impuesta a las alumnas del Colegio Católico.

Los anónimos que hoy podemos calificar de legítimos, impresos o manuscritos, fueron combativos, directos, violentos y a veces personales; pero nunca insultantes. Hablo de anónimos legítimos y quiero señalar con el adjetivo a la enorme mayoría de ellos, a los que no tuvieron otro origen que la cruzada contra el prostíbulo; aunque, con alguna frecuencia, insistieron con crueldad en particularidades físicas o estilos de vida de los destinatarios. Porque también, cuando la ola de odio ocupó la ciudad, cuando el frenesí estuvo en cada mirada, en cada uno de los actos de la gente de Santa María y la Colonia de los suizos, empezaron a circular anónimos apócrifos, provocados por rencores antiguos y ajenos a la existencia o a la frecuentación del prostíbulo.

El gran odio organizado que se concentró en la casita de la costa y en lo que simbolizaba, que se descargó en quienes iban a visitarla y en sus familias, y en quienes, pasivamente, toleraban, complacidos o no, el comercio que cubrían las persianas celestes, fue despertando la inquietud de diversos odiadores, remozó agravios, proveyó un medio para el desahogo y desquites parciales. Nada de esto puede interesarnos hoy: trampas en herencias, adulterio, enumeración de vicios comunes.

Ninguno de los anónimos espurios participaba de las calidades de fanatismo, de absurdo, de asombrosa estolidez que caracterizaron a los verdaderos y que los han hecho tan valiosos para aquellos que prefirieron guardarlos después de leerlos. Despojados por el tiempo del sentido de las anécdotas y de las transitorias pasiones que contienen, descarnados, los anónimos legítimos exhiben ahora, inequívoca y dura como un esqueleto, su esencia. Los dedos aplicados de muchachas que trazaron las delgadas letras, las enes que pueden ser confundidas con úes, delatan recién ahora la pureza indiferente, la ceguera deliberada de quien creyó salvar a Santa María mientras dictaba las frases apocalípticas o irónicas y familiares.

Al principio, salieron y llegaron los anónimos impresos, los volantes ominosos, sarcásticos, que buscaban relacionar cada desgracia, cada muerte, cada pérdida, con la presencia de María Bonita en la costa. Había, hay en ellos, un tono de admonición, una engañosa objetividad, una reticencia que suena a prólogo. De esta primera época, que duró apenas un par de semanas, el doctor Díaz Grey conserva uno que dice: «Aliarse con el demonio y con judíos puede parecer un buen negocio. Pero la Divina Protección se aleja de nosotros. Piense en los ahogados en la Rinconada. Medite y despierte.» Puede asegurarse que éste fue el anónimo número dos, una variante del que, más desenfadado, más enardecido, podemos considerar como primero: «Para qué la iglesia si hay un lenocinio. Para qué un hogar si las mujeres se alquilan a diez pesos. Cuando un pueblo pierde el sentido de la decencia, es justo que pierda también la Divina Protección. Los ahogados en la Rinconada iniciaron la serie de desgracias.»

Entre uno y otro pasaron varios días y esta separación no fue llenada con otra desgracia popular; tal vez esto explique, además de la insistencia, la mesura, la indecisión que traduce el segundo anónimo.

Pero muy pronto quedó iniciada la batalla. El domingo de Santa Eulalia el cura Bergner estuvo inmóvil un largo rato antes de empezar el sermón, los brazos caídos, erguido con agobio el gran cuerpo atlético, paseando los ojos, como si buscara, por los rostros que llenaban la iglesia. Los acólitos habían quedado a sus lados, agachadas las pequeñas cabezas, las manos reposando contra los vientres, seguros de que las palabras que iban a resonar tenían más importancia que la misa en sí.

Durante algunos minutos el silencio estuvo naciendo del cura, se extendió por el templo, absorbió hacia el púlpito la inquietud y la aprensión de los fieles.

—Hijos míos —dijo el cura, como si respondiera a preguntas ávidas, a una solicitación de consuelo que le fuera imposible atender. Volvió a segregar el silencio, sonrió, dolorido y confortado. Las palmas rozaron los paños del púlpito, aferraron las maderas. Suavemente, hablando para sí mismo, recordó sin pasión visible la vida de Santa Eulalia, sin alusiones al tema esperado, como si se limitara a repetir una vieja y pálida historia, aislada de la ciudad y su culpa.

Una sensación de alivio y desencanto recorrió las cabezas, se hinchó en las ojivas, fue extendiéndose en las llamas y las flores de los altares. El cura hablaba lento, doblados los grandes hombros, sostenido por las manos que se encorvaban, adelantadas, imponiendo una magnitud asombrosa, una distancia increíble entre ellas y el sufrimiento pálido de la cara. Trabajosamente, enderezó el cuerpo, se acercó las manos con una sonrisa de melancolía y burla.

—Debo interrumpirme en este momento decisivo de la vida de la Santa porque ninguno de nosotros somos dignos de participar, ni aun así, ni aun a través de la miseria de mis palabras, en su martirio, en su heroísmo y en su recompensa. Quiero ser justo. Esta iglesia ha sido construida por la piedad, por la generosidad de vosotros. Esta iglesia ha sido hecha, ladrillo por ladrillo, con vuestro dinero, con el dinero de los fieles de Santa María. Nunca he recurrido en vano a vuestra piedad. Cuando llegué aquí, muchos de vosotros debéis recordarlo, oficiábamos misa en un templo que no era más que un galpón. Pedí una iglesia y la tuve; pedí una contribución al Colegio y anualmente estamos enviando muchos miles de pesos al Colegio. Cada vez que pedí, cada cosa que pedí en nombre del Señor, la tuve. Santa María, pobre y pequeña, costea tres becas para tres futuros sacerdotes. El bien que he podido hacer no era un bien mío; indigno, he repartido entre vosotros los bienes de Cristo. Estoy en deuda con vosotros; habéis dado la iglesia, la contribución, las becas; habéis dado miles de dádivas cada vez que fue necesario socorrer. Y yo no he dado nada porque no era mío lo que distribuía. Estoy en deuda con todos aquellos que bauticé, con todos los que quisieron hablarme de sus luchas y sus flaquezas. Estoy en deuda con vuestros padres, con los que recibieron de mí los últimos consuelos y nos miran ahora y sufren por nuestros pecados. Os doy las gracias y pido perdón.

Nuevamente estaba separado del púlpito, los brazos caídos, la cabeza torcida, la enorme figura inclinada hacia adelante, como si estuviese a punto de bambolearse y caer, como si la solidez, la energía, la salud del ancho cuerpo estuvieran amenazadas por una enfermedad repentina y sin remedio.

—Os doy las gracias como las daría un seglar a cambio de bienes inmerecidos. Ahora, en este día, estamos enfrentados y somos iguales; desde esta sagrada altura, usurpándola, un pecador habla con pecadores. No soy vuestro sacerdote, no soy el sacerdote de Santa María. Porque el demonio vino hacia nosotros y fue acogido; vosotros lo acogisteis y yo no supe impedirlo.

XIV

Desde el primer momento, desde el día mismo en que el Concejo votó el permiso para el prostíbulo, *Junta* pensó en María Bonita, consideró indispensable descubrirla en la Capital y convencerla. Era la oportunidad de su vida, como ya se ha dicho; sólo con la mujer podría aprovecharla sin desperdicios, sin deformaciones. Pero al regreso a la Capital —Barthé se negó a hacerle un adelanto— perdió en seguida el entusiasmo anticipado, la voluntad de revancha, la energía de los pasos fanfarrones. La ciudad era de otros, las caras empolvadas de los cafetines no se parecían a ningún recuerdo, hablaban un idioma nuevo y difícil, ignoraban la historia y no creían del todo en los aparecidos.

Atónito y rencoroso, con las pistas embrolladas, llenándose de amigos muertos o perdidos, situado sin dinero en el principio del miedo, *Junta* alquiló una pieza próxima al puerto, permitiéndose veinte días de vida.

Comía poco y se levantaba al oscurecer para perder la noche buscando en los cafetines del Bajo la cara o el gesto familiar que pudieran guiarlo hasta María Bonita. Había encontrado, en la esquina de la pensión, un café sucio y en ruinas, se había hecho dueño de una mesa junto a la ventana empañada de grasa, cerrada siempre contra una ciudad de nieblas y fantasmas. Por una copa que prolongaba durante horas, compraba el derecho a examinar los fracasos de la noche anterior, las esperanzas e intuiciones de la próxima. Peligrosamente, el gran tema de su regreso a la Capital era cada vez menos María Bonita y el negocio, cada madrugada más él mismo, *Junta*, la juventud y el pasado.

Envejecido, con la conciencia de la camisa sucia, del vello en las orejas, de los tacos torcidos, de la soledad y el rechazo, tocaba con la lengua la copita de cazalla e iba formando al *Junta* cruel y joven, rabioso por vivir, al *Junta* de las noches heroicas y codiciosas.

Al principio había sido aquella grosera cosa, aquel oficinista de veinte años que trataba de satisfacer un orgullo, también grosero, instintivo, con todo lo que pudiera obtener gratis de las mujeres. Después, no se sabe cuándo, tan evidente como la pubertad, una dolencia o un vicio, segura, instalada para siempre, apareció la vocación. Casi nada, al principio; nada más que decisiones caprichosas en esquinas de suburbios, gratuitas crueldades en los reservados para familias de los bares, un frenético desprecio por las confesiones de los amigos. Nada más que eso y la debilidad, la angustia de saberse distinto a los demás, la extraña vergüenza de mentir, de imitar opiniones y frases para ser tolerado, sin la convicción necesaria para aceptar la soledad. Mantenido alerta por la intuición de que su destino, aquella forma de ser, que ansiaba y en la que creía vagamente, no podía cumplirse en la soledad.

Era todavía, también, el tiempo de las oficinas, de los empleos de cien o ciento veinte pesos, de horarios de ocho horas, de su letra redonda, clara, pareja, extendiéndose azul, dócil, espontáneamente engañosa sobre Diarios y Mayores, construyendo la sensible inutilidad de las columnas del Cuentas Corrientes. Era el tiempo de la corta, rápida sonrisa torcida ante patrones, contadores y gerentes: la voluntad sin cobardía de ser simpático, de imponer a los demás una forma adecuada de respeto, de ser aceptado. Y, simultáneamente, la voluntad de no entregarse, de no aceptar el mundo extravagante que los otros poblaban y defendían.

Pero ya era, aunque precario, el tiempo de la breve y costosa felicidad en las peluquerías, del abandono masculino y casi sin objeto en la tibieza violentamente perfumada de los salones prolongados por espejos que parecían reproducir también las discusiones deportivas, el ajetreo de los clientes y de la calle; el abandono a las navajas, a la ausencia rodeada por los paños húmedos e hirvientes de los fomentos. Mientras la realidad, todavía desconcertante e indócil, se comunicaba con su ensueño sin imágenes entre las toallas asfixiantes y mentoladas, sin interrumpirlo, fortaleciéndolo, por medio de los dedos que trabajaba la manicura y el zapato que repulía el lustrabotas.

Después apareció la mujer, la primera mujer de verdad, la que ofreció contrato, con la necesaria naturalidad, y fue seria y sincera, demostró alegremente que era capaz de cumplir. Casa, comida y los billetes de diez pesos, depositados sobre la rodilla, bajo mesas de cafés y restaurantes, convertidos en una rígida tirita de papel, despojados de todo significado de valor por dieciséis o treinta y dos dobleces, prestados con la esperanza de que él nunca intentaría devolverlos.

Pero él, *Junta*, sólo pudo darse cuenta de que había aparecido la primera mujer de veras cuando ya estaba por la quinta o la sexta. Sin embargo, las reiteradas y cumplidas ofertas de pensión completa y no contabilizados billetes para imprevistos y la diaria, carecían de seguridad y grandeza; sólo podían ser consideradas como hechos transitorios, períodos de ensayos diversos y aprendizaje.

Era necesario seguir apresurándose para alcanzar tranvías, subterráneos u ómnibus a las siete de la mañana y aceptarse —a pesar del exasperado y secreto orgullo que podía extraer de los billetes de banco, no ganados con el trabajo, que estrujaba en los bolsillos, a pesar de su inalterable fe en una predestinación indudable—, aceptarse hermano o pariente de los hombres soñolientos, apesadumbrados, sin rebeldía, que se empujaban y se olían en los vehículos, maniobrando para leer los títulos de las páginas traseras de los diarios y cuyos sombreros perdían en la nuca gotas turbias de agua, jabonosas, vergonzantes.

Era necesario firmar el reloj de entrada, avanzar saludando con la boca torcida, el cuerpo un poco doblado para que la humildad desbaratara curiosidades y atenciones, entre una doble fila de hombres inclinados, de hombres que colgaban sacos de las perchas, de mujeres que se abotonaban guardapolvos y se miraban, por última vez antes del mediodía, en los espejitos de las polveras.

Era necesario escuchar lo que habían traído de sus casas, de la noche anterior, los tres hombres que trabajaban a su lado; era necesario asentir; extraer de la caja de hierro los grandes libros forrados de arpillera gris, abrirlos, acomodarse las mangas de lustrina que cuidaban los codos y la blancura de los puños y trazar palabras y números, mover y consultar papeles de colores suaves, mascar la impotencia y distraerse a veces, sin aparentarlo, examinando el libro sonrosado de las uñas a la luz cotidiana, imprescindible, de los tubos fluorescentes.

A veces odiaba su cobardía y la creía inexcusable; otras, pensaba que la doble vida, la puntual entrega de ocho horas a un mundo absurdo, a una interpretación de la existencia que él sabía equivocada, constituían una etapa deseable, como, en definitiva, son deseables las horas de aburrimiento del Colegio para el muchacho que quiere llegar a la Facultad y entregarse, por fin, a su vocación.

Estaba entonces empleado en una editorial de revistas y vivía en una pensión del centro, con una mujer mayor que él, una mujer que estaba engordando. Se llamaba Blanca, por tener un nombre, y trataba de usarlo, lo arreglaba como se arreglaba el maquillaje o modificaba con fajas y presiones su cuerpo para salir a la calle. Humillado, sin odiarla, *Junta* joven recibía en los primeros días del mes los trescientos pesos que ella cobraba como maestra en una escuela. De eso vivían, porque era necesario que el sueldo de la editorial se gastara en comidas y copas con los amigos, que no fuera útil para ella.

Pero ni esto, ni la planeada violencia, ni los días de mutismo, ni los alejamientos sorprendentes y los regresos sin explicaciones alcanzaban para limpiar de su culpa original a los arrugados billetes mensuales que caían sin falta sobre la mesa del cuarto de pensión. Sumaban trescientos pesos, menos los descuentos jubilatorios y de la Caja de Maternidad; significaban treinta días de casa y alimentos. Los billetes sucios, arrugados, principalmente verdosos, que habían sido ganados con el trabajo.

Como todo el mundo, ella tenía un nombre, Blanca; pero era un nombre que no la representaba, un nombre que podía aplicarse a cualquier otra mujer sin modificarla. Tampoco la representaban su cuerpo engordando, el cansancio y la renuncia, anticipados ferozmente, con inexplicable urgencia, casi con el orgullo de trasmitir primicias, por sus ojos y su boca en reposo. Por eso, sin cara, sin una voz distinguible, intentaba ser, colocar en el mundo, separadas de ella, casi como objetos que pudiera contemplar con curiosidad, sus singularidades.

Desesperada y tímida, había tomado el nombre Blanca y lo había hecho Blanche, Bianca, Quita y Blan. Sabía que el nombre no daba para mucho. Y *Junta* bajaba con ella por la gran avenida casi todas las noches, con un cigarrillo quemándose en la torcedura de la boca, avergonzándose de la mujer y dispuesto a pelear por ella, distraídamente orgulloso de su uniforme nuevo y planchado. El traje gris, la camisa blanca de seda, el gacho negro, la moña también negra de la corbata, los zapatos de charol con cintas anchas, pesadas y los tacos largos y finos. Caminaba asegurándose a cada paso, a cada «chau» de los amigos en los cafés, a cada crispamiento de los dedos de Blanca (o Quita, Bianca, Blan, Blanche, Blancette, según fuera la noche), de la calidad vulgar e irremediable del dinero de que estaba viviendo.

A veces, en las sobremesas del restaurante, abochornado por las frases construidas y completas, maculadas además por adivinables intenciones morales y estéticas, que Blanca lanzaba frente a los amigos que se acercaban para tomar café, *Junta* sospechaba que la mujer quería ocupar un lugar en su mundo, a pesar de la grasa creciente y de los años, luchando contra la gordura y la vejez como si fueran cosas ajenas, obstáculos en el espacio, independientes de ella, de su cuerpo.

Pero él nada tenía que ver con ella ni con su afán; una cara, en blanco como el nombre, posibilidades vagas y pretéritas y, sobre todo, debajo de todo e inutilizándolo, aquella honestidad orgánica, irrenunciable; las cinco horas de trabajo en la escuela, los actos y las palabras con que Blanca salvaba diariamente —para sí misma, para la partícula inmortal de sí misma que había permanecido en ella— tradiciones y puntos de vista, creencias inexplicables y que no había necesidad de explicar.

Después llegó la crisis, la hora previsible en que toda alma fuerte busca la soledad y su destino. *Junta* dejó el empleo y se separó de Blanca o de la mujer que sustituía a Blanca. Alquiló una pieza en un barrio de casitas baratas y a cada mediodía, recién despierto, afeitado, consciente de la desviación de su boca en la sonrisa como podría tener conciencia de las particularidades y la capacidad de una herramienta, tomaba el tranvía para encontrar a los amigos, hacerse alimentar por ellos, y buscar en los cabarets del Bajo la mujer proporcionada a su vocación, la mujer imprescindible para empezar a vivir, seriamente, de acuerdo con sus convicciones.

Entonces conoció a María Bonita y estuvo seguro de que la realización de los ideales depende del grado de renunciamiento de que seamos capaces; esta seguridad se transformó luego en dogma y no habría de abandonarlo durante el resto de su vida. María Bonita era prudente e inmoral; prudente e inmoral, pensaba él enfurecido, sin comprender, como si realizara la tarea sin sentido de apartar cosas que no podían mezclarse y que, sin embargo, allí estaban, en ella, combinadas dando vida a la mujer, transformadas en ella. Prudencia e inmoralidad soportaron todas las pruebas que él fue capaz de imaginar, eludieron todas las trampas que pudo armarles, continuaron siendo, inagotables, vigorosas, las mismas y de acuerdo, a través de golpes, injusticias, actos generosos, desafíos, expectativas taimadas o sinceras.

Estaba, ya, en el tiempo de los amigos, colegas, unos, simplemente, sin otra cosa para darle que la camaradería y lecciones de estilo, ejemplos de técnicas que podían ser discutidas o asimiladas con avidez. Otros, casi siempre fracasados o acercándose a un envejecimiento pobre y conyugal, hermanos suyos por la intensidad del impulso que los había llevado a una vida definible o recordable por medio del olor a billetes y a mujer, por camisas de seda, biombos, abortos, churrasquerías junto al principio del campo, mejillas pulidas, nostalgia y la profesada indiferencia. Una intensidad que los superaba, que iba más allá de las cuentas bancarias y la satisfacción irreflexiva del orgullo, más allá de las posibilidades de comprender que les habían sido dadas. Eran sus hermanos, estaban condenados como él, apuntalaban las tradiciones, exasperaban el odio al gringo, iban buscando motivos de confianza en idolatrías sucesivas.

Algunos de ellos —silenciosos, crispados, desafiantes— se mostraron dignos de verlo llorar en el mostrador de un café que tenía dos duras rayas perpendiculares de crespones colgando del palco de los guitarristas, vacío, cuando los marselleses mataron al pibe Julio en la puerta de un prostíbulo.

Algunos de ellos quisieron ayudarlo en la venganza o en sus interminables preparativos. También en la desobediencia a la orden de esperar y contemporización que dictaron los jefes nativos, los amulatados Pérez y Giovaninis. En realidad, y lo sospechaban, las conspiraciones para la vindicta, arrastradas en restaurantes, bares y enramadas, no eran otra cosa que el prolongado velorio del pibe Julio, que nadie pudo celebrar. Se contaban historias y se hacían profecías de cumplimiento improbable, se buscaba coraje en las pausas rodeadas por los vasitos de caña, y las manos que golpeaban las culatas de los revólveres arriba de las nalgas medían también el desconcierto, lo irremediable de la muerte, una estupefacta impotencia.

El *Junta* de años después, el *Junta* de *El Liberal* y la casita de la costa, el que sólo disponía, para ayudarse a evocar, de la atención deslumbrada y admirativa de Vázquez, el del reparto de los diarios, o de algún joven camionero tropezado en las cortas madrugadas de Santa María, acostumbraba ponerse de pie y exhibir el recuerdo de pelo en la cabeza antes de reiterar la historia, antes de las iniciales negativas que iría superando:

—No sé cómo se llamaba; el apellido, quiero decir. Se llamaba Julio. No lo vi morir, pero había estado con él unas horas antes, el día antes. Tenía veinticuatro años, era menor que yo, un poco menor entonces; pero era lo mismo: hombres curtidos, hombres que se habían hecho antes de que los polacos vinieran a rematar mujeres en el sótano del Aiglon, hombres que eran hombres como ya no quedan, lo tenían por jefe y se llevaban de su consejo. Por aquel tiempo, le hablo de cuando la dictadura, todos andábamos separados, cada cual buscando hundir al compañero por roñerías sin importancia. Los marselleses, no; porque es como siempre, a ellos sólo les importaba el negocio y sabían entenderse para defenderlo. Marselleses y judíos y después los polacos que se arrimaron al sol que más calentaba, sin contar que también eran gringos, se explica. Y él era una esperanza para todos nosotros, mayores que él, le repito, cansados de andar en entreveros, hombres criados entre mujeres de la vida y los tiras. Cada cual de los grandes lo cuerpeó al principio, le dijo que sí sobrándolo, le tomó el peso y lo destrató como a un coso que acaba de avivarse y se acerca al bollo, al punto que maneja la pelota, buscando un rebusque. Pero no les pedía nada y si le querían dar rechazaba sin ofensa. El pibe Julio, vea, procedió así: miraba con paciencia, se entreveraba hasta descubrir a alguno de los que les hacían changas a los tiburones. Entonces se hacía presentar al hombre y llegado el momento le hablaba de los marselleses. Que por qué nosotros peleándonos y ellos unidos para jodernos; que por qué no nos organizábamos y enterrábamos toda la ropa sucia y hombro contra hombro los íbamos echando de esta tierra que es nuestra. Buscaban sacárselo de encima, como a una mosca seguidora, cuando les aburría o les daba rabia que uno que no se había limpiado la leche de la boca viniera a decirles, a ellos, qué era lo que tenían que hacer. Pero él, con aquel aire de señorita al lado de tipos que estaban debiendo muertes, que tenían cadenas de clandestinos y que se sabían de memoria, para ellos mismos y para aconsejar, los agujeros de la ley, seguía dale y dale, machacando en lo mismo, riéndose cuando había por qué, pero mostrándoles con los ojos que no era de arrear con las riendas. Y ninguno se le animó; les decía razones sin alzar la voz, quietito, mirándolos a la cara. Y así fue creciendo, poco a poco y sin perder el tiempo. No pedía nada para él; andaba en dos mujeres y no buscaba más. Sólo quería que nos uniéramos, que nos dejáramos de chiquilinadas y nos defendiéramos de los gringos y los vendidos. Era una esperanza, usted puede imaginarse; todos pensábamos de antes lo que él andaba repitiendo y sólo él, nuevo, sin líos, podía andar de uno a otro, discutir y convencer. Si lo habré visto mano a mano con alguno de los capos, siempre vestidos de gris, sin lujos, el gacho negro alzado; y puedo decirle: el que lo quiso empezar en cachada acabó siempre en respeto. Yo lo vi unas horas antes, en el centro, era un sábado, me llamó desde el mostrador de aquel café que no hay más, el Dorrego, y me invitó riendo a tomar una copa, medio me abrazó con un diario doblado abajo del brazo y —por primera vez para mí— con una corbata que no era negra y un alfiler, lo estoy viendo, en forma de herradura, con piedras muy chiquitas. Yo estaba apurado por cualquier cosa y no pude adivinar. Al otro día, domingo, de tarde, en cuanto bajó el sol, estaba parado en la puerta de una casa con parrillada y los marselleses lo madrugaron desde un taxi, media docena de balas en la barriga. Ni pudo hablar. Tenía que ser. Y entonces sí que se acabó la patria, se acabó todo.

XV

Aquél fue el principio de la guerra y los anónimos saltaron en seguida a las bolsas de los carteros para confirmarlo. Eran azules, con grafías parejas y lentas; casi todos estaban dirigidos a mujeres y denunciaban la concurrencia al prostíbulo de hijos, hermanos, novios, escasos maridos. No insultaban ni mentían; en aquel tiempo, el inmediato al primer sermón ofensivo del cura Bergner, se limitaban a mencionar nombres, fechas y horas, insinuaban apenas las represalias que muy pronto iban a dividir la ciudad.

Algunas de las escribas estaban próximas a los treinta años; pero en su mayoría eran muchachas que se habían conocido en la Acción Cooperadora del Colegio. En todo caso no se encontraba entre ellas ninguna que confirmara el tipo de solterona desesperada que imaginaban quienes abrían los sobres largos con letras azules. Quizá todos hayan supuesto la misma mujer, hayan coincidido al reunir huesos, ojos, estatura, calidad de piel, largo de las falanges, forma de las uñas, relieve de los nudillos en el acto de escribir.

Entre todos, sin comunicarse, sin saberlo, dieron a la mujer —no hubieran pensado que era un hombre, aunque la letra no revelara, aunque los anónimos hubiesen sido escritos a máquina— una blusa de encaje, pulcra, estrecha y redonda en el nacimiento del cuello, con una delgada cinta de terciopelo, o un camafeo o una moneda de oro convertida en prendedor sobre la base del cuello. Le dieron una sonrisa inmóvil, una boca hundida, una expresión dulce, un perfil justiciero. La hicieron odiosa, pero no repulsiva, taciturna, suspirante, amiga de plantas y de gatos, del alba y del fin de las tardes; le atribuyeron una peluca o un pelo teñido de amarillo, la costumbre de llevarse a la nariz, desde la manga, un pañolito con iniciales, sólo por el placer de sentirse aislada oliendo el perfume.

Los primeros anónimos, los que buscaban oscuridad y tono de profecía, los que estuvieron insistiendo en la referencia a los muchachos ahogados en el picnic de la Rinconada, habrán salido, tal vez, como se dijo, de la sacristía. Pasaron algunas semanas sin castigos, sin catástrofes visibles; y el cura Bergner, desde el púlpito, nos demostró que esta pausa, estos aparentes desdén u olvido de la Divina Providencia, eran infinitamente más terribles, por desconcertantes y ominosos, que una concreta serie de tragedias. Recordó la despreocupación de Babilonia y Nínive, colocó en el futuro inmediato, imprevisible, el lloro y el crujir de dientes, escudriñó la calma, antecesora de tempestades.

Entonces, las muchachas de la Acción Cooperadora, sin que nadie haya podido nunca probar que estaban obedeciendo órdenes o sugestiones, las muchachas limpias y bien vestidas de Santa María, en forma espontánea, ante la historia, y sin obedecer a otra cosa que a sus convicciones, a la sensación de miseria y peligro que alteraba la vida de la ciudad, comenzaron a reunirse y a conspirar, murmuraron juramentos de silencio y fueron escribiendo, en papeles de hilo y de colores suaves, con sus altas letras tradicionales y orgullosas, las cartas azules de amenaza y denuncia.

No hablaban, es cierto, de las ciudades del Medio Oriente que fueron roídas por el vicio, derrumbadas por el castigo; citaban, simplemente, la casa de la costa o a María Bonita, a hijos, novios y hermanos, lugares y seres familiares a todos nosotros; afirmaban coincidencias cuyo significado era indudable y trascendente.

Por ejemplo, tómese el caso de María Mann, hija de los dueños del negocio de toldos, colchones y sillas de playa de la avenida Urquiza, junto a la casa de música, casi en la esquina opuesta a la de la farmacia de Barthé. Recibió, seguramente en la primera distribución de anónimos manuscritos que hizo el correo, una carta que decía: «Tu novio, Juan Carlos Pinto, estuvo el sábado de noche en la casa de la costa. Impuro y muy posiblemente ya enfermo fue a visitarte el domingo, almorzó en tu casa y te llevó a ti y a tu madre al cine. ¿Te habrá besado? ¿Habrá tocado la mano de tu madre, el pan de tu mesa? Tendrás hijos raquíticos, ciegos y cubiertos de llagas y tú misma no podrás escapar al contagio de esas horribles enfermedades. Pero otras desgracias, mucho antes, afligirán a los tuyos, inocentes de culpa. Piensa en esto y busca la inspiración salvadora en la oración.»

María Mann pudo contribuir con los demás a vigorizar la imagen de la mujer delgada, rencorosa, con nombre bíblico y blusa de encajes; podían verla, solitaria, mordiéndose un labio, escribiendo en la noche mientras se daba golpecitos debajo de la nariz con el perfume de su pequeño pañuelo inicialado. Pero las muchachas de la Acción, las que en realidad escribieron los anónimos legítimos, eran muy distintas a la chupada vieja imaginaria.

Ante todo, eran sinceras y actuaron con limpieza; no quisieron provocar más sufrimientos, más riñas y separaciones que los que creían imprescindibles para terminar con el prostíbulo, para limpiar a Santa María de aquella inmundicia, aquella desgracia que le había nacido en la costa y que subía, incesante, llena de insolencia, para arañar con sus antenas las casas de la ciudad. No estaban marchitas por el tiempo ni por el rencor; no buscaban vengarse sino, apenas, defenderse de un enemigo que amenazaba sus principios y sus proyectos, los futuros personales que les eran comunes.

No querían la promiscuidad, no podían soportar la idea de que la promiscuidad fuera posible, fuera fácil, invitara desde la casa de la costa. No querían ser comparadas de aquella manera violenta, no querían tolerar que los hombres se sintieran capacitados para descubrirlas, aun equivocándose.

Se reunieron, primero, en la sala que el Colegio cedía semanalmente a la Acción Cooperadora; después, en las habitaciones de Julita, la viuda de Malabia, en la vieja casa quinta sobre el camino a la Tablada. Nuevas y saludables, cambiando risas y chillidos, defendiendo cada una de la malevolencia de las demás lo esencial de su secreto, hacían planes, daban y recibían comadreos y luego, entre tragos de té, un poco ruborizadas, con la lengua entre los dientes, manchándose las puntas de los dedos ávidos que resbalaban hacia las plumas de las lapiceras, redactaban las cartas anónimas, descubrían sin asombrarse que la alianza femenina a que estaban dando forma era vieja de siglos.

Era, esencialmente, más fuerte que el amor, era capaz de sobrevivir a toda entrega al hombre, a toda renuncia individual. Bebiendo té y mascando tortas, oliéndose los inevitables perfumes, retirando del calor y la humedad, con suaves, exactos manotazos, los cabellos que les bajaban por la frente, mostrándose los dientes blanquísimos que anunciaban y protegían las carcajadas, las muchachas escribían los anónimos para defender la pureza ciudadana y para que los hombres no pudieran intuir la clave de su personalidad, descifrar su único enigma, cubierto celosamente por absurdos, por astucias, por malentendidos seculares y renovados.

Julita, la viuda de Malabia, había aceptado recibirlas dos veces por semana. Desde casi una docena de retratos, muchos de ellos pálidas ampliaciones de instantáneas, Federico Malabia sonreía o miraba con tristeza a las escritoras de anónimos; las muchachas comprobaban que las fotografías iban envejeciendo velozmente: cada vez que las ojeaban parecían haber sido hechas dos o tres años antes de lo que habían calculado en la visita anterior y el hombre se mostraba más muerto, menos creíble. Pero nunca hablaban de esto; después de despedirse de Julita, agrupadas en el jardín, sólo comentaban los ojos de los retratos, los hombros del muerto y la línea dulce del labio superior, única blandura de la cara.

A veces encontraban pantalones y camisas de Federico desparramados en los muebles, tirados en el suelo, y olían un resto de agua de colonia y de tabaco; era como si un hombre hubiera estado allí unos minutos antes de que llegaran ellas, para tomar un baño y cambiarse la ropa, para, indolente en el calor, charlar con Julita, mientras fumaba algunos de los gruesos cigarros cuya ceniza blanqueaba en el único cenicero de la habitación. Pero ellas sabían que las ropas eran de Federico, así como el olor del tabaco y la colonia, aunque fuera imposible. Esperaban la cara de Julita, la boca cansada, el pelo que crecía caído y sin peinar, los ojos brillantes y consagrados que ella llenaba, infatigable, con una mirada de enfurecido éxtasis, una mirada alusiva a un triunfo secreto, intrasmisible.

Miraban las muchachas los gestos de la mujer, medían la lentitud del movimiento con que ella acercaba los codos a la cintura —luego de poner sobre la mesa la bandeja con la tetera y las tazas, el plato con la torta, y luego de sonreírles—, el movimiento de recoger y concentrar con que ella daba solidez a su silencio, invitaba desafiante a cotejar felicidades y proclamaba su aislamiento. Notaban todo eso, las muchachas, y una por una iban renunciando a la felicidad de la malicia, se embellecían forzándose a creer en el milagro o en la locura, deducían que el hombre muerto que las veía desde las paredes, desde el marco sobre la mesa, desde la chimenea ennegrecida, había estado allí en la tarde, quince minutos antes de que la primera de ellas golpeara la puerta chirriante, en el jardín. Tal vez se hubieran cruzado con él en la escalera, tal vez no fuera absurdo imaginar al hombre delgado y corpulento, detenido, inclinado y paciente en la curva de los escalones, dándoles paso.

Las tardes en que las muchachas encontraban desparramadas las ropas de Federico, Julita las recibía más despeinada y alegre, corría, murmurando disculpas, para desembarazar las sillas del pantalón, la camisa arrugada, la víbora de la corbata. Antes de guardar las cosas en el ropero hacía sonar contra cualquier madera o contra su cuerpo la hebilla del cinturón; después abría la ventana para borrar del aire los olores masculinos del humo y la colonia. Abierta de brazos contra la luz del jardín, les sonreía en otro pedido de perdón, sonrojada, arrepentida de que las muchachas hubieran visto y olido su intimidad.

Hablaba lo indispensable; con las manos hundidas en los bolsillos de la bata, los ojos enloquecidos, sonriente, las enfrentaba como desde una altura próxima e inalcanzable. Cabeceaba asintiendo, bien dispuesta, cuando las muchachas conversaban de cosas vagas y generales, las únicas que se animaban a mencionar allí; les traía el té, plumas y tinteros, cajas de papeles de hilo, de colores mansos. Nunca demostró saber a qué venían ellas a su casa; las dejaba hablar y escribir.

Rodeada por el pelo que caía rígido y despeinado, su cara sin pintura, engrasada por el sudor, fija en una desinteresada juventud, sin esconder, exhibiendo, las arrugas en las sienes y encima de la boca, denunciando placenteramente los sucesos y anulándolos con el brillo rabioso de los ojos que se negaban a aceptarlos, la cara de Julita miraba a las muchachas sin desdén ni entusiasmo. A veces ella la torcía para mirarse el vientre; otras la alzaba, por encima de ellas, por encima de sus limitados intereses, por encima de la aceptación de lo definitivo en que coincidían diariamente deudos y amigos, para participar de nuevo en hechos irrealizables, en momentos felices y acompañados, en escenas que tenían, por lo menos, una antigüedad de meses.

La charla, los perfiles inclinados sobre las hojas de papel de cartas, los hombros descubiertos por el verano, la edad misma de las muchachas, no eran más que una nube de vapor colocada entre ella y el recuerdo, palpable, actual.

Mientras ellas escribían denuncias y daban a entender castigos, con tinta azul, laboriosas, Julita volvía a tocar los brazos y la espalda de Federico, regresaba a la cama, a diálogos y silencios junto a la chimenea, a madrugadas de invierno en el campo, a uniones solitarias entre caballos ateridos, gritos de pájaros, olor a estiércol y dentífrico.

XVI

Lanza se toca los bigotes y alza otra vez la jarra de cerveza; junto con el pegoteado disco de cartón levanta también el tema que yo aparté hace un rato moviendo dos dedos.

—Lo peor que puedo decir de sus poemas —y lo dice— es que son buenos. Preferiría verlos horrorosos, mirarlos como a bichos deformes y mal nacidos, como animalitos a los que les sobraran o faltaran patas, ojos, cuernos. Quiero decir...

—No diga nada, no me interesa. No me interesan los versitos que le presté con vergüenza. No quiero arrepentirme. Nacieron y están muertos.

—Quiero decir —insiste con tristeza y resolución, con una desproporcionada gravedad— que están mal por estar bien. A su edad y en este año y en esta ciudad, yo hubiera preferido un grito, una mueca incomprensible, alguna forma de la locura.

—Sí —sonrío y bebo—. Edad, años, Santa María y, se le olvidó, circunstancias personales.

Queda desarmado y más triste, simula buscar al mozo en el entrevero de humo y palabras, en el aire de una noche de sábado en el Berna.

—No —murmura mirándome—. No se me olvidó y usted lo sabe. Deje hablar a este pobre viejo. Sólo molesto lo indispensable. Usted me entiende; porque de todo lo leído me quedaron sólo algunas líneas que tocan lo que le pido, lo que usted está malditamente condenado a escribir. Excuse los errores, no se dedique nunca a corregir galeradas. Escuche lo que hicimos:

Y yo la, lo pierdo, doy mi vida
a cambio de vejeces y ambiciones ajenas
cada día más sucias, deseosas y frías.
Irme y no lo haré, dejar que no lo crea.

Pedimos más cerveza y me tomo un tiempo, largo, vaciando y cargando la pipa, haciendo comentarios sobre la gente que entra y sale. La cara de Lanza está bondadosa y tranquila, con una victoria atenuada en los ojos húmedos y rojos.

—Sí —digo—, me gusta. Pero eso tiene poco que ver, no es el

monstruo con patas equivocadas que le di a leer. Es mucho más bueno, alejado del horror y del grito.

—No crea —masculla decidido entre la espuma—. Serán fallas de la memoria, trabucaciones de viejos. Pero esas cuatro líneas equivocadas... Les encuentro, así, el desconcierto y la verdad que le pedí o le auguré. Pero es inútil. Usted ya lo dijo. En esta clase de cosas no valen opiniones. El que las escucha en serio está perdido. Y ahora, mire con disimulo hacia el mostrador. Su pariente Marcos nos invadió con los parásitos de costumbre y algunas mujeres. Todo, ruina melancólica del falansterio.

Miro y allí están, bebiendo y comprando botellas. Me vuelvo hacia el viejo.

—Alguna noche me habló del falansterio. Escuché algún chisme suelto, claro. Pero, de veras, no sé, no entiendo.

Lanza se ríe y fuma despacio.

—¿Tiene tiempo? —me pregunta.

—Todo.

—Feliz de usted. Encienda la pipa y soporte. Otro horror trucado, en realidad. Lástima, si bien se juzga. Marcos Bergner no merece la paternidad ni la culpa del fracaso en este asunto. ¿Qué diferencia de edades hay entre usted y él?

Fumo, calculando. No adivino la intención del prólogo del viejo Lanza. Exordio, le llamaría él. En todo caso la noche promete o amenaza ser larga. Conozco los trucos de los ancianos y de los jóvenes idiotas para lograr un efecto contando cualquier historia trivial. Recuerdo la pesadez de mi padre.

—Unos diez años, supongo —contesto por fin.

—¿Y desde cuándo lo recuerda? Un recuerdo verdadero, pido.

—De verdad... Bueno; hace dos o tres que empecé a verlo. Verlo de esa manera que usted pide.

Lanza sonríe contento y demora en hacerse el cigarrillo. No importa; me interesa el falansterio.

—Entonces —dice con alivio— hablamos de personas distintas. Había, hubo otro Marcos. Véalo borracho, gordo, grosero, hinchado. La gran desgracia, las mudanzas, me sacaron de España y aquí estoy. Ya miré, tuve tiempo sobrado, mi problema personal desde todos los ángulos, la lógica, el insomnio, la desesperación. Malas cosas no faltaron. Finalmente no tuve opción. Me empujaron a echar ancla en Santa María, junto con el doctor Díaz Grey, el amigo Larsen, filatelista de putas pobres, y muchos otros que no hacen al caso. ni a esta noche. Aquí hasta la muerte —me dice moviendo los hombros, entre los dedos que alzó para cubrirse la tos—. Tristeza, hay; queda la incomprensión. Pero ni drama ni melodrama. Falansterio.

Le hablaba de un Marcos Bergner que usted nunca conoció. Tendría, entonces, los años que usted tiene ahora. Algo, muy poco más, acaso. Pero tenía una cosa que usted, con perdón, no tiene. Tenía esa forma de la salud que nombramos sanguínea. Usted, escribiendo poemas, puede o podrá vivir las experiencias humanas más importantes. Aquel Marcos las vivió en cuerpo y alma, si es que tiene eso, sin necesidad de escribir una línea. Y estaba la chica de Insurralde, casi compatriota mía. Tengo para mí que el verdadero apellido debe ser Insaurralde. Pero no importa demasiado. Todo trasplante a Santa María se marchita y degenera. No vamos a preocuparnos por una pérdida.

—Sí —digo suavemente, para que el viejo sepa que estoy y no interrumpo—. Era novia de Marcos.

—Ella y todas las hectáreas de campo que compró su padre. La Colonia de suizos empezaba recién a organizarse. Cada seis meses llegaban familias con baúles de hojalata, vestimentas raras y endurecidas, Biblias y voluntades. Pero no había Colonia todavía. Más o menos por aquí aparece el retrato. Lo habrá hecho Orloff, el príncipe, que debe andar por estos barrios desde la revolución rusa de 1905 o desde que Catalina la Grande se hartó de Potemkin. Orloff le contará cualquier cosa y sabrá persuadirlo, lo dirá con pasión, sin sufrir. Miente mejor que yo. Coincidimos, accedo, en anacronismos, exageraciones, imposibles. Pero somos distintos: él busca la belleza, la viñeta literaria, lo que ahora llaman escapismo, el invento. Es una posición de artista. Yo soy un pobre *viejo* que busca la verdad.

A mis espaldas, Marcos grita amenazante y de inmediato se pone a reír. Sus amigos lo festejan y piden más copas.

—¿Qué hacen las mujeres? —pregunta Lanza.

Espío, y cuento sin entusiasmo.

—Una —le digo—, fuma con cara de enferma, de vómito. Hay otra que canturrea y se pinta, tan tranquila como si cosiera un vestido o arreglara la casa, pieza, que se le supone.

Traen dos jarras de cerveza y Lanza toca la espuma con los labios.

—Bueno —acepta—. Ahora Orloff y la fotografía. Tengo una copia en casa, tengo, desde hace años, una libreta con todo lo que me ha interesado tener. Sería una sorpresa. Alguna vez lo invitaré a refistolear ese papelerío, a conocer, por sagrado deber patriótico, la verdadera historia de Santa María. Entretanto, mi versión de la foto. Ahí tiene usted un Marcos flaco, con orejas de sátiro, las cejas largas y preguntando, la nariz dura, la boca infantil. Hay una capa negra, acaso se trate de un poncho sobre los hombros; de la capa poncho salen unas manos increíblemente largas, dedos que nunca tuvo. No sé cómo se hizo el truco. El corte de la chaqueta que gasta es antiguo, el chaleco alto y la corbata fúnebre, excesivamente gruesa. Este Bergner, con un tajo en el ceño, posa mirando hacia abajo. Puede ser que por aquellos tiempos también él escribiera poemas. Descanse y véalo, imagine. No es imposible, se me ocurre ahora, que algún año usted llegue a parecerse al Marcos de esta noche. En el Archivo y Museo Lanza se encuentra, milagrosamente, otra fotografía indispensable. Es de la vasquita Insurralde, Moncha.

»Muy pobre, amarilla y desvaída, apenas un recorte de periódico. Pero se le ve aún la mirada desafiante, la boca sensual y desdeñosa, la fuerza de la mandíbula. No olvidemos que era mayor que Marcos y mayor de edad. Estudiando con paciencia la segunda cara se llega a comprender por qué no hubo tutía, por qué él, el viejo Insurralde, madre ya no había, no tuvo más remedio que meter violín en bolsa y aceptar. Aceptó el falansterio, que ya es mucho, si recordamos fechas y situaciones geográficas.

»Eran seis, al principio, todos ricos y jóvenes. Dos matrimonios, Marcos y Moncha. En el período de grandeza llegaron a diez, sin contar los niños. No se sabe, y no he podido saberlo, quién propuso y abogó por la idea. Era simple en apariencia; era muy simple si la resumimos sobre un papel o la discutimos de sobremesa. Aquel remoto Marcos Bergner ofrecía parte de sus campos y el casco de la estanzuela que acaso le toque a usted heredar un día. Asunto de bienes gananciales, propiedad indivisa, cualquier definición por igual repugnante.

»En aquel tiempo, en aquellas noches, las tres parejas iniciales se reunían a comer en el Club del Progreso o se turnaban invitando en sus casas. También, algunos sábados en la casa del vasco Insurralde. La idea, reitero, era tan sencilla como infalible: marcharse de Santa María, afincar en la estanzuela, recoger cosechas, alegrarse con el crecimiento y la multiplicación de los animales. Primera etapa. La segunda incluía la compra de más tierras, la importación de bestias de raza, la inexorable acumulación de millones de pesos. El proyecto estaba bien y bendito, vuelvo a decir, en teoría. Todos los pioneros contaban con respaldo económico para ayudar en el no admitido caso de sequías, peste, golpes de granizo, época de vacas flacas. Habría peones, por supuesto, para que los hombres pudieran concentrarse en la tarea intelectual de dirigir y planear. Chinitas humildes para que los niños no molestaran demasiado y para que día a día las comidas estuvieran a punto y hora, y, también por supuesto, se trataría de una labor cooperativa, por lo menos en lo que se refiere al reparto de las ganancias. Bueno, una comunidad cristiana y primitiva basada en el altruismo, la tolerancia, el mutuo entendimiento.

»Y se hizo, se empezó. Me imagino a la vasquita, única soltera del falansterio, enfrentando al viejo Insurralde que sólo podía suplicar o decir malas palabras. Porque la Moncha era mayor de edad y porque los dos tercios de la fortuna de los Insurralde pertenecían a la muchacha. La imagino impasible y resuelta, con esa cara de periódico que ya traté de describirle, dando, una sola vez, su respuesta:

»—Quiero conocer de veras a Marcos. Necesito saber quién es antes de casarme.

»Y, naturalmente, se fue con los demás. Unos meses después se agregaron, como le dije, otro par de matrimonios. Hicieron, es justicia decirlo, todo lo que se habían propuesto para la primera etapa. La estanzuela, el falansterio, marcharon bien, pero que muy bien, durante un año o dieciocho meses. Los historiadores no nos hemos puesto de acuerdo respecto a la duración exacta de la dicha. Pero cuando juntábamos nuestras soledades, de origen diverso, para jugar el tute o al mus, coincidíamos en aquello que la Historia impone con fechas, en lo que tiene de más incomprensible, huero y tonto. Coincidíamos en el objetivismo histórico. En la nada, en la cáscara de huevo vacía.

»Aceptamos que a los seis meses y veintitrés días la vasquita Insurralde disparó del falansterio en un caballo robado, tocó Santa María para descansar, y se fue a la Capital buscando un barco que la llevara a Europa. Algunos meses después el padre vendió a buen precio lo que tenían y nunca más supimos de ellos. Pero quedaba ignorada la verdad y todos nosotros intentamos rellenar con honradez y decoro la cáscara vacía. Sólo que, ¿quién iba a decirnos la verdad? Porque, poco a poco, se fue despoblando el falansterio, se interrumpieron proyectos, se dejaron morir las siembras y las cosechas, se remataron casi todos los animales.

»Era inútil pretender que alguno de los nueve falansterianos alcanzables diera explicaciones sobre el fracaso. Ahora, si recordamos que un par de los cuatro matrimonios decidió separarse luego de la experiencia comunal, cristiana y primitiva, el cronista se siente autorizado, frente a su conciencia profesional y frente al juicio de las generaciones futuras, a tomar en cuenta las muy coincidentes versiones de los esforzados trabajadores rurales que acompañaron a Marcos y compañía en el éxodo y en la partida. Sobre todo se puede creer en lo poco que contó Barrientos, el hombre que hizo de capataz en la malograda empresa y que ahora, creo, tiene un almacén o cosa parecida allá por los lados de Enduro.

»En cuanto a Marcos, estuvo a la altura de las dolorosas circunstancias, supo aceptar el duelo y la adversidad. De vuelta a Santa María se dedicó por un tiempo a emborrachar en público su tristeza.

Después cargó el yate con cajones de bebidas, obtuvo la presencia fraternal de algunas mujeres y amigotes y desapareció río arriba, o abajo, durante varios meses.

»Los decires de los destripaterrones y de los jinetes cuidadores de rebaños pueden ser, claro está, hijos de la maledicencia. Un investigador severo creerá, acaso, en ellos. Pero no debe usar la chismografía resentida, tan propia de las clases bajas, para escribir y legar una "Introducción a la Verdadera Historia del Primer Falansterio Sanmariano". Yo lo hice.

»Cuento allí que, a los seis meses más o menos de iniciado el descomunal empeño, se comenzó a notar cierta confusión. No era posible, a primera vista e intención, determinar con exactitud quiénes integraban los sagrados núcleos familiares. Debo dejar constancia que, naturalmente, los peones no se acercaban con frecuencia a la fortaleza falansterial. Pero estaban allí inevitables, dentro del reducto, las chinitas encargadas de la cocina y del cuidado de los niños.

»Lentamente, según las calumnias divulgadas, el reinado de las nuevas parejas, no legalizadas ni benditas, fue sustituido por el criterio que rige en las más perfeccionadas sociedades industriales de nuestro siglo: evitar toda pérdida de material o de tiempo. Para entonces, el Marcos Bergner de la fotografía que le describí hace un rato había logrado numerosos adeptos para su culto báquico.

»Según las malas y sucias lenguas, el nuevo y solemne rito se cumplía dos veces por semana. Empleaban dados o cartas, inocentes cédulas de San Juan revueltas en dos sombreros. Los falansterianos renunciaron, pues, a los ciegos impulsos, a las atracciones engañosas. Acataron la omnisciencia de los dioses, el Azar, el Destino, para disponer, dos veces semanalmente, de sus compañías nocturnas. Y las cinco mujeres eran jóvenes y agradables; no opino sobre los hombres; sólo puedo decirle que también eran jóvenes.

»Se habló también de que, por variar de oráculo, jugaron a veces sorteando llaves de dormitorios. Esta idea tiene su encanto, su fantasía. Pero yo, como historiador integérrimo y pundonoroso, no he podido aceptarla. Porque es muy poco probable, usted debe saberlo, que los dormitorios de la estanzuela de Marcos Bergner tengan cerraduras y llave. Además, no las necesitaban; salvo, puede admitirse con reservas, que se usaran como símbolos, como una variante poética de la ceremonia.

»A esto, a la escoria documental que se obstina con frecuencia en no dejarse separar del oro refulgente de la verdad, puede añadirse, como simple curiosidad, algún aumentativo. La poderosa imaginación novelística de los analfabetos agrega que las azarosas parejas ayuntadas por los dioses descubrieron, a su tiempo, también ellas, que no hay soledad más triste que la soledad de dos en compañía. Ergo, en consecuencia, optaron por los encantos de las actividades sociales, por los placeres de las obras colectivas, tan superiores a los que pueden ofrecer los egoísmos individualistas, pequeñoburgueses.

»Ahora que, en mi persecución de la verdad, debo señalarle dos puntos de mi historia que no resultan del todo convincentes. Teniendo en cuenta como factor decisivo la naturaleza humana, que todos nos envanecemos de comprender, ninguna reflexión me ha podido aclarar por qué los falansterianos demoraron tanto en iniciar la fatal promiscuidad. Empleo como fecha la fuga rabiosa y espantada de la vasquita Insurralde. Y tampoco entiendo que, una vez aceptada la integridad de una existencia comunal, los personajes del drama hayan podido convivir tanto tiempo sin terminar a balazos o patadas. Y agrego que resulta curioso ver y oír a su pariente Marcos organizando una Santa Cruzada contra el humilde prostibulito que regenta en la costa el ciudadano Larsen, por mal nombre *Juntacadáveres.* Considerando el asunto desde el punto de vista psicológico, puede tratarse de la tan común rivalidad vocacional que ha caracterizado siempre a los artistas. Ahora, si aplicamos un criterio marxista, puede ser que la inquina tenga como origen el hecho de que las tres mujeres de la casita celeste no trabajan gratis, no son movidas, en la cama, por el noble amor al oficio. Tan distintas a las que Marcos tuvo y conoció en el breve tiempo idílico del inolvidable falansterio.»

XVII

—Es un domingo de noche —dijo *Junta*; estaba sentado contra una de las mesitas del patio, removiendo el líquido en el vaso antes de beber, tirando contra las baldosas cigarrillos fumados a medias, seguro que no podría comprender lo que estaba pensando—. Un domingo de noche o la mañana de un lunes. ¿Te das cuenta?

—¿De qué si me doy cuenta? —preguntó María Bonita desde la ventana; tenía la cabeza apoyada en dos barrotes y un vaso en la falda, en el hueco de las piernas separadas.

—No te das cuenta. ¿Me estabas escuchando? Si te dieras cuenta no preguntarías. Sabés que nunca me da por hablar; pero cuando hablo me gusta que me escuchen.

María Bonita se rió para que *Junta* la oyera; acomodó las nalgas en el alféizar y fue levantando la cabeza, la hizo rodar sobre los dos barrotes.

—No estabas hablando de que era un domingo de noche. Hablabas de otra cosa —bajando los párpados miraba la sombra del hombre solitario en el patio, rodeado de mesas vacías y del calor triste y enfurecido de mitad del verano. No había más luz que la de la vela en la hornacina, frente a la estampa dorada de la Virgen inclinada sobre el Niño.

—No te voy a preguntar como en la escuela —dijo *Junta*, y metió un dedo en el vaso para sacar un bicho verde y duro—. Siempre estoy por comprar un tejido de esos de fiambrera y ponerlo en las ventanas. Pero igual entran los bichos cuando se abre la puerta. La otra noche estaba lleno de cascarudos y no me gusta que los aplasten.

Ella separó la cabeza de los barrotes y la golpeó suavemente; afuera estaba la noche como un límite negro que contuviera el calor y el mundo desconocido de Santa María; sabía que las muchachas usaban jazmines, que eran rubias y que paseaban por la plaza y el muelle. Las historias de Nelly e Irene modificaban levemente, en las tardes de los lunes, la imagen que ella conservaba de la ciudad; algún negocio inauguraba una vidriera, cualquier anécdota revelaba una tradición incomprensible, un hombre a caballo se ponía a costear para siempre la plaza que ella recordaba.

Junta se llenó el vaso y encendió otro cigarrillo; adentro, en la sombra, dormida, en ninguna parte, muerta, una de las mujeres roncaba. Obligado a subir y descender con el ritmo de la respiración, herido por las eses silbadas, hundiéndose en los agujeros redondos, absorbentes, que abría en el aire la boca de la mujer dormida, *Junta* comprobó que no iba a conocer nunca lo que estaba pensando, se dijo que algún otro lo usaba para ensayar cosas.

—Es una noche de domingo —dijo—. Te des cuenta o no.

—Claro que de eso me doy cuenta. Para mí domingo es sábado. Y entonces me tengo que dar cuenta de cuándo es sábado. ¿No?

Junta sacudió la cabeza y volvió a beber; después dirigió una sonrisa a la forma blanca en la ventana, sabiendo que ella no podía verlo, sonriendo con la intensidad de una confesión cínica, de un acto de amor.

—Esto se acaba —dijo—. Me gustaría estar con un hombre para hablar.

—¿Qué es lo que se acaba? —preguntó María Bonita sin apartar la cabeza de la reja—. Podés hablar conmigo. Siempre dijiste que podías hablar conmigo como con un hombre —tenía ganas de saber pero no apuro; nunca había creído en esto, siempre había respirado, como un olor, como los aromas que hay que aceptar junto con las casas y los muebles viejos. La presencia del fracaso.

—Me gustaría estar con un hombre, me gustaría estar con el doctor Díaz Grey. No sé si es de veras un hombre, no sé si entiende; pero me gustaría tenerlo ahora aquí, en esta mesa. Esto se acaba. Está el cura, están los tipos ahí afuera en el automóvil, anotando. Ya tienen miedo de saludarme, de que los vean conmigo. Hasta tienen miedo de venderme, los gringos. No me asusto, tenemos una concesión legal, no nos pueden echar. Pero me doy cuenta.

—¿Ya? —preguntó María Bonita—. Se me ocurrió el primer día, cuando cruzamos el pueblo en el coche y todo estaba cerrado y no se asomaba nadie ni para insultar. Pero vos dijiste siempre...

—Te dije para animarte. Y porque creía que iba a pasar. Y pasó. Pero ahora vuelve peor, ahora es en serio y no van a aflojar hasta que se acabe.

—Bueno, nos vamos. Algo tenemos. Podemos ir al Rosario o a la Capital, o mejor probar en otro lado como éste, en una ciudad chica. Es mucho sacrificio si hay que vivir encerrada, pero la plata se gana segura y sin líos. No tenés que preocuparte, querido. Si lo siento es por las chicas que se habían hecho tantas ilusiones.

—Sí —dijo *Junta*; encendió un cigarrillo en el que estaba fumando y se puso a jugar con la luz de la vela sacudida dentro del vaso.

María Bonita se inclinó de golpe y vació su vaso; era un gusto inaprensible, una quemazón en el pecho, el recuerdo corto huidizo de cada una de las bebidas que ella había recogido de las copas de las mesas, después de cerrar. Puso otra vez la cabeza contra los barrotes.

«Debo estar vieja», pensó. No le importaba llegar al final de la aventura en Santa María con mucho menos dinero que el que había pensado ganar; no le importaba la cordialidad o la antipatía del hombre grueso que se balanceaba sobre su silla en el patio, uniendo el vaivén de su cuerpo al ritmo de los ronquidos que llegaban de los dormitorios. Ahora creía conocer el sentido de «es un domingo de noche» pero este sentido no le interesaba. Se sentía en paz, desamparada por los diminutos odios y las avaricias familiares que engendraban su fuerza, sus ganas de vivir. «Debo estar vieja, vieja», repitió sin conmoverse, moviendo la lengua dentro de la boca entreabierta para formar las palabras.

Tal vez fuera verdad el fracaso, tal vez estaba condenada a cerrar la casita y cruzar nuevamente la ciudad en el Ford de Carlos, subiendo, esta vez, las calles de barro seco, empinadas, con madreselvas, eucaliptos y otros árboles de sombra de nombre desconocido, a los costados. De regreso a la estación como si sólo hubiera pasado unos pocos días desde la llegada, como si pusiera fin a una visita, a unas vacaciones, y volviera a recorrer los lugares que había entrevisto y cuyo recuerdo fue perfeccionado sin certeza en los relatos de las muchachas, Nelly e Irene, y las citas de las conversaciones de los hombres que se demoraban bebiendo en el patio, liberados y recuperándose. Recorrería entonces la ciudad por última vez y sin esperanzas de vencer aquella rabiosa negativa a la intimidad que le habían mostrado puertas y ventanas, que habían subrayado las pocas espaldas, las pocas caras impasibles y ciegas, divisadas a través del esqueleto inservible de la capota del cochecito antiguo, sin elásticos, sacudido casi en forma regular por la superficie estropeada de las calles. Entonces, pensaba, habría perdido a Santa María para siempre.

—Quisiera tenerlo y decirle —dijo *Junta,* inmovilizado, mirando la lumbre del último cigarrillo en el suelo—. No va a entender, vos tampoco comprendés mucho esta noche. Noche de domingo, mañana de lunes, es lo mismo. Pero es así: va a pensar otra cosa de todo esto. De mí, de vos, del negocio.

Ya no se oían ronquidos; después de crepitar y extenuarse, la luz de la vela extendía un pobre amarillo sobre la imagen.

—¿Qué va a entender? —murmuró María Bonita, despectiva, adulando.

Un hombre casi tan viejo como ella, grueso, ancho, vestido de negro, despatarrado sobre su silla en mitad del patio vacío. Podía recordar su nombre y sus costumbres, reconocerlo, enumerar las cosas que lo unían a ella y hasta rellenar todo eso con sentido exacto, el sentido conveniente y amistoso. Alzó el vaso vacío y se puso a respirar dentro de él; el aliento iba borrando la luz de la vela en el fondo. «Estoy vieja, estoy mintiendo, debía quedarme en la Capital, se enoja si le dicen *Junta*, puede ser que Nelly se quede a vivir con el gringo, tengo unos miles de pesos y lo que saque de lo que venda, mañana voy a dormir hasta que no pueda más, mejor probar en una ciudad chica, me pasé el verano metida aquí dentro, si nos vamos tengo que anular el pedido de bebidas, estoy vieja y estoy soplando adentro del vaso como si fuera una piba.»

—Terminantemente —dijo *Junta*; otra vez se hamacaba en la silla y sonreía mirando hacia adelante—. Pero aguanté mucho, no sé si comprendés. Aguanté demasiado y ahora quiero sacudirme y mostrarles quién soy, qué son ellos —tenía un mechón de pelo duro colgando hasta un ojo; la sonrisa y los movimientos de la mano con el cigarrillo lo hacían más joven, la cara, perfilada, se adelgazaba al entrar y salir de la luz de la vela.

María Bonita sentía la noche atrás de la nuca que apoyaba en la reja como si se tratara de una noche distinta, fácil de separar de las demás, una noche que podía ser conservada y transportarse. «Un verano entero encerrada, parece mentira, sin estar en la playa.» Puso el vaso en el alféizar y trató de dormirse, rebotó en la lucidez, en la nerviosidad del cansancio, en todos los posibles motivos de temor y remordimiento.

No le importaba el fracaso, el desprecio que había atravesado al llegar y que le esperaba, alerta, paciente, seguro, más allá de las rejas y de las maderas celestes de la casita. Pero estaba dispuesta a llorar por la pérdida definitiva de la Santa María que imaginaba y que no se había atrevido nunca a confrontar con la verdadera.

Estaba segura de que si se animaba a salir, mañana lunes, por ejemplo, y trepar del brazo de Irene y Nelly la calle de tierra que llevaba hasta la esquina de la plaza; si paseara, apoyada en las muchachas, a lo largo de las puertas y los escaparates de los negocios y fuera bajando después, con pasos perezosos, hasta la rambla, no podría reconocer la ciudad que ella había ido construyendo, sin empeño, diariamente, con las frases y las risas de los clientes, con los olores que traía el viento y exprimía el verano, con las novedades recogidas semanalmente por las muchachas, con sus gastados recuerdos de otra ciudad pequeña, rodeada de campo.

XVIII

El ronquido de una de las muchachas —de Nelly, la flaca que dormía sola, o de Irene, que estaba acompañada— saltaba ahora de las habitaciones, regular, blancuzco, se instalaba intermitente en el patio como un pequeño sapo que cayera humedecido, deshuesado.

Junta bebía e intentaba atribuir el ronquido a la boca correspondiente, la de Nelly o la de Irene. No imaginaba a las muchachas dormidas, aunque las considerara suyas, como considera, melancólica y distraídamente, suyas a sus hijas un padre común. Formaban una familia, y el inolvidable carácter de cosa transitoria que tenía el cuarteto sólo servía para vigorizar las voces de alarma, para hacer más recios los prejuicios, impedir toda confusión del mal con el bien.

A través de los fracasos, de los malos momentos, de los años de pruebas y ensimismamientos, de lecciones imprevistas, *Junta* había llegado a descubrir que lo que hace pecaminoso al pecado es su inutilidad, aquella perniciosa manía de bastarse a sí mismo, de no derivar; su falta de necesidad de trascender y depositar en el mundo, visibles para los demás, palpables, cosas, cifras, satisfacciones que puedan ser compartidas.

Eran una familia, él, María Bonita y las dos muchachas, reunida por el propósito común de hacer dinero en un pueblo de una provincia, junto a un río, entre un río y una colonia de hombres rubios, más fuertes que él porque no habían necesitado descubrir y adoptar sus prejuicios mediante sufrimientos y defensas, y así como las demás familias, ésta había sido creada y mantenida por una casualidad que puede ser absurda, que puede ser sentida como deliberadamente injuriosa.

Sus fines eran coincidentes con el que determinaba las actitudes y los pensamientos de los hombres de la Colonia y de Santa María, eran los mismos fines que *Junta* estaba capacitado para imaginar en los demás: ganar dinero. Pero no sólo así, no estableciendo una directa, fantástica relación entre el deseo de dinero y el dinero, sino yendo hasta él, con trabajo, desde la grosería natural del deseo, a lo largo de técnicas, experiencias, perfeccionamientos, legítimas astucias, trucos novedosos que se convierten en prácticas. Estaban, claro, los medios y estaba una gente que había acordado calificar los medios; estaban, además, para derrotarlo, para procurar su envilecimiento, ensañarse en lo que su vocación tenía de vulnerable, las incongruencias, las deslealtades, las denuncias y los simples abusivos caprichos que nacían de aquel acuerdo.

Por fin María Bonita apartó la cabeza de la reja y enderezó el cuerpo; sonriendo, descalza, fue hasta la mesa de *Junta* y se desató el peinado. Volvió a llenar su vaso y se inclinó para besar una punta de la boca del hombre, suavemente, deteniéndose para oler el alcohol y el tabaco.

Junta sacudió los hombros y una mano y ella regresó a la ventana; se acomodó ahora de perfil a la noche, teniéndose las rodillas con las muñecas.

—¿Por qué no va a servir hablar conmigo? —insistió—. Hablame como si yo no estuviera. Si tenemos que cerrar, no importa; nos vamos a otro lado. Vos y yo podemos hacer muchas cosas. Sé que no me querés, así, quiero decir, del todo como antes. ¿Me estás oyendo? Pero me querés y me vas a querer mientras dure todo este tiempo. Hablá como si yo no estuviera.

—No sirve —dijo *Junta*; el silbido de la mujer que dormía era ahora mucho más rápido, casi alegre, como si llamara, guiándolo, a alguien en la oscuridad—. No sirve.

—Hablame de cómo era todo antes, vos y yo —murmuró María Bonita sin esperanzas.

Junta estaba hundido en aquello, no podía recordar ningún momento situado más allá de las fronteras de la aventura de Santa María, esta oportunidad perfecta que había deseado durante años, y que amenazaba matarle entre las manos sin que el coraje, el odio o un inexpresable amor sirvieran para prolongarla o defenderla.

Pero era inútil hablar y sobre todo con ella; y si había imaginado tener allí a Díaz Grey, si había imaginado una violenta necesidad de compadecer y contradecir al pequeño pusilánime doctor, era, debía haber sido, por el placer, la irritación, la consciente desesperanza que le prometía el abandono a la inutilidad de hablar. Todo estaba perdido, y no porque un nuevo fracaso lo golpeara, allí en Santa María, cerca de los cincuenta años; no por el rechazo de la ciudad, ni por los anónimos, la histeria de las señoritas, la energía enloquecida del cura Bergner, los pobres diablos que le hacían guardia al prostíbulo bostezando adentro del automóvil.

Todo estaba perdido porque había terminado, casi sorpresivamente, la historia única, insustituible de aquel hombre llamado de varias maneras, llamado *Junta*, y que él, sin reconocerlo, podía vanagloriarse de conocer mejor que nadie. Podía transportarlo, como una mujer a un feto muerto; podía mediante el recuerdo jugar a que estaba vivo. Pero ya no había hechos —los pequeños renacimientos, las modificaciones, los desconciertos, los progresos, las rectificaciones complacidas que cada verdadero hecho significa— sino una serie de actos reflejos, visibles desde esta muerte hasta la otra, e impuestos por el pasado que acababa de terminar.

Nadie. Ni esta mujer que murmuraba y se escondía junto a la reja de la ventana con las largas piernas que alzaban las rodillas hasta la altura de la cara; y las rodillas sostenían el vaso lleno, inclinado para que ella pudiera torcer la cabeza y beber, infantilmente, conservando las manos inutilizadas bajo las corvas. Ni el doctor Díaz Grey, cordial pero separado, tibio, ajeno, no capacitado desde el nacimiento para comprender lo único que importaba del difunto *Junta,* de la leyenda que empezaría a crecer vigorosamente, y adulterarse. Ni María Bonita, ni Díaz Grey, ni Barthé, ni Vázquez.

Nadie. Muerto, atontado por la convicción del final siempre repentino, a pesar de bravatas e intuiciones, sólo le era posible hablar de *Junta* consigo mismo. Preveía los ademanes medidos, los ojos inmóviles y rojos de los soliloquios, el esfuerzo desesperado, la voluntad de abstención, de pura curiosidad y justicia con que, desde ahora, tendría que evocar los pasajes de su vida terminada para poder reconstruir la historia de *Junta* y tranquilizarse, antes de la muerte definitiva, con la seguridad de haber obtenido una interpretación manejable. Sólo así, creyendo saber qué es lo que se muere, puede morirse en paz.

—Si no hablás, vamos a dormir —dijo María Bonita—. Te vas a quedar, ¿no? Total ahora, si la cosa se acaba, qué puede importarte que te quedes a dormir o no —estaba de pie, en el centro del patio, terminando su vaso con los ojos abiertos hacia adelante, con la expresión pensativa, ausente y confiada con que beben los niños. Aun descalza, la cabeza le llegaba a la altura de la llama desganada que crepitaba en la hornacina. «No tiene cuarenta años», bromeó *Junta,* «debe estar poco arriba de los treinta. Pero ya el cuerpo le empieza a pesar, es como si ella misma colgara, al revés de la María Bonita que conocí cuando era una muchacha y tenía otro nombre. Aunque era alta, todo en ella se movía hacia arriba, quería crecer. Más alta que yo, que casi todos los hombres; pero miraba hacia arriba y se enderezaba y levantaba los brazos. Ahora vuelve, todo le cuelga, quiere bajar; la barriga, el pecho, la cara, las manos agrandadas.»

—No me voy a ir —dijo *Junta*—. Acostate.

—¿Tenés cigarrillos? Ahí queda la botella pero no tomes demasiado.

—Es noche de sábado. Desde que empezó esto no me emborracho.

María Bonita se persignó frente a la hornacina y se ensalivó un dedo para enderezar el pabilo. Arrastró los pies en la frescura de las baldosas yendo hacia la sombra de la casa, hacia la fluctuante gruta de concordia, destierro y autonomía que excavaba en la sombra el ronquido acuoso, desligado, de la mujer dormida, Nelly o Irene. Se detuvo y volvió la cabeza.

—Me dan ganas de ponerme a limpiar. ¿Ves la mugre? No tardes mucho.

Junta esperó el ruido de la puerta abriéndose y cerrándose; después, con el vaso en la mano, a la altura del pecho, se acercó a la ventana y metió la nariz entre dos barrotes. Allí estaba el coche, inmóvil, estéril; un cigarrillo brillaba, fijo, colgado de una boca; el silencio de la noche —no contaban, tan lejanos, gallos y perros, ni el zarandeo de hierros fatigados del último tranvía que iba bajando hacia las calles dormidas del muelle— parecía ser más intenso alrededor del coche, fortalecido por lo que pensaban, sin decirlo, los tres hombres soñolientos y acalambrados.

—Cornudos —dijo *Junta,* y se volvió para mirar el pequeño patio embaldosado, las mesitas con manteles claros que habían perdido su distribución simétrica. Volvió a sentarse y encendió un cigarrillo; la noche era definitiva, interminable, como alimentada por la jota rítmica que la mujer tragaba y espiraba. No estaba, felizmente, con Díaz Grey, y María Bonita se había ido a acostar, dormiría sin esperarlo; estaba con *Junta,* ahora muerto y susceptible de comprensión. Alzó el vaso, dijo «salud» y bebió; sonriente, confuso, emocionado por buenos propósitos, puso el vaso sobre la mesa y lo estuvo golpeando, suavemente, con las uñas.

XIX

Marcos despertó en el suelo y tuvo que cerrar los ojos en seguida. Había visto la altura de ocho de la mañana del sol manchado, interrumpido por las ramas del eucalipto que apenas balanceaba un viento sin frescura; había visto, entre sus pies, un borde de tierra arenosa, pastos secos, el reflejo de la luz en el río. Tenía la nuca dolorida y húmeda; el recuerdo de la noche y de la madrugada se revolvió debajo de su espalda, alzándose para cubrirlo, aposentarse en la totalidad de su cuerpo donde se entreveraban zonas de calor con alargados temblores de frío.

Desde la galería bajó la voz de la mujer:

—Va a ser mejor despertarlo. ¿No te parece? Tiene que hacerle mal estar durmiendo vestido al sol.

—Que reviente —dijo Ana María, y la otra rió burlándose. Pareció apoderarse, como un pájaro que picotea, de un pedazo de la alegría de la mañana, gastarlo rápidamente y prolongar después la risa con sólo el desprecio, una torpe cortesía, una forma impersonal del rencor. Marcos sentía el sudor en la cabeza y el vientre, vigilaba la caída de las gotas sobre las costillas, debajo de la camisa. Una taza o una jarra chocó allá arriba, en la galería una de las mujeres hizo un ruido con la boca y la otra se rió.

—Los otros siguen durmiendo —dijo *la Nena*—. Cuando lo fui a despertar a Mario me sacó a puteadas. Hasta el mediodía no se le va a pasar la borrachera.

—Todavía no trajeron la leche —dijo Ana María—. Ésta es la de ayer, creí que se iba a cortar.

—No sé por qué tenemos la vaca si el alemán ordeña cuando quiere. A lo mejor la vende; como no hay quien vigile.

—El sol no le va a hacer mal —dijo Ana María—. No es la primera vez que duerme así.

—Dejalo. Lo que sí dicen que hace mal, es la luna. Deja loco. Pero éste ya está.

La Nena volvió a reírse y ahora pareció dejar morir la risa con la boca abierta. Estaba desayunando en la galería, sin haberse lavado, con restos de pintura y luces grasientas en las caras; tal vez *la Nena* se estuviera arreglando las uñas.

—Todos están medio locos —dijo Ana María un tiempo después;

la estupidez era tan notable en su voz como un acento extranjero.

—¿Nunca estuviste en El Rosario?

—No, ya te dije. No me gusta.

—No podés saber si nunca estuviste.

—No me gusta.

En el silencio, fingiendo dormir, Marcos pensó, con rabia y compasión, en su cara inmóvil hacia el cielo, indefensa ante los ojos y los pensamientos de ambas mujeres. Imaginó que necesitaba una frase de admiración o amor de Ana María; se imaginó de rodillas, inclinado sobre su propia cara en el pasto, enorme, clausurada, enrojecida, sin cuerpo. Pero no era él quien la miraba sino las mujeres. Ana María y *la Nena* lo estaban mirando desde la galería, entornando los ojos y rascándose la indolencia y el malhumor en las cabezas, alternando frases estúpidas, bebiendo el desayuno, mirándose las uñas, abandonándose sin entusiasmo a la persecución del nebuloso sentido de sus frases idiotas.

Lo estaban mirando, miraban su cara desnuda, indefensa. Tal vez entornaran los ojos porque el sol tocaba la galería por las mañanas; entonces, en cada una de las sienes de Ana María se abriría un pequeño abanico de arrugas, dos triángulos capaces de provocar el furor. Nuestras caras tienen un secreto, aunque no sea siempre el que nosotros tratamos de esconder. Allí estaban las mujeres, en bata, despatarradas en las sillas de lona, encima de su cara roja por el calor, por el vino de la madrugada, por el odio que le hacía temblar las carótidas; encima de su cara corrompida y avejentada por el remordimiento. «Maldito par de putas», pensó, conservando en los párpados la flojedad de un sueño tranquilo. Pero ellas no contaban; era todo el mundo, todos los demás, quienes lo examinaban por medio del par de mujeres inmóviles en la galería, haciendo ahora, en mitad de la mañana, un antipático silencio.

Miraban sin prisa su cara sudada y roja, los extremos acobardados de su boca, la papada que alzaba el cuello de la camisa de tela dura. Podían descubrir sus mentiras, oler su fetidez, compadecerse de inseguridades y de lágrimas; podían verlo, juzgarlo, conocer lo que él no sabría nunca.

El viento se había aquietado y el sol trepaba ahora muy por encima de la punta del eucalipto; dos caballos relincharon, desvalidos, sin urgencia, hacia el lado de la granja; sobre los árboles de la costa los pájaros hicieron una rueda de gritos, un ruido de trapos golpeados.

—No me gusta —dijo *la Nena*—. A mí dame cerveza.

—Como el otro —dijo Ana María—. Sólo porque él tomó.

—Bueno —dijo *la Nena*—. Dejate de joder. No me gusta y ya está. Contame.

Una empezó a reírse y la otra la ayudó a completar.

—Nada —dijo Ana María—. Yo estaba en el Trocadero, por un capricho. El pibe venía y me invitaba a un reservado. Siempre me hacía tomar vodka y así aprendí. Era como un aguardiente, como alcohol. Pero te emborrachás sin cargarte el estómago.

Siempre dice lo mismo cuando habla de vodka. Un negrito con cara de tuberculoso que pagaba vodka en un cabaret del norte con los pocos pesos que había ganado sudando. Un par de putas gastadas y los otros durmiendo la borrachera que yo les pagué, y yo hecha una porquería tirada en la mañana, y la mañana de domingo creciendo, y mi hermana loca, porque aquel imbécil se murió y la dejó sin quién acostarse, y los judíos llenándose de plata con el prostíbulo.

—La cosa es así y no hay vuelta, convencete —dijo *la Nena*.

—Puede ser, querida —contestó Ana María.

Era la hora en que se llamaban querida, se fingían respeto y atención, iba cada una construyendo, con las frases y las sonrisas dirigidas a la otra, su propia imagen ideal.

En la granja, las vacas mugían acercándose a la orilla. Marcos alzó las rodillas y los brazos, se desperezó rodando en el pasto; el dolor en la nuca estaba fijo y profundo, el desánimo era tan concreto como el gusto sucio que tenía en la boca. Se levantó y fue caminando, pesado, con mareos, hasta los escalones de madera que llevaban a la galería. Se volvió para mirar el día, el río; Ana María habló a sus espaldas. Bostezando, pasó detrás de las sillas de lona y gritó un insulto para contestar el saludo irónico de las mujeres. Sólo en la cocina sintió que estaba descalzo; tomó un vaso de agua. Se enjuagó la boca con el segundo y escupió hacia afuera, contra el alambre tejido de la ventana.

Entró en el dormitorio para buscar el pantalón de baño; una mosca zumbaba sobre su espalda mientras revolvía en el cajón del ropero. El pantalón no estaba allí; de pie, examinó, sin comprender, la sombra de la estera en la ventana del dormitorio. Guiado por el perfume de Ana María fue hasta la cama y se dejó caer; con las manos sobre el pecho quiso hundirse en el recuerdo de la noche, bajar hacia él y aplastarlo. Siempre el prólogo del sueño prometía reconciliación acuerdos en que nada necesitaba ser explicado, una comprensión definitiva y tácita. La mosca revoloteó buscando la abertura de la camisa. Marcos se levantó, arrastrando con los hombros, como hilachas que se desprendieron en seguida, el olor de las sábanas, el de Ana María.

Salió del dormitorio, y fue golpeando las tablas de la galería con los talones, volvió a insultar las espaldas de las sillas de lona que ocupaban las mujeres, y bajó de un salto a la tierra. Recto, sonriendo, con ganas de pelear, regocijándose cuando las piedras y las espinas le lastimaban los pies, caminó la pendiente hacia el río, quitándose la camisa, aflojándose el cinturón a medida que avanzaba.

El agua estaba fría pero no bastante; nadó, primero sumergido con los ojos cerrados. La frescura y las formas del agua, en silencio, indiferentes y ciegas, le tocaban la boca, las tetillas, el vientre y los testículos, se perdían en el pasado, detrás de las plantas de sus pies; volvían, persistentes, puntuales y desinteresadas, a rozarle los labios, el pecho, el vientre.

Sacó la cabeza para respirar y estuvo braceando hacia la orilla imaginada, invisible, mientras trataba de acordar los pensamientos al vaivén de los hombros, mientras soplaba agua y trataba de conocer lo que era necesario pensar. Se puso boca abajo y fue regresando sin prisa, los ojos entornados bajo el sol, la boca redonda y abierta para escupir. Sonreía, comenzaba a despertar, iba exagerando la sensación de frío en las axilas y las ingles; era como si el agua le quitara, junto con olores inmediatos y reconocibles, años y anécdotas, abandonos en que había persistido voluntariosamente. Vertical ahora, alegre, con los brazos extendidos para sostenerse y flotar, empezó a ver, a través de las gotas que le llenaban los ojos, el paisaje familiar. Había rogado, artera, indirectamente, para que sucediera eso. Se dejó hundir y estuvo balanceándose hasta que fue necesario respirar; entonces trepó y sacudió la cabeza empapada bajo el sol.

Miró el campo y la playa y tuvo que recurrir a la memoria para convencerse de que ya los había visto en mil mañanas semejantes, una vez y otra desde la infancia. Pero, a pesar del recuerdo, los veía ahora por primera vez, los veía como si sus ojos los fueran creando, como si su muerte o su negativa a mirar significaran el aniquilamiento de la orilla cubierta de yuyos, del sol de verano, de la galería sostenida por vigas oblicuas, con la pequeñez y los colores de las ropas de las dos mujeres perezosas que charlaban tomando cerveza.

Rengueando, Jorge salió de atrás de un árbol y se inclinó para arrancar un yuyo; tenía unos pantalones azules, arrugados y sucios, y la camisa doblada le colgaba de un hombro. Era flaco, rubio, y las costillas iban empujando la piel y los lados del estómago. Marcos volvió a zambullir y luego nadó, sin alzar la cabeza, hasta la orilla. Ahora Jorge estaba sentado sobre sus piernas y sonreía mientras mascaba un tallo, amistoso y tolerante. Marcos se alzó en la playa y miró el bulto blanco y silencioso que formaba el otro, los dientes descubiertos, el tallo mordido temblando en el manso viento.

—Perdón por lo de anoche —dijo Marcos, sincero, sin convicción.

El otro encogió los hombros y continuó sonriendo; ahora miraba lejos, el agua brillante, arrugando la cara al sol.

—Me olvidé los anteojos oscuros —dijo Jorge, lento y plácido—. Estaba seguro de haberlos dejado al lado de la radio. Pero esta mañana...

Las mujeres volvieron a reír; una taza se rompió en el piso de la galería. De pie, gritando, Ana María se golpeaba la pollera con las dos manos.

—Las yeguas —dijo Marcos y sonrió en seguida—. ¿Trajiste cigarrillos? Yo tampoco —vaciló y se fue inclinando hasta quedar sentado cerca de Jorge, un brazo estirado y apoyado en la arena—. Oíme: te pido que me perdones, de veras, lo de anoche. Pero en parte estoy contento de que haya sucedido.

—¿Por qué? No tiene importancia. Unas copas de más y acabamos a los golpes —se tocó el pómulo derecho con una uña rota—. Todavía duele un poco, pero no es nada —sin esfuerzo, los dientes salidos formaban la sonrisa.

—No quería pegarte —dijo Marcos—. No es por justificarme, pero no quería pegarte.

—Bueno, no hay culpa. Lo que pasa es que tenés demasiado cuerpo. Y repito que es cierto. Que visito a Julita casi todas las noches y que no pasa nada que justifique celos sin borrachera y que a veces creo que está loca y otras no.

—Ya sé —contestó Marcos, volviendo la cabeza para que Jorge lo viera sonreír—. Nada más que cuerpo.

—No es eso —dijo Jorge moviendo un hombro—, además yo ni siquiera lo tengo. Demasiado cuerpo, demasiada gimnasia, demasiada fuerza. Siempre fuiste así. Y la fuerza es como la plata, hay que gastarla. Pero nada de eso tiene importancia.

Dos botes del club de regatas pasaban lejos, en dirección al puerto; tres hombres con el pecho desnudo y uno con una tricota blanca se doblaban y se alzaban a compás.

—Sí —dijo Marcos—. ¿Sabes por qué me alegraba de lo de anoche? Porque ahora se acabó.

—¿Se acabó? —rió Jorge—. ¿Qué es lo que acabó? Sí, algunas veces juraste que ibas a trabajar de peón en la estancia. Otro Federico. Y no ibas a tomar más copas, ibas a fletar a Ana María a la Capital. Pero siempre estabas borracho cuando te arrepentías. Ahora es de mañana y te acabás de bañar. ¿La estancia es ahora de tu hermana? Toda la estancia, quiero decir. Porque tal vez yo también tenga mi parte.

—No hables de mi hermana —dijo Marcos rápidamente; agregó con suavidad—: Creo que Julita está loca, en serio. Para luto es demasiado.

—Acababa de casarse. Y lo quería a Federico. Eso, por lo menos, es cierto.

La última frase, gangosa como un insecto, se detuvo sobre los ojos cerrados de Marcos. Se vio una hora antes, tratando de dormir encima del perfume de Ana María, bajo el ruido intermitente de la mosca; se recordó golpeando, tibiamente, la cara de Jorge, tratando de creer que lo odiaba, que tenía fe en la discusión y en el golpe. También ahora quería comprometerse, hablar, con la esperanza de que las palabras pudieran imponer la vestidura de los hechos a lo que había sentido mientras se bañaba.

—Ahora tengo ganas de fumar y volvería a emborracharme. Pero ahora no importa porque se acabó. Tenés que entenderme.

—Bueno —asintió Jorge—, bueno. ¿Qué se acabó?

—Todo. Por eso me alegro de lo de anoche. Porque mientras estaba peleando empecé a darme cuenta. Te acabaste vos, para empezar, porque estás más cerca. Vos, tus visitas a mi hermana, el mismo Federico, por segunda y última vez. No me importa lo de entonces ni lo que pase o no pase ahora. No es ofensa, entendé. Y se acabó Ana María y el falansterio y esta manera de vivir.

—Sí —dijo Jorge; Marcos le imaginaba los dientes tomando sol—. ¿Y qué vas a hacer? Qué con el prostíbulo, por ejemplo.

—No sé. Pero no voy a hacer más que lo que estaba haciendo. Eso, para empezar. Y desde ahora mismo. Es algo.

—Bueno. Puede ser nada o demasiado.

—Ahora vas a ver —dijo Marcos— que no soy tan idiota como puede creerse. Como siempre creíste. Una vez, estábamos borrachos, fue cuando *el Negro* volvió a Santa María; estuvimos jugando a decirnos qué pensaba cada uno de los demás. Tenés que acordarte porque te lo conté en la pieza de mi hermana.

—Sí, me acuerdo —dijo Jorge—. Y la noche terminó a las patadas, como siempre.

—Aquella noche —pronunció Marcos con lentitud; se incorporó y quedó sentado, de espaldas a la casa y a Jorge. Tenía otra vez el cuerpo seco y caliente, la superficie del río estaba despoblada y espumosa, con diminutos conos blancos que se alzaban y se extinguían como luces.

—Aquella noche, no mi noche con *el Negro,* sino la tuya y mía con Julita, me quisiste decir qué pensabas de mí. Dijiste que sólo me lo dirías cuando nos separáramos de veras, para no volver a vernos.

—Sí, me acuerdo —dijo Jorge; también la voz sonaba distinta, menos blanda.

—Entonces tenés que decírmelo ahora. Después del almuerzo me voy. ¿Vas a decirlo?

—Sí, puedo decirlo. Pero no quiero que te creas obligado a no verme más porque te lo dije. Tal vez yo te moleste; pero te hago bien, estoy seguro, aunque no te des cuenta.

—No, ya estoy decidido a terminar con todo esto. Cuando me puse a nadar me di cuenta. No pensaba en vos para nada.

Jorge volvió a reír, casi totalmente con la antigua risa.

—Cuando uno está borracho parece fácil. Pero es largo y muy complicado.

—Tenemos tiempo —dijo Marcos; continuaba sonriendo porque no quería enfurecerse, estaba inquieto y ansioso, sometido, con un principio de asco—; también podemos, si quieres, ir a la casa y emborracharnos. Si necesitas emborracharte.

—No, no necesito. Nunca necesito. Quiero decir que es más cómodo. Siempre hay un poco de miedo, miedo a equivocar, las palabras.

—No importa, adelante —murmuró Marcos con paciencia; tal vez el silencio obligara al otro a hablar, tal vez el silencio lo molestara como una imposición.

—No voy a hablar de Julita; ni siquiera de Federico. En eso estamos más unidos que lo que puedas sospechar. ¿Te vas a ir de Santa María?

—También de Santa María. Pero, en todo caso, no quiero volver a verte. Y no creo que me vayas a buscar.

—Está bien —dijo Jorge—. Ya no se trata de vos y de mí, tenés que saberlo. Lo único que tiene importancia son los años en que fuimos amigos, a pesar de la diferencia de edad. Ahora, cuando pienso en vos, no te veo verdaderamente; no pienso en vos sino en los años esos. Quiero decir que pienso en mí. Casi todo lo que pensé hacer lo hicimos juntos.

—Entiendo. Hace poco te dije lo mismo hablando de Ana María, lo que ella era para mí. Pero, fuera de eso, sabés o creés saber cómo soy yo.

—Bueno —dijo Jorge y volvió a reírse—. No estoy emocionado, verdaderamente. Es como en el matrimonio. La amistad se acaba en seguida y uno sigue porque sí, por pereza, porque el otro hizo cosas con uno y ahora es parte de uno. Hice cosas, imaginándolas, con Federico y contigo. Federico está muerto. Nunca supe hablar, pero entendés. No te voy a decir todo lo que pienso de vos porque no se me ocurre, así, de golpe. Lo más importante es el cuerpo; y que tenés dinero. Tenés ese cuerpo, fuerza, energía y no te sirve para nada. Para mujeres, claro, y para pelearte en Santa María. Tenés fuerza y no hacés nada que te importe con ella; esto te envenena. En cuanto cae alguien al falansterio, te desnudás y hacés gimnasia para que te vean. A veces le das unos golpes a Ana María. Pero son cosas que no te satisfacen. Entonces, tenés que vivir pidiendo más. Y en Santa María no hay más. Vivís así, te gastás en crueldades baratas. Para que le encuentres un sentido a tu fuerza, tenés que imponerla; y no hay a quien imponérsela. Podés romperle a palos el lomo a un caballo o a una vaca. ¿Pero qué hacemos con eso? Podés acostarte con Ana María y dejar la puerta abierta; podés amenazar a todo Santa María y a todos los gringos de la Colonia; podés, como anoche, aplastar con un dedo todos los bichos que se acercaban a la lámpara. Y como tenés dinero, no estás obligado a gastar tu energía en nada. Sos generoso; pero creo que es otra forma de exhibir tu fuerza. También se puede decir que sos un tipo contradictorio. Sos contradictorio porque querés eso aparte, porque tenés conciencia de que tu fuerza no te sirve para nada. Entonces, porque sos inferior a tu fuerza, inferior a lo que a primera vista podrías ser, por eso resultás débil. Y querés desconcertar para que no te conozcan. Ahora inventaste el prostíbulo, ahora inventaste los celos por tu hermana, los antiguos y los de anoche.

—Eso no lo entiendo, no lo creo —dijo Marcos ecuánime—. Pero no importa. En general estoy de acuerdo. Aunque el otro nunca sabe del todo. ¿No hay nada bueno? Es cierto, no importa. En toda nuestra vida no hemos hecho otra cosa que proyectos y compadradas. La diferencia está en que vos creés, seguís creyendo que algo va a pasar, algún día, algo de lo conversado, proyectos, ganas. Yo hace muchos años que no creo. Y, a pesar de los años, estamos iguales. Nunca, verdaderamente, hasta hoy, que yo sepa, le hiciste bien a nadie; sos como yo, siempre diste propinas, todas las noches le das una propina a mi hermana. Cuando escribo a la estancia, es una propina; cuando le hago una caricia a Ana María, una propina. Si nos pensamos, estamos bien jodidos; pero no es obligatorio pensarnos. ¿Nada más?

—No, nada más que importe ahora. Ojalá sea cierto que todo esto se acabó para vos. Yo soy joven, pero vos vivís envenenado.

Marcos se puso de pie y volvió a sonreír; estiró los brazos y los encogió hasta tocarse los hombros con los puños.

—Proyectos y compadradas; vamos a ver. Además casi todo lo que dijiste te lo he dicho yo.

Las mujeres habían dejado la galería y el humo de la cocina se alzaba débil sobre la casa. Nuevamente encogido, con los brazos flacos ciñendo las rodillas del pantalón azul, Jorge entornaba los ojos mirando el río. Como un repentino cambio en la dirección y la temperatura del viento, la soledad, el desconsuelo y una rápida madurez estaban ahora en el cuerpo angosto y doblado.

—Bueno —dijo Jorge, mostrando los dientes—. Todavía puedo ser tu amigo.

XX

Dos veces en una semana las muchachas de la Acción Cooperadora dejaron sus bicicletas en el jardín de la viuda de Malabia y treparon decididas las escaleras crujientes para completar la escritura de los anónimos que corresponden a la época tercera, los que nos pusieron en guardia frente a los placeres que ofrecían en la casita de persianas celestes y nos impulsaron a reflexionar acerca de su naturaleza engañosa y del infinitamente desproporcionado precio que arriesgábamos pagar por ellos.

En estas dos reuniones las muchachas se sintieron más incómodas, más desconcertadas frente a la nueva Julita rejuvenecida, alegre y adornada, que lo que habían estado en compañía de la otra, la anterior, mal vestida y despeinada, con la cara absorta y grasienta.

En dos tardes trabajando con escasas pausas, negándose a entrar en las conversaciones frívolas que proponía la viuda, en su exagerada cordialidad, las muchachas casi cumplieron su tarea.

Supieron defenderse de la atmósfera de resurrección que rodeaba a Julita y que ésta, de manera atroz para ellas, porque íntimamente sabían que no era deliberada, se empeñaba en mantener y propagar. Le oyeron gritos de alegría frente a ventanas abiertas sobre el paisaje seco y caluroso; le vieron repentinas fugas hasta el espejo, cigarrillos fumados en silencio y con una curva aniñada y burlona en la boca que los chupaba, le soportaron preguntas y respuestas, sucedidas velozmente, sin espera, acerca del prostíbulo, de la indignación de la ciudad y de las cartas que ellas escribían.

En aquellas dos reuniones, las muchachas concluyeron casi su tarea, se acercaron al último nombre de la lista que determinó la serie anterior de anónimos, los de la segunda época. Y, hasta entonces, ninguna catástrofe visible, ninguna desgracia impresionante y colectiva se había agregado a la del vuelco del bote en la Rinconada.

La Liga de Decencia, o Liga de Caballeros, como se llamó después, no fue fundada ni sugerida por el cura Bergner, como sigue creyendo mucha gente en Santa María. Debió nacer unos cuantos años antes de la instalación del prostíbulo y, específicamente, con el propósito de impedir que se ofreciera en el único cinematógrafo de Santa María una película alemana que mostraba el proceso de un parto normal y los detalles de una cesárea. La Liga de Decencia, formada entonces por el cura Peña —un viejito andaluz que murió de un ataque de angina y fue sucedido por el cura Bergner—, cuatro chacareros de la Colonia y un comerciante del pueblo, el ferretero Ramallo, padre del Ramallo actual, no tuvo que esforzarse para impedir que la gente de Santa María viera la película.

El dueño del cine era un suizo que comprendió en seguida las ventajas de renunciar al negocio que había planeado con la película de divulgación científica.

De modo que los miembros de la Liga de Decencia, después de oír las explicaciones y aceptar la abjuración del propietario del cine, luego de resolver pagar de sus bolsillos los gastos de contrato y propaganda que, probablemente por candidez y sin mala intención, habían sido hechos, se encontraron de inmediato sin tareas a cumplir.

Visitaron, en forma aislada y amistosa, las casas de negocios que empezaban a crecer bordeando la manzana cubierta de yuyos rodeada de ociosas cadenas que se destinaba a plaza, frente a la iglesia, y obtuvieron sin dificultades la promesa de que en ninguno de los futuros escaparates de las tiendas se exhibirían ropas interiores femeninas. Después, hicieron publicar en *El Liberal* una advertencia acerca de los peligros de las revistas que llegaban de la Capital. Y el cura Peña la repitió, mucho más extensa, más comprensible y severa, desde el púlpito, durante tres domingos.

La Liga continuó llevando una existencia secreta y teórica hasta la muerte del cura Peña; su sucesor, el padre Bergner, no encontró destinos prácticos, inmediatos, para la Liga cuando se hizo cargo de la parroquia. Pero como era inteligente, previsor y le gustaba organizar, se ocupó de la Liga, cambió su nombre por el de Liga de Caballeros Católicos de Santa María y fue sustituyendo a los chacareros que la integraban con elementos de la *intelligentzia* que se iba formando en la ciudad. Desde entonces y hasta la apertura del prostíbulo, la Liga de Caballeros se limitó a actuar como un consejo consultivo del padre Bergner, dirigió la recaudación de fondos para construir la iglesia y para las becas de los seminaristas e hizo publicar en los diarios de Santa María —ahora, además de *El Liberal,* teníamos *El Orden*—, especialmente admoniciones y juicios sobre libros, revistas, películas, modas y costumbres.

Después de su primer sermón belicoso, el padre Bergner se comportó como si hubiera olvidado el problema, como si ignorara la presencia de las mujeres en la casa de la costa y las visitas de los varones; celebró la Navidad y después de San Silvestre —el primero de enero cayó entonces un domingo— deseó a los fieles que llenaban la iglesia, a los que no habían podido venir y a los habitantes de la ciudad que voluntariamente no se encontraban allí, un año de felicidad, de arrepentimiento y perfección. Pidió a Dios esta gracia y no hizo alusiones al prostíbulo. Pero, terminada la misa, citó a cada uno de los cinco miembros de la Liga de Caballeros para el día siguiente, lunes, a las siete de la tarde, en la sala de conferencias de la iglesia.

No conozco qué fue discutido y resuelto en la reunión, declarada secreta antes de iniciarse. Por las confidencias que se filtraron, mucho tiempo después, a través de los juramentos, puede suponerse que el padre Bergner hizo ver a la Liga de Caballeros la gravedad de la amenaza, del escándalo introducido en la ciudad. Es casi seguro que les confió el origen de los anónimos con tinta azul que nos mantenían aprensivos y despiertos, y que incitó a los cinco hombres que lo escuchaban a inspirarse en la actividad de las muchachas de la Acción, a emularlas y darles el apoyo audaz, sin reticencias, que estaban necesitando y merecían.

Los caballeros, como pudo verse, se mostraron de acuerdo y procedieron con rapidez. Desde el atardecer del día siguiente a la reunión, desde las seis de la tarde del martes tres de enero, un automóvil —eran tres y se turnaban diariamente— apareció detenido frente a la casa con maderas celestes de la costa, separado de ésta por el ancho de la calle de tierra y unos metros más arriba en la pendiente.

Al principio, el coche ocupaba su sitio durante todas las horas del día; después se comprobó la inutilidad de esperar culpables en la mañana: las mujeres dormían hasta las doce y aunque no lo hicieran siempre solas, sus compañeros, que se introducían deslumbrados en la blanca luz de verano y vacilaban un largo rato sobre el fondo celeste de la puerta, como si acabaran de nacer o regresaran de un país lejano y se les hiciera doloroso readaptarse a la ciudad, los hombres que habían dormido allí estaban ya en la lista redactada por el turno anterior, que concluía en la madrugada.

Dentro de los automóviles, fumando, casi siempre silenciosos, cambiando codazos y chistidos, con grandes revólveres bajo los brazos, tres hombres por turno —hijos y sobrinos de los Caballeros de la Liga, muchachones amigos de hijos y sobrinos— cubrían su guardia y trataban de mezclar con el aburrimiento de las pausas una exagerada indignación por los hombres que habían llamado y entrado.

Toda idea de ridículo y espionaje era destrozada, disuelta, por el sentimiento de pasiva heroicidad, de deber social cumplido, que iban creando y fortaleciendo, casi con monosílabos, a lo largo del atardecer y la noche. Encontraban apoyo, además, en las sensaciones de peligro que daban la soledad, la dureza de los revólveres en el sobaco, la distancia monótona que descendía, girando hacia el río invisible y las casuchas de Enduro; pensaban que eran testigos y jueces, que las cortas líneas irregulares que iban trazando a la luz del tablero del coche podían modificar un destino, alterar una idiosincrasia.

Gracias a esto pudo iniciarse la nueva época de los anónimos. Aventajaban en precisión a los anteriores, citaban personajes, horas y fechas. Muy pronto, todos estuvimos convencidos de que los anónimos eran veraces, que los denunciados habían visitado la casita y justamente en el día que se mencionaba; de esta exactitud, de la falta de toda intención vengativa o calumniosa, nació la fuerza de las cartas enviadas por las muchachas de la Acción. Al leerlas no pensábamos en anónimos, no imaginábamos quiénes las habían escrito, quiénes habían espiado. Era, en realidad, como si una fuerza superior demostrara a los culpables y a los otros que no era posible defenderse con la hipocresía de las consecuencias del pecado.

De todo esto hace años, ya se sabe. Ahora podemos creer, al evocarlos, que estamos viendo a Santa María y a sus habitantes tal como eran y no como nosotros los vimos entonces. Nada esencial nos une ya con lo que recordamos; pero, fundamentalmente, esta distancia no la proporciona el tiempo sino el desinterés.

El terreno de Santa María no tiene ninguna elevación de importancia; la ciudad, la Colonia, el paisaje total que puede descubrirse desde un avión, baja sin violencia, llenando un semicírculo hasta tocar el río; hacia el interior, la tierra es llana y pareja, sin otra altura notable que la de los montes. Y, sin embargo, ahora, al contar la historia de la ciudad y la Colonia en los meses de la invasión, aunque la cuente para mí mismo, sin compromiso con la exactitud o la literatura, escribiéndola para distraerme, ahora, en este momento, imagino que hay un cerro junto a la ciudad y que desde allí puedo mirar casas y personas, reír y acongojarme; puedo hacer cualquier cosa, sentir cualquier cosa; pero es imposible que intervenga y altere.

También imagino a Santa María, desde mi humilde altura, como una ciudad de juguete, una candorosa construcción de cubos blancos y conos verdes, transcurrida por insectos tardos e incansables. Veo entonces la diminuta población y entiendo su forma geométrica, sus alturas, su equilibrio; entiendo, por su casi invariable reiteración, los móviles que determinan la inquietud de los insectos; pero no puedo descubrir un sentido indudable para todo esto y me asombro, me aburro, me desanimo. Cuando el desánimo debilita mis ganas de escribir —y pienso que hay en esta tarea algo de deber, algo de salvación— prefiero recurrir al juego que consiste en suponer que nunca hubo una Santa María ni esa Colonia ni ese río.

Así, imaginando que invento todo lo que escribo, las cosas adquieren un sentido, inexplicable, es cierto, pero del cual sólo podría dudar si dudara simultáneamente de mi propia existencia. Nunca antes hubo nada o, por lo menos, nada más que una extensión de playa, de campo, junto al río. Yo inventé la plaza y su estatua, hice la iglesia, distribuí manzanas de edificación hacia la costa, puse el paseo junto al muelle, determiné el sitio que iba a ocupar la Colonia.

Es fácil dibujar un mapa del lugar y un plano de Santa María, además de darle nombre; pero hay que poner una luz especial en cada casa de negocio, en cada zaguán y en cada esquina. Hay que dar una forma a las nubes bajas que derivan sobre el campanario de la iglesia y las azoteas con balaustradas cremas y rosas; hay que repartir mobiliarios disgustantes, hay que aceptar lo que se odia, hay que acarrear gente, de no se sabe dónde, para que habiten, ensucien, conmuevan, sean felices y malgasten. Y, en el juego, tengo que darles cuerpos, necesidades de amor y dinero, ambiciones disímiles y coincidentes, una fe nunca examinada en la inmortalidad y en el merecimiento de la inmortalidad; tengo que darles capacidad de olvido, entrañas y rostros inconfundibles.

Es indudable que la Liga de Caballeros fue resucitada por el padre Bergner y que él la organizó, la puso en marcha, llegó a convertirla —si tenemos en cuenta la mediocridad general de los Caballeros de que disponía— en una arma eficaz, disciplinada, casi siempre a la altura de las operaciones que debía cumplir.

Si nos atenemos a los hechos, puede aceptarse que el padre Bergner, de acuerdo con algunos historiadores, cometió un error: el de aceptar la posición defensiva, el de no iniciar sus ataques hasta que el enemigo se encontró en el interior del reducto. En la relación de estos sucesos, salaz y directa, con ambiciones muy distintas a las de la presente, que tiene escrita, según se asegura, el corrector de pruebas de *El Liberal*, Lanza, queda demostrada, a primera vista, la pasividad del cura. Es cierto que Lanza sólo ha dejado ver pocas páginas de su trabajo y no siempre a quien pudiera repetirlas con satisfactoria aproximación. Algunos fragmentos, sin embargo, aunque él no lo sepa, fueron copiados y pueden consultarse; y más de una vez comentó al hijo de Malabia y a otros, en las reuniones del Berna, refiriéndose a la actitud del cura en nuestra inolvidable emergencia:

—No acabo de entender, ¡cuernos!, por qué el tío ese se cruzó de brazos y no dijo esta boca es mía hasta que todos estuvimos de putas hasta las orejas.

La explicación más creíble es que el padre Bergner no pudo admitir que la cosa sucedería. Así como aceptamos que la muerte existe y que visitará a cada uno de los seres que conocemos pero nos es imposible concebir con fe que también nosotros hemos de morir, el cura sintió —suponemos, tratamos de explicar— que los prostíbulos, realidades innegables aunque no pasaran de evidencias teóricas, podían establecerse y funcionar en la Capital, El Rosario o Salto; también en algún rancho de tierra de un pueblucho sin nombre; casi, finalmente, en cualquier lugar del país y del mundo, con excepción de Santa María.

Y creía esto, sin vanidad, sin otro defecto que la inocencia, porque precisamente allí él oficiaba la misa, bautizaba, ejercía, sabio e inspirado, la presión de sus grandes manos para facilitar el paso a los moribundos.

La explicación más aceptada por el revisionismo histórico, trabajosa y quizá verdadera, nos dice que el padre Bergner sabía que aquella vez, aquel año, el ideal del boticario Barthé estaba alimentado por el voto de los concejales conservadores. Con resolución, con testimonios irrecusables, puede ser demostrado, todavía hoy, que el pequeño, desteñido, parpadeante doctor Díaz Grey, convertido por su gusto en factor del destino, en mandadero de Arcelo, de Barthé, de *Juntacadáveres,* llevó su objetividad, su afán de anulación, hasta avisar al cura que los representantes del pueblo habían llegado a un acuerdo sobre el tantas veces derrotado proyecto del prostíbulo. El padre, pues, sabía que el diablo se acercaba a Santa María y prefirió dejarlo entrar.

Si persistimos en la explicación y queremos intentarla lealmente, será necesario aceptar que en este punto se bifurca. Uno de los ramales nos hace conocer a un padre Bergner que presintió la aproximación del momento, a todos prometido, aunque la oferta rara vez se cumpla, en que le sería dado realizarse totalmente como individuo y siervo del Señor, ser, sin mutilaciones, Antón Bergner, R. P., enfrentarse y luchar con una expresión del mal que tuviera una estatura y una fuerza dignas de sus nunca usadas posibilidades. Medirse con algo que poseyera todas las mezquinas y personales, elusivas, inciertas manifestaciones del pecado, de la imperfección, que el cura debía soportar diariamente, como fugaces pestilencias, indeciso entre un origen de menudo arrepentimiento o uno de raquítica vanidad, en la bisbiseante rutina de confesar.

El otro ramal de la explicación confusa nos lleva a un padre Bergner que quiso, aceptó, permitió la llegada y el afincamiento del mal para que los habitantes de Santa María y la Colonia, las ovejas que le habían sido confiadas, tuvieran su colectiva, patente oportunidad de tentación, de combate y triunfo. Para que demostraran, no ante él —que en este caso no contaba, que sólo podría rezar, cualquiera fuese el resultado—, su voluntad de alcanzar la salvación en la tierra.

Pero, con independencia de la veracidad de las teorías que pueden emplearse para explicar el retardo del padre Bergner en oponerse con hechos a la realización del añoso proyecto del boticario Barthé, lo indiscutible, lo que el mismo Lanza con aumentada perplejidad reconoce, es que el cura, desde el momento en que por una u otra causa decidió entablar el combate, lo hizo, y hasta el fin, de manera ejemplar.

XXI

Como en tantas otras noches, con el mismo grado de velocidad en los movimientos, sabiendo que copio, sin quererlo, gestos de noches anteriores sintiéndome revivir orgullos, melancolías y postergaciones, dejo de escribir.

Me abrocho la camisa, me pongo y ladeo la boina y, luego de apagar la luz, me asomo a la ventana para buscar la luna, verla aplastada en el jardín, oler las flores y mirar la puerta de Julita con la cara endurecida, meditativa, resuelta, construida por mí solo y que no sé qué expresa.

Mientras bajo la escalera pienso en una planta desconocida, pienso en lo mejor —casi nunca visible— de cada persona, pienso en la situación que sostenemos Julita y yo, mi hermano muerto, el hijo que ella no tiene en la barriga.

Me detengo en mitad del jardín; estoy frente a la ventana oscura de Rita; recuerdo haberme parado otras noches, con idéntica sonrisa tramposa, en este exacto lugar. «Como un buen marido», me digo para molestarme mientras meto la llave en la cerradura. Sosteniendo inmóvil la puerta dentro de la sombra del vestíbulo, espero en vano las campanadas de las once en el reloj de la iglesia; debe haber cambiado el viento. Descubro nubarrones que se van alargando mientras trepan hacia la luna.

Humillado y protector voy anunciando mi llegada con los suaves estallidos de los escalones; abro y entro, no hay ropas de hombre desordenadas sobre las sillas, la cama estira una colcha clara y nueva, ella tiene un vestido de noche celeste, que le toca los zapatos brillantes. Está sentada junto a la chimenea, en una silla muy baja; no me mira, hace subir y bajar una pulsera ancha en el antebrazo izquierdo, tiene la nuca oculta por un peinado que no puede haberse hecho sin ayuda.

La decisión de no soportar vuelve a treparme por el cuerpo y me apoya, me sujeta contra la madera de la puerta. En la mesita hay una botella y dos vasos casi llenos. Ella no me va a mostrar la cara antes de que me acerque y hable; descubro que la indefinida resolución de no seguir soportando equivale al deseo, ya viejo, puesto de lado cien veces, de golpearla, una sola vez, con toda mi fuerza, con la mano abierta.

Quiero llamarla y me contengo, el odio me seca la lengua, me compadezco como a un amigo insustituible y perdido. Ella no va a volverse; bebe otra vez y junto con el ruido del vaso en la mesa suena una corta risa, tan pequeña que no le caben la burla, ni la alegría, ni la expectación. Sólo quiero enterarme del hombro estrecho, redondo y celeste. Cuando trato de distraerme calculando el género de locura que inventó Julita para esta noche, ella mueve con brusquedad la cabeza y me muestra la cara, seria, alerta, como si acabara de quitarse una máscara. La falsedad se revela en el movimiento imperioso, largo, del brazo con que me ofrece de beber.

—Hola, Jorge —dice, como si hubiera ensayado el saludo.

Soy Jorge, nada más que Jorge, vivo y lúcido, arrepentido del impulso de abandonarme, desmontado de mi actitud madura y erguida junto a la chimenea.

Bebemos, cuidándonos, simulando tragos ansiosos; me siento y me encojo frente a ella y ella me sonríe y vuelve a jugar con la pulsera, llevándola, en espiral, desde la muñeca al codo. La piel del brazo está oscurecida; no puedo suponer los momentos en que salió de la casa y estuvo al sol, pienso que todo esto debe ser absurdo, imposible de entender, incapaz de formar pasados y compromisos.

—Jorge —repite, para impedir que me confunda—. Te estaba esperando desde la tarde. Quiero decir que desde la tarde deseaba que llegaran las once para verte y hablar contigo. Creo que desde mañana voy a ir al comedor. Ya no me importa, ya no tengo por qué quedarme encerrada. Si supieras... Hace días, más de una semana que descubrí la verdad; pero yo no sabía, de veras, que la había descubierto. No lo supe hasta hoy. ¿Te das cuenta? Y entonces, como la había tenido adentro desde tanto tiempo, no podía esperar a que llegaras para decírtela.

Hay algo de extraño en el dormitorio; miro la colcha nueva, los muebles limpios y en orden, los dibujos de la alfombra al pie de la cama. Tomo un trago y enciendo la pipa, mientras la escucho y la miro con la expresión más infantil que puedo mostrarle esta noche.

—¿Pero no te importa? —pregunta—. ¿No te das cuenta que todo es distinto?

—Sí, siento que todo es distinto. Pero no entiendo.

Se tranquiliza y mira la chimenea vacía, sin manchas, con una sonrisa absorta.

—Mañana voy a salir, voy a comer con ustedes, a vivir en la casa.

Me mira buscando mi asombro, como si no lo hubiera dicho antes. La cara se aquieta, se entristece; pero es una tristeza que llega de afuera y se le apoya en la piel, sin penetrar, sin presión.

—¿Cómo te lo voy a decir, cómo te lo tengo que decir? —se pregunta, mostrando a la chimenea su sonrisa inmóvil, exhibida.

Compruebo que ya no creo en ella ni en su ámbito, admito haber estado desconfiando de su locura durante semanas; entonces, pienso, algo va a suceder, algo va a terminar esta noche.

Como yo no contesto, tiene que esconder los dientes y recoger la cabeza; el cuerpo celeste retrocede, erguido. Bruscamente, queda aislada en su silla, las rodillas a la altura del ombligo, el peinado intensamente amarillo, la expresión de la boca ajena al dibujo que se hizo con el *rouge*. Está separada de mí y de mi recuerdo de Federico, está sola en la silla baja, en el centro de la habitación.

—Te siento idiota, un poco, esta noche —dice con dulzura, y la sonrisa que ya no tiene en la cara le ilumina la voz, la hace persuasiva y tolerante, subraya dádivas, paciencias, secretos.

—Siempre estuve —respondo—. A veces pienso que fui un idiota desde el principio. Nunca quise decírtelo, porque a mí no me importaba y porque no ibas a entenderme. Así como yo no te entiendo.

Me mira y entorna los ojos y ahora su sonrisa no sugiere el éxtasis; es blanca, alegre, estrecha, es totalmente suya, es la sonrisa que se le formaba cuando me hacía preguntas cariñosas y comunes antes de que enfermara mi hermano.

—Jorge, por favor...

Levanto una mano, pero ella cree que trato de protegerme con los cinco dedos, con la humedad de la palma que le presento.

—Si nos hemos entendido siempre... Yo estoy viva por eso, de veras sólo por eso, por haberme entendido siempre contigo. No era un reproche, no era más que una broma, la idiota soy yo porque tuve el capricho, la pereza de que adivinaras todo sin necesidad de hablar.

Me levanto, voy hasta la chimenea, golpeo mi pipa; ella sigue diciendo cosas que no escucho, con el mismo tono que usa mi madre para explicarme la gravedad del futuro, enumerar mis privilegios, convencerme de que mi padre renunció a alguna cosa por mi bienestar. Vacío la pipa y la chupo, voy hasta la ventana pero no me animo a abrirla. La voz, endulzada, continúa explicando mi larga, pasada comprensión, convierte en asistencias al colegio las entrevistas de las once de la noche.

—Pudiste comprender cada uno de mis errores, nunca tuviste miedo, nunca pensaste que estaba loca. Tú eras Federico, supiste que eras Federico. Y era mentira, pasó. Supiste que iba a tener un hijo de Federico, supiste que Federico estaba muerto. Y también todo eso después se hizo mentira; pero antes de que fuera mentira tú lo supiste exactamente como lo sabía yo. No me digas que no lo sabías, no me digas que no lo estabas creyendo.

—No —digo—. Era cierto. No me importa que hoy sea mentira. No era mentira para mí.

Lo dije con mi voz de hombre, lenta y grave, sin desfallecer, sin chillidos. Puedo abrir la ventana, oler el aire, reconstruir los paisajes en la distancia oscurecida, sentirme solo y más fuerte; pero tengo miedo de rebotar en la negrura y volver hacia ella, hacia esto, humillado y más joven.

—¿Entonces, Jorge? ¿Cómo puedes decir que no nos entendemos, que has sido idiota desde el principio?

No quiero mirarla; habla como si hubiera llorado y ahora, consolada, trata de reír para darme gusto. Algo importante sucedió, algo está terminado para siempre y no me alegro. Las fotografías de Federico han desaparecido de las paredes de la chimenea, de la mesita; estoy solo, por primera vez en mi vida, y también por primera vez la idea de la soledad no me angustia. Tanto peor para ella, pienso, porque vuelvo a mirarla y no la quiero y es como si la hubiera despreciado siempre, con ganas de voltearla, como debe suceder con las putas.

—No te estés ahí, lejos —dice—. Hoy tenemos que hablar. Hoy te tengo que explicar la verdad y vas a ver cómo todo después va a ser maravilloso. Desde mañana, desde ahora mismo. Tú sabes que cuando uno descubre la verdad cree que todos los demás la conocen, que no es necesario decirla.

Está mintiendo, otra vez, y ahora no cree en su mentira; está sentada en la silla baja, rechazando el respaldo, desesperada, torcida; vuelta hacia mí, como una mano, como una pinza, como un foco, el resplandor de su cara, vieja y floja, pordiosera, perdiendo pie, sólo sostenida por sus defectos. Antes, en las otras noches, la piedad protegía y me separaba de ella; ahora me separa de mí mismo, quiero apartarla, ser y conocerme.

Hace una pregunta, esquivo la mano que viene a tocarme la cabeza.

—Todo esto —digo—. ¿Qué hacía yo acá? ¿A qué venía cada noche? ¿Quién era yo? Porque yo no estaba, no contaba. Nunca se te ocurrió pensar que yo era otro, que no era Federico, ni era tú, ni era Dios o un mueble. Estoy vivo, no soy Federico, no soy hijo de Federico. Soy otro, te dije; siempre fui otro.

Vacía su vaso y se levanta, el vestido celeste oscila con libertad cerca del piso, murmura, se dilata y se cierra. Julita se inclina para alisar la colcha de la cama, cambia el orden de las alverjillas en el florero de la mesa de luz; la veo, recta, todavía sonriente, golpear a compás una flor con el índice, la otra mano encima de las nalgas.

—Absurdo —dice, y espera que yo pregunte.

Sin dejar de mirarla, renuncio a encender la pipa, me desentiendo de su locura, la veo rubia, próxima a los treinta años, delgada, ancha, infantil.

—¿No es absurdo? —insiste; la oigo repetir «Dios mío» y echarse en la cama.

Hablo porque tengo que hablar, despreocupado de que me escuche:

—Es absurdo, todo es absurdo. ¿Y qué? Yo estuve todas esas noches y además, durante el día, yo seguía estando. Venía y te escuchaba, éramos dos jugando a tu juego, al juego Federico. Pero yo tengo otros juegos, otras desgracias. No sé qué importancia tienen, pero son mis desgracias. Y eran mis desgracias, las tenía adentro, mientras venía a sentarme aquí, a escuchar las mentiras con que buscabas defenderte. Tal vez no, tal ves estés loca de veras. Si estás loca no vas a sufrir por lo que diga, si no estás loca te merecés oírlo.

—Jorge —dice—, Jorge...

Mirando la pipa apagada sé, como si la viera, que entornó los ojos, que sonríe al techo y que hace todo lo posible por aumentar la lástima que se tiene.

—No sigas hablando así. No quiero que te arrepientas de haberme dicho...

—Sé que no me voy a arrepentir. Pero cada noche me arrepentía de no haberlo dicho, y también durante todo el día siguiente. Me arrepentía cuando bajaba al jardín, cada noche. ¿Sigo o me voy? Puedo oír lo que quieras decirme; después me voy.

—No, no —dice, y comprendo que vuelve a sentirse fuerte, que está segura de no haberme perdido—. Es mejor que lo digas todo. Debías habérmelo dicho antes.

—Antes no podía y no sé por qué. No sé por qué puedo hoy.

—Me alegro que puedas, quiero oírte. Es mejor, es necesario que lo digas todo. También yo quiero decírtelo todo. Va a ser como empezar de nuevo, pero ahora en la verdad. Dame coñac.

Le llevo mi vaso y lo dejo sobre la mesita porque ella no se mueve para tomarlo; está cara al techo, con los brazos cruzados, la cara más redonda y joven. Cuando me alejo me llama; me detengo, de espaldas a ella.

—Jorge.

—Sí —digo.

Si mi hermano puede recordar elegirá con frecuencia esa cara horizontal, engordada en el mentón, debajo de las orejas y en las mejillas; volverá a inclinarse, con una curiosidad diferente —más profunda, menos esperanzada— sobre el resplandor de los dientes y los ojos, sobre el acecho de los labios y los párpados entornados.

Deja el vaso vacío sobre la mesita y tose; ahora se acomoda con los brazos extendidos junto al cuerpo, con la misma sonrisa de voluntariosa placidez. Preñada o no —cada una de las mentiras puede dar un paso adelante esta noche, ocupar un lugar en el mundo—, el vestido celeste hace una curva en el vientre, se adhiere entre las piernas. Enternecido, reconozco su locura en los zapatos de raso, con enormes tacos, sin uso, brillantes en la comba de las suelas.

XXII

En las noches de domingo, aburrido y viejo, Larsen pensaba en María Bonita, en el tiempo en que se llamaba Nora, en la serie de nombres falsos y de olvidado origen que se habían extendido entre el primero y el último. Evocaba la Capital, se inclinaba curioso sobre un tiempo y un impulso que le resultaban ajenos, muertos, y, sin embargo, sorprendentes como noticias no esperadas. La mano sosteniendo sin necesidad la cara, los ojos adormecidos frente al desfile inconexo de recuerdos y dudas.

Las huidas sin deliberación hacia barrios sin nombre conocido, increíbles, hacia conjunciones de calles oídas en una conversación o descubiertas en avisos de remates.

Se instalaba durante horas, entre el almuerzo y el anochecer, y frente al pocillo de café relleno de ceniza examinaba, a través de vidrios empañados, donde con frecuencia viboreaban letras blancas para anunciar próximas visitas de carambolistas y guitarreros, el paisaje de arrabal, alambrados con enredaderas, talleres mecánicos con esqueletos de automóviles, madapolanes y zarazas encogidos por el viento sobre los frentes de ladrillo de las tiendas con nombres femeninos.

Caminaba por las calles gastadas o recién abiertas, iba pisando la tenacidad de los yuyos en las junturas de las baldosas, memorizaba calles, esquinas imperfectas, negocios con muestras recordables. Y todo para nada, según supo después.

Llegó, sin que él lo buscara con determinación, como una simple consecuencia de la tenacidad y la fe, el tiempo del coche, del departamento, de las camisas de seda japonesa, de la liberación de toda promiscuidad no deseada. Y cuando, peligrosamente, había empezado a creer que todo aquello era la verdad, cuando se sentía compartir los orgullos y las ambiciones de sus amigos, vino la catástrofe providencial, los seis meses de prisión, la impuesta fuga al interior.

En la cárcel pudo comprobar —ella llegaba puntualmente, cargada de bromas, esperanzas, cigarrillos, consuelos cínicos, mudas de ropa— que la prudencia y la inmoralidad de María Bonita congeniaban, de alguna manera, con lo esencial suyo, con los ideales que se habían ido precisando en las horas de hastío y renuncia.

Venía en el primer minuto del período de visita, joven, la boca hinchada como si tuviera miedo de reírse a carcajadas, paseando por las caras de los empleados sus cortas, ineludibles miradas de lástima y desafío. Comentaba la delgadez de Larsen, exhibía los regalos y enumeraba hasta la despedida los sucesos del mundo perdido, las monótonas vicisitudes de mujeres y amigos. Y no como si importara o creyera que a *Junta* le importaba, sino paciente, animosa, fidedigna, como si se hubiera enterado de que hablar de aquello era lo correcto, lo que convenía a la circunstancia.

Al final de los seis meses, él pensó que había nacido para realizar dos perfecciones: una mujer perfecta, un prostíbulo perfecto. Para el primer ideal necesitaba la complicidad de la providencia, el encuentro con la hipotética muchacha nacida para tal destino; para el segundo era imprescindible tener dinero y las manos libres.

Poco después de salir de la cárcel, harto de que lo siguieran y de que jovencitos con impermeables blancos entraran al café para pedirle los documentos y de que comisarios gordos y burlones le hicieran esperar horas antes de escucharle construir explicaciones sobre sus medios de vida, decidió irse al interior en busca de ambas cosas, la mujer y el dinero para instalar la casa.

María Bonita no quiso acompañarlo y él comprendió que hacía bien, que era lo mejor para los dos: la futura mujer perfecta tenía que llegarle sin experiencia ni deformaciones. Pero la muchacha no apareció y tampoco la oportunidad de instalar la casa soñada, cada día más cara e imposible a medida que él la iba mejorando en sus soledades en cafetines y camas de pensión. Había que vivir mientras pasaban los años; y porque había que vivir para el momento en que tropezara con la muchacha o pudiera inaugurar el perfecto prostíbulo, se comprometió a no mirarse, a no hacer juicios, a no saber nada del hombre grotesco en que se estaba convirtiendo.

Había que vivir y por eso inventó el patronazgo de las putas pobres, viejas, consumidas, desdeñadas.

Impasible en el centro de las miradas irónicas, en restaurantes que servían puchero en la madrugada, sonriendo a gordas cincuentonas y viejas huesosas con trajes de baile, paternal y tolerante, prodigando oídos y consejos, demostrando que para él continuaba siendo mujer toda aquella que lograra ganar billetes y tuviera la necesaria y desesperada confianza para regalárselos, conquistó el nombre de *Juntacadáveres,* conquistó la beatitud adecuada para responder al apodo sin otra protesta que una pequeña sonrisa de astucia y conmiseración.

Si hubiera tenido un pequeño impulso suicida, el valor necesario para detenerse frente a un espejo, interrumpir el sueño de una siesta y examinarse, habría coincidido con la imagen de un violinista melenudo y raído, tocando, como sin permiso del patrón, para los clientes de cafés de segunda categoría en ciudades de tercera, valses de opereta y *potpourris,* la cabeza alta y gradualmente desdeñosa, la gran boca inmóvil en una sonrisa apta para cualquier exégesis, seguro de que algo esencial estaba a salvo mientras no empeñara el violín grasiento y oscurecido, mientras no tocara tangos, mientras preservara su música del acompañamiento de borrachos y mujeres groseras, acercándose, cada tres piezas, a las mesas para extender un platillo de metal donde caían las monedas que podía vaciar en los bolsillos de su saco negro sin que la piel de las manos participara de la alegría y de la humillación. Mostrando a veces un programa de concierto, amarillento, gastado en los dobleces, difícil de desplegar, con su fotografía aún reconocible, con la palabra *Wien* subrayada en rojo por él mismo para que pudiera ser encontrada rápidamente entre las demás, incomprensibles, acosadas por diéresis y curvas sin dulzura.

Aún durante años, *Junta* recorría las salas de bailes, lento, contoneándose, construyendo con destreza el simulacro de seguridad y calma correspondientes al hombre que había imaginado ser, repartiendo con una mano lenta y fría remedos de saludos, y se sentaba en una mesa para ofrecer su amor y su consuelo al desecho de turno. Como si hubiera cargado hasta el rincón tosco y mal iluminado una valija llena de pacotilla y la abriera sobre el mantel y desplegara diestramente la mercadería, sin entusiasmo, seguro de que ningún vendedor pudo nunca convencer a un cliente, seguro de que en el acto de comprar, de pagar un precio por algo, lo que cuenta es sólo una oscura combinación de vanidad y sacrificio. Ofrecía un sustituto aceptable de la esperanza, del arrollador deseo masculino, de la entibiada experiencia que puede consolar, comprender y tolerar prácticamente sin límites.

Armaba su tienda, la mejilla tocada por cuatro uñas pulidas, la boquilla entre los dientes, la otra mano alrededor de la copa diminuta, en alguna mesa alejada de la pista donde se bailaba, próxima a la puerta con resortes y el letrero esmaltado: *Damas.* Por ahí iban a pasar todas las mujeres, más de una vez en la noche, ni apresuradas ni lentas, alzando una expresión indiferente. No perdía tiempo en mirarlas, en insinuar las bondades de la mercancía que estaba ofreciendo; todos sabían quién era y qué podía darles o pedir. Las mujeres que le gustaban, las todavía jóvenes, todavía hermosas, que parpadeaban sobre su paciencia en la mesa próxima a los baños, las que resucitaban de manera efímera antiguos proyectos y actitudes, eran imposibles, nada provechoso tenían que hacer con él. Las otras, las que ya estaban acorraladas por la vejez y la falta de hombre, vendrían solas, una noche cualquiera, a sentarse a su mesa y pedir permiso para emborracharse.

Las historias casi siempre empezaban así, y si él hubiera tenido humor y memoria para compararlas habría comprobado que se trataba, en el fondo, de una sola historia, de un solo suceso inevitable en la vida de las mujeres, como su pubertad, la menopausia y la muerte. Sabía escuchar con la gravedad y la sonrisa oportunas, palmear una mano venosa, marcada, que ya no aceptaba disimulos, burlarse de las aprensiones y repetir con pausada espontaneidad frases de afirmación y optimismo. No ofrecía consuelos vagos, no mencionaba merecidas compensaciones que habrían de llegar, seguramente, algún día; se ofrecía a sí mismo, de cuerpo presente y a partir de aquella noche.

Sabía conseguir, sin pedirlo, que la deslumbrada mujer pagara la cuenta de su borrachera; de este modo los días futuros quedaban libres de interpretaciones erróneas o confusas y cada vez en el epílogo de aquellas noches de bodas, cuando el cadáver adiposo o esquelético que acababa de agregar a su colección o rebaño se resolvía a suspender, siempre provisoriamente, el llanto o los vómitos o las fatigadas frases de ternura murmuradas entre el hombro y la oreja, *Junta* erguía hacia el techo del dormitorio el cigarrillo encajado en la boquilla y meditaba unos minutos en aquel fracaso y en aquella sensación de fracaso que se vinculaban con todas las mujeres, después de los cuarenta años, y que parecían estar aguardándolas desde el principio, desde el nacimiento o la adolescencia, como un salteador en un camino. O que ellas llevaban adentro y alimentaban con su sangre y algún día inevitable parían para verse acogotadas por él, por el fracaso, y culpar de su existencia a los demás, al mundo, al Dios que imaginaban después de cuarentonas.

Este sentido de naufragio —que él veía cumplirse independiente de cualquier circunstancia imaginable—, esta condenación biológica al desengaño, hermanaba con él a todas las mujeres. Pero, al mismo tiempo, como el fracaso femenino era irremediable y él, por el contrario, no había dicho aún su última palabra, podía actuar frente a ellas como el hermano mayor, podía comprenderlas anticipadamente, sin necesidad de oírlas mentir, podía dirigirlas y usar su dinero para comprarles baratos, diarios, concretos estímulos.

XXIII

Como si supiera que estoy pensando en la hora, mi padre se interrumpe para sacar del bolsillo del chaleco el reloj de oro, Omega, de tres tapas, con una inscripción en la que se habla de bondad y hombría de bien, que le regalaron a mi abuelo, hace veinticinco años, los empleados de *El Liberal.*

Hombres del taller con blusa azul, fracasados con corbata voladora de la redacción, tipos con anteojos, lomos doblados y mangas de lustrina de la administración. Todos ya podridos, espero; todos reuniendo entonces, como monedas para una fiesta en común, sus repugnantes, suaves, individuales, similares olores a tabaco, plancha, sudor, soltería o dichas matrimoniales, engreimiento y servidumbre.

Mi madre teje con la cabeza caída, tal vez cuente los puntos o esté rezando. No sé por qué tiene una flor amarilla colgándole del prendedor del pecho. Sabe, desde hace mucho tiempo, que es esposa y madre; yo siempre la he conocido con la cara correspondiente, la mirada dulce e impersonal, la boca bondadosa y amargada, variando las proporciones según los días. Creo recordar que en un tiempo traté de suponer cómo sería su cara si no fuera madre bendita y esposa fiel, si no fuera nada más que una mujer. Pero desde la muerte de Federico supe que la máscara era definitiva, que se le iría estropeando con el tiempo sin cambios verdaderos ya. Me mira atenta, suplicándome que sea dócil; mira con cariño y un poco de admiración a mi padre; no sé lo que piensa, tal vez no piense en nada. Cuando mi padre reanuda su paseo entre la ventana y la mesa, veo las once menos diez en el reloj de la pared. Julita debe haber empezado a esperarme.

—Heredarás algún dinero —vuelve a decir mi padre; sospecho distraídamente que se interrumpió para sacar el reloj porque no sabía cómo continuar—. No sé cuánto, tal vez sea poco, tal vez alcance. En todo caso, mucho menos de lo que hubiera querido dejarte, menos, estoy seguro, de lo que mereces —apoya una mano en la mesa y me sonríe con tristeza; aparta en seguida, pudoroso, los ojos.

Tengo dieciséis años; la ternura, de hombre a hombre, comprendo, debe ser velada. Mi madre nos mira, mira sobre la mesa, a la altura del florero, encima de la pila negra que forman el álbum de fotografías, el primer libro de Caja de *El Liberal* anotado por mi abuelo y la Biblia importada por el abuelo de ella. Está situada en el centro de la ola de ternura y comprensión que va y viene entre padre e hijo, que los une en esta sobremesa. Suspira para mostrar que participa y vuelve a mover las agujas.

Yo sacudo la cabeza y sonrío; quiero expresar que no me interesa el dinero, que no merezco nada y que mi padre es inmortal. Tal vez él espera este gesto porque apoya con fuerza los dedos en la mesa antes de alejarse y continúa hablando.

—Pero creo, quién sabe si puedes comprenderlo hoy, que te dejaré un ejemplo. No digo un ejemplo a seguir; entiendo, todos somos distintos, y el hecho de que seas mi hijo...

Yo vengo de él, de ese cuerpo, de ese andar, de las cosas en que cree, del movimiento con que se mete las manos en los bolsillos del pantalón y se acaricia, sopesa, la barriga. Ya no encuentro un nuevo gesto de conmovida, reflexiva idiotez para mi cara; cambio la posición de las piernas y me pongo a enredar los dedos en los flecos de la carpeta.

—Te dejaré... la imagen, el recuerdo de un padre del que no tendrás por qué avergonzarte. Espero dejarte una empresa, *El Liberal*, un diario que, hay que decirlo, es un título de orgullo para la ciudad y fuera de la ciudad. Y no por obra mía; lo encontré todo hecho, me limité a interpretar una voluntad, una sabiduría ajenas. Tal vez tú puedas, con otra educación, hijo de otra época...

No termina de decir qué es lo que yo tal vez pueda hacer con el diario; trato de envolver los flecos en un nudo marinero y recuerdo los días dramáticos, los expresivos silencios, los planeados desencuentros de tres o cuatro años atrás, cuando Federico dejó la administración del diario y dijo que quería casarse y trabajar en el campo. Que se casara con Julita les parecía bien porque era rica, más buena que extraña.

Pero Federico era el primogénito, debía encajar en la tradición periodística de los Malabia, escribir editoriales sobre el precio del girasol y sobre Santa María, baluarte de las más puras tradiciones, y Santa María, audaz abanderada del progreso. Debía creer que el abuelo —pequeño, barba redonda, nariz corta, mirada positiva— habría hecho, escrito, grandes cosas si hubiera podido renunciar a la elegida misión civilizadora, apostólica, de hacerse una fortuna pequeña con dos linotipos y una Marinoni herrumbrada.

Así que él, mi padre, decretó una semana de duelo, añoranza y desagravio, en homenaje al abuelo y a él mismo, el continuador. Un reproche silencioso, después que los gritos, las exhortaciones, y las polvorientas anécdotas trataron inútilmente de conmover a Federico y su tedio, a la ingratitud y la incomprensión.

Son las once y diez; si la hago esperar demasiado, las mentiras, las invenciones que acumula Julita para las noches, fermentan, se deforman, se impacientan, se le mezclan atropelladas en la boca y en los ojos, tratan de saltar en seguida sobre mí, confundidas y odiándose, destrozando sus significados.

—Nunca me importó el dinero —dice mi padre, y baja la cabeza con resolución, grave y perniabierto, no arrepentido de este aspecto de su carácter y pronto a soportar sus consecuencias.

—Ya lo sé —pronuncio con voz emocionada; los flecos o los dedos no me sirven para hacer un nudo marinero. La expresión de un sensato desdén por el dinero en las conversaciones que no se relacionan de manera directa con el dinero es otra de las tradiciones de mi casa. Mi madre deja el tejido sobre la falda, toma el resto frío del té de hierbas. Mira a mi padre acentuando la ternura habitual de la cara, casi sonriendo, reeditando tolerancias, viejos perdones por préstamos incobrables, por deudas no reclamadas. Él se vuelve hacia mí y alza una mano; tiene una cara como la que yo trato en vano de componer: bondadosa, distraída, un poco tonta.

—Porque yo —dice—, quiero que me escuches bien, podría ser feliz si me quitaran todo. Todo menos ustedes dos y una máquina de escribir. Y tal vez me hicieran un favor.

Me esfuerzo en mostrarle la sonrisa más adecuada, un indefinido entusiasmo en los ojos. Está ridículo, gordo, solemne y falso. Pero, en este mismo momento, sé que lo quiero, que tengo amor y piedad por él, que respetaré siempre la virtud indefinible que le imagino debajo de todos los defectos. Si pudiera creer que menciona la máquina de escribir porque leyó mis versos o sabe que yo los hago.... Pero, hace años le oí la misma frase; la misma bravata, en una discusión con Federico. Son las once y quince; afortunadamente, mi madre se levanta y va a besarlo.

Colgada de su hombro, me mira y sonríe. No es una persona, una mujer, pienso; es mi madre, no tiene cara; la nariz, la frente, la boca, la estatura sólo son medidas para ser mi madre. Me sonríe para decirme que mi padre tiene razón, que no debo juntarme con los amigos que van o se acercan a la casita de la costa, y que, sin embargo, pase lo que pase, ella confía en mí y está conmigo.

—Algún día comprenderás todo esto —dice mi padre, y se aparta de ella sin violencia—. Comprenderás nuestros motivos, nos comprenderás a nosotros. Y lo que hoy te parece intolerancia... Algún día tendrás hijos.

Mi madre se ríe sin alegría, como si estuviera sola y recordara.

—Los puntos de vista de este viejo rezongón... —mi padre sonríe, pone cara de seguridad y añoranza, busca, sin visible impaciencia, sin humillarse, alguna forma de emoción en mi cara que le dé pie para terminar la entrevista. Son casi las once y veinte. Me levanto y les dejo ver los ojos con lágrimas.

—Muchacho —dice él, satisfecho, tocándome la espalda. Mi madre me besa y habla para él:

—No te quedes escribiendo. No fumes mucho. No te acuestes tarde.

—Voy a caminar un poco —digo con vergüenza; de perfil hacia ellos, que volvieron a unirse, me pongo la boina, me cuelgo el impermeable de los hombros, exhibo por primera vez mi pipa. Tres manías infantiles que hacen reír a mi madre; ella ríe.

—No sabía que estaba lloviendo —dice mi padre, mirándome el impermeable. Doy las buenas noches y con el corazón consolado, encorvándome, con una trabajosa marcha de niño, cruzo la sala, los dejo y salgo al jardín.

Hace calor y el cielo, lleno de estrellas, está retinto. Abro y cierro la puerta, como si hubiera subido al dormitorio; espero durante unos minutos, mientras cargo la pipa y trato de oír algo en el cuarto de la sirvienta, Rita. «Es posible que todo se acabe esta noche —pienso—; es posible que Julita se despierte y todo vuelva al principio, vuelva a empezar, y nos encontremos de pronto, ella y yo, reunidos en el día siguiente al de la muerte de Federico, hablando de él. Es posible que ella no quiera volver a tomarme y se deje tomar.»

Cruzo el jardín mordiendo la pipa apagada, sin hacer ruido, rozando cuidadoso la noche con las mangas vacías del impermeable, descubriendo que los pensamientos no nacen de nosotros, que están ahí, en cualquier parte fuera de nuestras cabezas, libres y duros, y que se introducen en nosotros para ser pensados y nos abandonan cuando tienen bastante, caprichosos e invariables.

Al empujar la puerta de arriba, oigo a Julita correr y tropezar con una silla; me detengo para darle tiempo y cuando abro la encuentro sentada en el suelo, junto a la chimenea vacía, vestida con un abrigo oscuro de pieles, sujetándose las rodillas y sonriéndome. Sin convicción, como si hubiera estado haciendo la frase durante horas y le fuera imposible contenerla, protesta:

—Desde las once esperándote. Y sabías que hoy era importante, que tenías que llegar temprano. No vas a decirme que no encontraste el mensaje.

—No —digo—. Lo encontré. Es que no pude, me estuvieron hablando.

Pero recuerdo que sólo habló mi padre.

—¿De mí?

—No, no, no —me apresuro, insisto—. De todo eso; mi porvenir, la moral, el prostíbulo, los sacrificios, Santa María, el apellido, la conciencia, la experiencia, *El Liberal* y mi abuelo. El sermón de siempre; sólo que ahora...

Mientras enumero, de pie junto a ella, inseguro de si me mira o no, acompaño cada palabra con una sacudida de la cabeza, con una mueca burlona y madura. Le espío la cara muy pintada, caída ahora, dirigiendo hacia el nivel de las rodillas la antigua sonrisa de secreto, pasividad y locura. Dejo caer el impermeable en el suelo, me siento y monto una pierna, enciendo la pipa, trato de odiar a Julita, de convencerme de que ella me necesita y de que esta necesidad me autoriza a despreciarla y protegerla.

—¡Hablando de todo eso! —murmura ella, con asombro, como si fuera inconcebible. Ahora se acaricia la parte del abrigo que le envuelve las piernas, una mano para cada una, yendo y viniendo con el torso, desde los muslos hasta los tobillos. Conserva los pies, en zapatillas, inmóviles contra el piso. La sonrisa, fija, levemente deslumbrada, refiriéndose, estoy seguro, a cosas que ni ella misma podría nombrar, me llena de inquietud, hace nacer un odio frío, extranjero, distinto al que deseo tenerle.

—¿Qué hiciste hoy? —pregunto.

Se detiene, muy lentamente va alzando los hombros, los deja caer de golpe; vuelve a moverse, acompaña el vaivén de las manos sobre el abrigo, sobre las piernas. Pienso que la escena de esta noche en la sala significa que mis padres aceptaron la muerte de Federico, que no está más, que el sufrimiento y el recuerdo no pueden tocarse con las manos, que no es posible asociarse ni luchar con los muertos porque son excesivamente maleables y serviles. Y ahora, también para ellos, yo soy Federico, el continuador del continuador de un Malabia imperecedero que fundó *El Liberal* de Santa María.

—Hoy volvieron a estar —dice Julita, sin renunciar al balanceo—. Como siempre, teniendo lástima de mí y yo lástima de ellas. Pero siempre, además, con su sucia curiosidad. ¿Y yo tuve esa misma curiosidad, tan sucia, tan mezquina? Cuando era una muchacha, como ellas.

Pero no, todavía, del todo; la muerte de mi hermano no es aún definitiva y ellos, mis padres, no llegaron a imaginar un futuro desprovisto de Federico. Como Julita; y como Julita piensan que soy demasiado joven para encajar en las actitudes, las circunstancias que han imaginado, durante años, para Federico.

—No entiendo —digo con rabia; ella se detiene y me mira, casi seria, sin concluir de recoger la sonrisa. Pero no comprende que la quiero, no sabe que es mía y que el tiempo del juego y las historias acaba de terminar.

—¿Quiénes? ¿Qué muchachas, qué lástima, qué curiosidad?

Pregunto sin exaltarme, como si hablara con la pipa.

Desencantada, Julita vuelve a balancearse, recupera la sonrisa adormecida. Pero no quiero ceder, le tengo miedo al silencio porque ella es mujer, es mayor, tiene muchas más cosas que callar; busco en los bolsillos y le informo sin mirarla:

—«Tengo que verte porque sucedió. Vamos a rezar juntos. Ni un minuto después de las once; tienes que ayudarme a hacerme perdonar todos los vergonzosos momentos de duda. A las once y si te es posible, antes.» Bueno, aquí estoy. ¿Qué sucedió?

Ella levanta la cara y detiene el movimiento del cuerpo. Con la boca entreabierta, endureciendo los ojos, me mira como si pudiera ver, alrededor de mi cara, el tono de voz con que hablé, las formas cortas y rectas, los colores secos del desafío, de la indiferencia calculada. Por primera vez se me ocurre que tiene capacidad para el orgullo, que ha mirado así a sus padres en la infancia y después a Federico, que puede preferir las catástrofes a las explicaciones.

—Nada —dice—. Quería verte y te llamé. ¿No estás contento?

Levanto los hombros, chupo la pipa y observo deshacerse el humo frente a su cara. Todavía boquiabierta, espera, juega a creer que yo puedo ofenderla.

—No —respondo—. Todo eso, los sermones, la ternura que le echan a uno encima, esa falta de discreción, de juego limpio...

Empezando a sonreír ahora con los extremos de la boca, recuperando el cariño, separándolos como dos manos para medir mi estatura, ella no quiere ayudarme.

—Todo eso. ¿Por qué tengo que tener padres? Yo sé todo de ellos y ellos no saben nada de mí. Pero los quiero y no puedo dejar de fingir, no puedo mostrarles que veo la injusticia de unas relaciones así, que no hago más que soportarla.

—¿Es por eso? —pregunta ella; miente, no me cree, le conviene aceptar mi mentira y volver a hamacar el cuerpo. Tiene otra vez la sonrisa de éxtasis, espera gastarme y consolarme para imponer la historia, los papeles que imaginó para esta noche.

—Es cierto, o debe ser cierto porque yo no... Pero sería peor no tener padres; no haberlos tenido nunca, quiero decir.

Me levanto y camino hacia la pared donde estaba el retrato de mi hermano; me siento en la cama y abro el cajón de la mesa de luz. Hay horquillas, papeles doblados, un olor a madera y remedio, el tubo de veronal rueda hacia la luz, otro tubo se estremece, aún sellado, encima de una foto de *carnet.* Miro los hombros de piel que van y vienen, el peinado que cae sobre la nuca sin tocarla, busco recuerdos que me ayuden a despreciar el cuerpo de Julita. Ella se aquieta, para hablarme con la retomada voz de ronquera y engañoso secreto. Doy un salto y, antes de entender lo que me dice, me inclino sobre ella y pregunto:

—¿Por qué no puedo o no debo ir al prostíbulo? ¿Por qué no voy a hacer lo que se me da la gana?

Lo que ella estaba diciendo, las palabras y sus sugerencias perdidas, vuelven y la cubren, extienden encima de su cabeza y sus hombros una cosa delgada y sin consistencia que basta para separarla de mí.

—Por qué no puedo ir al prostíbulo —repito con frialdad, en voz tranquila y alta.

Ella se inclina, apoya la cabeza en las rodillas y respira con ruido como si oliera, como si se esforzara en reconocer, apresurada, el significado de un olor. Después, con la mejilla y la sien, busca el sentido del roce, fracasa y se aquieta. Tengo, allá abajo, cerrada, inmóvil, su cara de perfil simulando el pensamiento, el sueño y el abandono; hay adornos de oro en el pelo; hay curvas rápidas y aún infantiles, hay líneas, huecos que hicieron las desesperaciones y los años. Le empiezan a brillar lágrimas y todos los rasgos de la cara, alerta pero fingiendo la renuncia, parecen volverse de espaldas al llanto, no querer el inevitable parpadeo ni calcular mi reacción aquí arriba.

«Puedo salvarme —pienso— de ella, de mi cobardía, de mi hermano muerto, de mis padres, de memorias y presentimientos, si exagero hasta poder tocarlo, hasta el terror y el vómito, el diminuto asco que obtengo de saberla más vieja que yo, de saber que ella anduvo por donde yo aún no pisé, de saber que gastó lo que yo todavía no he tocado, de saber que desperdició ya las oportunidades que a mí me esperan.» Vuelvo a sentarme y fumo; ella puede aceptar que no vi las lágrimas.

—Era una pregunta impersonal —murmuro con despego—. ¿Por qué no puedo ir al prostíbulo? ¿Por qué no puede, un tipo de diecisiete años? No es que quiera ir. Pero, si podés oírme con calma, si no estás obligada a ser tan imbécil como los demás... —ella sacude la cabeza, la separa de las rodillas y continúa sacudiéndola mientras mira el techo—. Todos son imbéciles. Yo soy más inteligente que ellos, yo soy otro. ¿Por qué tengo que decir que sí a todo lo que ellos creen que es bueno para ellos, a todo lo que me estuvieron preparando porque llegaron antes que yo?

Creo en lo que estoy diciendo, pero no creo ahora, no me importa en este momento; ella va a estallar, a mostrar su juego de esta noche hasta los huesos si nombro a Federico.

—Mi padre fue alguna vez a un prostíbulo y además ahora le alquila una casa a *Junta* y a las mujeres para que exploten el negocio.

Tal vez sea una casa tuya, uno de los bienes que te corresponden, uno de los inmuebles aportados a la sociedad conyugal.

No la miro, la pipa sigue ardiendo, las dimensiones del dormitorio me resultan asombrosamente chicas en relación a mis recuerdos: me parece, por ejemplo, que me basta alargar un brazo para tocar la pared donde estaba el retrato de Federico, acariciar con las uñas las flores socavadas en la cabecera de la cama. Quiero lastimarla, no por medio de las palabras, sino dándole una sensación de imbecilidad fuerte y repentina; quiero que me odie, aunque no sea más que un destello de odio, y quiero excitarme con este odio para segregar el mío y protegerme.

—Tal vez la casita corresponda a mi herencia. Tuya o mía, en todo caso, porque los viejos se morirán antes. Y él, mi padre, que me prohíbe ir al prostíbulo, que ni siquiera me lo prohíbe, que hace el esfuerzo necesario para razonar, sin herir delicadezas, con un pobre muchachito, él ha ido a prostíbulos y a mí me parece bien. Se estuvo riendo con las mujeres y las tocó y les pagó copitas de anís, se fue a la cama con ellas y puso un billete de propina encima del precio. Era un Malabia. Y Federico, estoy tan seguro, no te mintió.

—Federico —me interrumpe Julita, como si no nombrara a nadie, como si repitiera, maquinalmente, un santo y seña. Me siento liberado y descanso con un suspiro; inútilmente, chupo la pipa y espero. Ella hace un ruido incomprensible, como un gemido grave, espeso, sin tristeza. Deja crecer el silencio hasta la altura de su barbilla y repite el ruido. Espío el resplandor de la luna en los vidrios de la ventana, en un triángulo de sosiego y frío, un resto del último invierno, que descubre la cortina. Estoy vacío, como si no hubiera tenido nunca nada contra ella, Julita, como si descubriera que los sentimientos pueden ser elegidos y adoptados libremente, y que es necesaria una cadena de estipulados desvelos de nodriza para verlos crecer; estoy vacío y me vuelvo para mirarla.

—Federico —repite buscando la parte accesible, el punto débil de la palabra. Me sonríe, quieta, sólida, de regreso del peligro, y el brillo de las lágrimas extiende su sonrisa hasta los pómulos, la refugia en el mentón—. Federico fue, estuvo, conoció muchas mujeres. Pero no hay ningún Federico, no hubo, para eso, para explicártelo, te llamé esta noche. Y no quiero explicarte nada, las cosas tienen que ser sin palabras. Él estaba muerto, yo te miré y te elegí. Pero tampoco es cierto, no era yo que te elegía, no tenía yo voluntad para elegir sino que me obligaban, sin explicaciones, sin voces. ¿Qué importa? Todavía no es la hora y por eso no quiero decírtelo. Pensaste que estaba loca, lo pensaste todo este tiempo, desde el primer día. Viene Marcos y lo piensa, viene el médico, vienen los tíos y empujan las sillas hacia atrás, no quieren tomar nada, como si pudieran contagiarse, y tu madre, cuando cree que no la miro, llora sin ruido y reza. Y todo, te voy a explicar, porque yo no necesito de nadie, me basta este cuarto y estar sola para vivir lo que ellos no van a poder aunque se mueran de cien años. Tampoco Federico; no hubo Federico, tú tienes miedo porque creíste siempre que hubo Federico. Por culpa mía, ya sé, no necesito que lo digas.

Vuelve a unir las manos sobre las rodillas y reanuda el balanceo; una punta del abrigo cuelga y toca los ladrillos del piso de la chimenea; veo la pierna, veo que está desnuda debajo de las pieles.

—Yo sé que basta con el cuarto y la soledad —digo—. Quisiera saber si te bastó siempre. ¿También yo pienso que estás loca?

Sin contestarme, grave y concentrada, va empujando la cara hacia adelante, la clava en el aire, la inmoviliza un segundo y la retira como si dejara, definitivos y dándome respuestas, la forma y la expresión de su perfil.

—No hubo Federico, no está el mundo, no hay Santa María. Todo lo que veas fuera de aquí es mentira, todo lo que toques. Y hasta lo que pienses fuera de aquí y lo que pienses estando aquí y que no tenga relación conmigo. Con esto. Contigo y conmigo. Con este cuarto.

Un envío para cada frase, como un remero. Empiezo a desconocerla, a no saber quién es.

—¿Quiénes van a ser? —pregunta—. Ellas, las muchachas, estuvieron esta tarde para escribir anónimos. No las quiero, deben ser vírgenes. Debe ser por eso que las encuentro sucias. Es así: todo lo que tienen, la ropa que llevan, de limpio, de cuidado, de elegido, todo me da la sensación de mugre, de lo inmundo, de la grasa vieja pegada, negra. Esa grasa de años que está en los rincones donde no se puede mirar, en las cocinas. Los vestidos recién hechos, las mangas cortas y los escotes, los brazos, el pescuezo, tan limpios y fregados. Sé cómo es la ropa interior que tienen puesta, sé que se estuvieron lavando después de la siesta, perfumándose antes de venir aquí. Toman el té y escriben, no quieren mirarse con los ojos brillantes, tratan de hacer como si estuvieran trabajando en una oficina —se levanta, manoteando el abrigo para esconderse, y me sonríe, me muestra los dientes, estira los labios y vuelve a unirlos—. ¿Qué me importa de ellas? —viene, se inclina y me besa—. ¿Te importa algo? Todo eso... a veces viene Marcos y me cuenta. Pero no nos importa.

Me acaricia, me levanta la cabeza y vuelve a besarme. Tiene los ojos frente a los míos, pero no me está mirando; me aprieta los hombros, me alza, me traslada, me pone en la cama, se inclina para levantarme las piernas. Quiero aflojarme la corbata y ella me golpea las manos.

—No te desvistas —dice sin bajar la voz—. No apagues la luz —se saca el abrigo y queda de pie, desnuda, tocándome la mano con una rodilla; no me desea ni espera mi deseo, me está mostrando su cuerpo, simplemente, y espera que yo diga alguna cosa que no puedo descubrir. Después se sienta en la cama y me pone una mano sobre el pecho.

Espero lo que va a pasar como si no tuviera que hacerlo yo, como si fuera un visitante, alguien, otro, que cruza el jardín, va subiendo en la sombra, la escalera, peldaño a peldaño. Cierro los ojos y me veo, como si mirara desde el techo y desde más arriba, inmóvil en la cama, sudando, con un perfume apoyado en la mejilla, cubierto por ella y su locura, cubierto por mi edad, por mis culpas, por los muros y el aire de la habitación, por la distancia que me separa de la muerte.

Me apoyo en los hombros y un brazo, la hago caer de espaldas y le pego en la cara, una sola vez, sin violencia. La sujeto y la beso, le hago doblar una rodilla y casi riéndome, agradecido, libre de ella, feliz ahora de haber atravesado paciente el larguísimo prólogo, el juego y la espera que ella supo imponer, entro en el temblor del cuerpo, amo la crueldad y la alegría.

XXIV

Marcos había soñado con una pelea, con una voz que repetía prevenciones domésticas sobre el lento, elástico ir y venir de los muebles, las armas y los brazos que construían, tediosos y perpetuos, el carácter estático de la riña; con una voz cuyo sonido daba respuesta a todas las dudas, proveía consuelos para cada incomprensión.

Pero ya no podía volver a dormir y seguir oyéndola, era inútil provocar al sueño restregando con un gesto infantil la boca entreabierta y ensalivada contra el costado de Rita. Abrió los ojos hacia la claridad de la noche enrejada en el jardín, hacia los grillos, el viento, los rumores insignificantes y lejanos; oyó el reloj de la iglesia y dedujo que el viento soplaba del oeste, que era una buena noche para pescar. Quedó definitivamente despierto, a la defensiva, odiándose por estar vivo y lúcido, entumecido por el odio como por un dolor. Giró para apartarse, inquieto y asqueado, del olor de la muchacha y de la planta trenzada en los barrotes de la ventana. En cuclillas, bebió un trago del frasco de metal que había dejado junto a la cama y encendió un cigarrillo; con el mismo fósforo, innecesariamente porque la luna cubría ancha y triangular la cama y casi todo el piso visible de la pequeña habitación, prendió el cabo de vela torcido sobre la mesa, contra la pared.

—Pero no, pero no... —insistió Rita, dormida, sin moverse.

La luz amarilla trepó rozando fotografías y estampas, grandes clavos con un llavero, con un espejo, con una cola de caballo; iluminó sobre la mesa el borde de la palangana y el asa de la jarra, un desorden de horquillas, paquetes de cigarrillos, jabonera, peine, pulseras, una revista, una pila de monedas, una caja de polvos.

Marcos recogió una toalla para secarse el sudor de la cara y el pecho; había dormido con el reloj en la muñeca, eran, apenas, casi las once. Bebió otro trago y se puso el cigarrillo en la boca; la voz del sueño no volvería a sonar, su entero alivio estaba perdido para siempre; fue bajando la cabeza para mirarse, alto, tostado y blanco, perniabierto, exhalando olor a verano, a sueño y a mujer, los grandes pies sucios de barro rodeados por los dibujos de la alfombra. Sinuoso como el recorrido que debía hacer entre montes de naranjos y límites de quintas, más allá de Enduro, un tren de mercancías sonó dos veces, exagerando el silencio de la noche, las distancias, la inaguantable soledad. Marcos dio un paso y pateó la cama, hizo golpear el cuerpo desnudo de la muchacha contra la pared de la ventana.

—Sí —dijo ella, ronca, sin expresión; se enderezó en seguida y quedó sentada, deslumbrándose en la luz insegura de la vela, entorpecida, tratando, de adivinar qué era necesario hacer para librarse del miedo—. Sí. ¿Qué pasa? —reconoció a Marcos y sonrió, atrajo una punta de sábana para taparse, aflojó los dedos y volvió a sonreír—. Sí —repitió, sabiéndose capaz de decir sí a todo.

—Nada —dijo Marcos—. Me desperté. Es temprano.

Ella miraba la blancura fría y enfurecida de la sonrisa; vio la cantimplora de níquel y cuero como fundiéndose en la luz de la luna. Porque creía que a él, en el fondo, le gustaba oírla, repitió la frase habitual.

—No tomes tanto —insistió con la descuidada pregunta—: ¿Por qué tomás tanto?

—Oíme —dijo Marcos, acercándose—. Tapate, no estés desnuda —se sentó en la alfombra circular, cubriéndose con las piernas dobladas, las manos en las rodillas—. Tapate también el pecho. Estaba soñando con una pelea y me desperté. Tenés que oírme. ¿A vos nunca se te ocurrió matar a alguien? No me contestes, vas a decir una estupidez, siempre decís estupideces.

—Sí —dijo Rita, y se puso a reír, encogida, decapitada por la sábana, riéndose de las queridas estupideces que podía recordar y presentir, alegre por la irresponsabilidad de la estupidez, sintiendo que ésta iba a protegerla, hasta la muerte.

—Pero tenés que oírme. Cuando *Caudillo* se murió no quise tener más perro. Siempre le hablaba y era mejor que hablar con personas. Ése era un perro, un amigo. Me desperté sabiendo que tenía que matar a alguien. Estoy con vos y me quedo loco; después me da asco, ya te lo dije. Pero no te tiene que importar porque siempre me dio asco. Después de todo, las mujeres son la misma cosa, cualquier mujer. Y esto está bien, se me ocurre, porque no somos una misma carne y sólo el matrimonio puede hacer que dos sean una misma carne. Mi tío el cura puede convertirnos en una sola carne y entonces ya no sentiría asco. Es así. Te parece gracioso; pero si fuéramos a la iglesia y mi tío nos casara, seríamos una sola carne. ¿Entendés?

Marcos la miró como si realmente preguntara, mantuvo la boca entreabierta, los ojos hacia ella, mientras tragaba con un susurro de la cantimplora.

—Habría más respeto —contestó Rita—. No me daría vergüenza con vos, pero a veces la señora me mira y pienso que sabe todo. Pero vos tendrías que ser loco si te casaras conmigo.

—No hables —dijo Marcos, separando la cantimplora.

Ella vio la cabeza en la luna, como metida con cálculo en la luz perversa y amortiguada, como si no estuviera, simplemente, allí, a la altura de la cama, rubia y hermosa, casual, buscando con los diminutos ojos, cosas que no estaban ni podían estar en Rita, mirando a través de ella cosas que ella, inoportuna, condenada a la inoportunidad, desfiguraba con niebla y aprensión. Vio la humedad brillante que resbalaba de los labios separados por una sonrisa dolorosa y profética.

—No hables. Una sola carne. Tiene que ser así, debe ser así porque si no todo el mundo se habría suicidado. Nadie podría aguantarlo. Todos somos inmundos y la inmundicia que traemos desde el nacimiento, hombres y mujeres, se multiplica por la inmundicia del otro y el asco es insoportable. Como dice mi tío el cura, se necesita el apoyo del amor en Dios, tiene que estar Dios en la cama. Entonces sería distinto, estoy seguro; se puede hacer cualquier cosa con pureza.

—No grites —murmuró Rita.

Marcos se interrumpió para mirarle la boca ancha y floja, los ojos abiertos, hacia las sienes, la cara aindiada, paciente, con su pelo revuelto y duro, torvamente perfilada contra la claridad nocturna, la docilidad.

—Yo creo en los rezos —dijo Marcos; le costaba hablar, sacaba la lengua para tocarse las gotas de sudor encima del labio—. Tengo que matar a alguien. La raza es patria; y no soy gringo, no soy alemán, no soy suizo.

—Alguno anda en el jardín —susurró Rita—. Callate.

Marcos se levantó con el frasco de metal en la mano, caminó de rodillas sobre la cama hasta apoyar la frente en los barrotes de la ventana. Reconoció la noche con sus promesas, con su postergación, una noche particular, suya, repetida desde siempre con variantes que no contaban. Una sombra zigzagueó entre los canteros, pasó cojeando bajo las ramas colgantes, se detuvo para toser y chistar como una lechuza frente a la puerta de Julita. Marcos reconoció la boina, la inclinación del cuerpo, la actitud infantil, excesiva, de la silueta que se volvió para estudiar el cielo y la soledad del jardín.

—Es el pibe —dijo Rita, suavemente, estirándose en la cama como si cumpliera con desinterés una imprecisa venganza—. A eso de las once, todas las noches o casi todas. La señora joven baja y le abre, deben quedarse hablando del finado.

Marcos empezó a vestirse; cuando se ajustó los pantalones puso un dedo ensalivado contra la llama de la vela y la apagó. Vino a sentarse en el borde de la cama para anudar la corbata.

—Es un pibe —dijo Rita, temerosa—. ¿No estás enojado? —tenía los ojos cerrados y los escondía de la luna con una mano, con el borde de la sábana; y en el silencio, en la negrura, buscaba disimularse para la habitación y para Marcos, trataba de inmiscuirse en los absurdos del sueño próximo, hospitalario.

—Mi hermana está loca —dijo Marcos cuando se ponía el saco—. Como si se hubieran muerto todos los hombres. Pero hace bien, aquello era verdad, eran una sola carne. Ese pibe es un idiota mal criado. Nunca sentiste ganas de matar a alguien, y si las sentiste fue por un momento, te las tragaste y pediste perdón. Hay tres putas en la casita celeste y me aburrí de ellas y de los tipos que van a ocuparse, me aburrí de los comentarios y las discusiones, de lo que dice mi tío el cura cada domingo. Pero mi tío cura es un gran tipo. Chau.

Salió afuera y vio el jardín vacío; estuvo mirando las pequeñas nubes ovilladas que corrían, desflecándose hacia el este, mientras medía su borrachera y las limitaciones que implicaba, mientras hacía sonar el llavero alrededor de un dedo. Regresó hasta la ventana de Rita:

—Y también estoy aburrido de mí. No podés entender.

El coche rojo continuaba torcido entre los naranjos, apuntando al camino. Marcos avanzó contoneándose, deshaciendo terrones, con la cabeza vuelta para mirar la luz cuadrada, triste, en la ventana de Julita.

XXV

El padre Bergner no se arrodilló; apenas recostado en el púlpito murmuró entre los dedos de la mano su pedido de humillación y súplica, rogando que fuera impedido en Santa María el triunfo del demonio. Algunos sollozos de mujeres temblaban, cortos, dominados, como burbujas formándose y rompiéndose en la superficie del silencio. Anchos, doblados, ofreciendo los lomos y las nucas a la aprensión, los hombres y las mujeres se inclinaban bajo la amenaza que habían desprendido de la última parte del sermón.

«Y no se diga que el pastor abandonó a su rebaño. El rebaño ya se había apartado del pastor, se mostró empedernido, prefirió dar albergue al pecado, desterró al Sagrado Corazón de sus vidas para sustituirlo por el vicio, por el más inmundo de los vicios, aquel que es como una lacra que roe el alma y la va comiendo. No se diga que fue el pastor quien abandonó a su rebaño.»

Cada uno escarbaba en sus padecimientos y temores personales, los excitaba, los obligaba a crecer y contribuía con ellos a dilatar el gran miedo general, el miedo a un castigo que los incluiría a todos, a ellos y a sus hijos, el miedo a la enorme nube negra que iba a desprenderse del cielo para cubrir la ciudad y la Colonia.

Eran casi todos rubios, tenían las manos grandes, rojizas y ásperas y sus caras daban la misma sensación de uso que las manos; parecían haber manejado alegrías, envidias, recuerdos, temores, convicciones, tocándolos, empuñándolos, rozándose contra ellos, cediendo un poco de su forma, aquí y allá; en las sienes, en las miradas, en las frentes, en los alrededores de las bocas.

Habían llegado, casi todos, en automóviles desvencijados, *charrets, sulkys* y camionetas, remontando bajo el sol blanco, aparentemente inmóvil, de la mañana del domingo, el camino entre la Colonia y Santa María. Se habían cruzado y saludado con amigos. Los hombres, ahora de rodillas, vestidos con ropas sombrías y justas, trajes con altos chalecos que pasaban del ropero al domingo y volvían a él, al sedante olor a clausura y naftalina, después del almuerzo en la mesa alargada con tablas y caballetes. Los hombres, tironeando de las riendas y alentando a los caballos con golpes e insultos ociosos, sus mujeres en los asientos traseros, oliendo a tambo, a sudor y agua de colonia; arriesgándose las muchachas a introducir en el aire de la mañana los perfumes comprados a escondidas en el pueblo o a los turcos vendedores que recorrían las quintas. Charlando sobre trabajos y enfermedades, bodas, embarazos y cumpleaños, metiéndose los dedos en los cuellos de los vestidos para aliviarse el calor, removiendo los pies dentro de los zapatos, acomodándose en los hombros las mantillas con que iban a cubrirse para entrar en la iglesia.

Y todos, en el fondo, debajo de las conversaciones y los ensimismamientos, debajo de las previsiones inmediatas, iban tratando de adivinar qué había pasado desde el domingo anterior, cuáles habían sido los progresos y los retrocesos de aquella suciedad afincada en una casa celeste, en algún lugar de la costa. Iban pensando en la injusticia —merecida, sin embargo— de que el desprecio, la amenaza y el castigo que sostenían desde semanas atrás los sermones del padre Bergner los incluyeran a ellos, a los habitantes de la Colonia. Que ellos tuvieran que sufrir y pagar por las culpas de Santa María, por costumbres y negocios vergonzosos, de hombres de ciudad y de tez oscura.

Y ahora estaban de rodillas, humillados, ofreciendo su silencio y su fe como armas que tal vez aceptara Dios para derrotar el mal. Un momento antes, habían visto subir a Moisés al monte, llamado por Jehová; confundieron al padre Bergner con Moisés y admiraron su ascensión hasta el Sinaí, donde desde seis días atrás reposaba la gloria de Dios. Habían visto a Dios alzar una mano para ordenar al padre Bergner: «Anda, desciende, porque tu pueblo se ha corrompido. Presto se han apartado del camino que yo les marqué. Ahora, pues, deja que se encienda mi furor en ellos y los consuma.» Escucharon la tristeza y la ira de Dios, la vergüenza y la ira del padre Bergner.

Pero, ahora, se habían desvanecido las imágenes resplandecientes, campesinas, familiares, del sermón; ya no presenciaban el diálogo del padre Bergner con Dios ni padecían los errores de la tribu acampada en la falda de la montaña. No se angustiaron previniendo el destino de los zarcillos que Aarón recogía de las orejas, no se afligían, impotentes, ante el júbilo del festín que iba rodeando, desde el amanecer, la grosera majestad del ídolo de oro. Estaban de rodillas, en silencio, turbados. Los labios mudos y móviles parecían empeñarse en saborear toda la amargura obtenible de la amenaza de abandono hecha por el sacerdote, insinuada este domingo con más fuerza que nunca.

El cura Bergner había mantenido, durante una hora, la expresión hermética, separada, antisocial que conviene a un hombre enfermo; no había doblegado los grandes hombros de campesino. Apenas, sus movimientos fueron más despaciosos, trabados por una lentitud sin cautela, distraídos por una obsesión.

La cabeza había estado —cuando no le era necesario abatirla con un golpe brusco, aflojando los músculos para que cayera, como separada de él como un objeto que pudiese desprenderse de sus hombros, golpear y rodar— alzada en un ángulo más abierto que el habitual, apartándose de la altura de las otras cabezas humilladas, de la misma superficie de terrones y espigas, de bordes fluviales, de calles y plantíos que presentaba Santa María al cielo claro de aquel domingo.

La voz del cura había resonado durante el sermón y la misa con una tonalidad seca y despojada, con una perceptible resolución de no ser otra cosa que instrumento de las frases, incapaz de expresar emociones que alteraran, vigorizándolos o aplacándolos, los sentidos de que estaban cargadas las palabras.

El cura había querido ser —cuerpo, ademanes, voz y la mirada recta que no deseaba detenerse y reconocer, que no deseaba ser recogida— un medio imprescindible y anónimo para que fueran dichos y expresados el repudio, la condenación, la imprecisa amenaza. Más eficaz y pavoroso por esta prescindencia de sí mismo, el cura Bergner había trasuntado la invariable fe y el nacimiento de una desesperanza terrena. Pero sólo fue visiblemente dramático en el final, en el murmullo donde hizo agonizar la última frase del sermón, en el prolongado silencio indeciso, reticente, augural con que precedió a las tres palabras de mandato y despedida, en la velocidad con que bajó del púlpito y se escamoteó a las miradas de los feligreses que se incorporaban bamboleándose y entorpecidos, coincidentes en sus suspiros.

Ellos marcharon hacia la luz del verano, se fueron apartando, entre gestos de saludos, sobre el rumor de los pies arrastrados, hacia los *sulkys* y los autos empolvados con que habían rodeado la plaza. Se movieron, taciturnos, desentumeciéndose, alimentando como a pequeños animales débiles, rudimentos de furias, atisbos de resoluciones, hacia el viaje de regreso, malhumorado y tácito, que sólo acortarían comentarios triviales y breves cabezadas; hacia el almuerzo interminable, el alivio de la siesta, el aburrimiento de la tarde ociosa, ardiente, con el insincero bullicio de las visitas, con el crepúsculo perplejo, el zumbido de los faroles a cuya luz blanca se mirarían envejecer, parsimoniosos, ecuánimes, sin sacar conclusiones.

XXVI

Desde la puerta que da al jardín, suelta por misterio esta noche, escucho la risa idiota, vuelvo a saber que todo tiene un final.

Pero, arriba, no hay nadie, nada más que Julita, tirada en la cama, mojándose con perfume el escote y la nuca.

Me mira y sé que yo no cuento aunque le sea imprescindible. Ni mis problemas, ni mi alma, ni mis ganas. Ni siquiera la boina, la pipa, la resuelta angustia de los versos que estuve escribiendo. Recuerdo la luna amarilla y redonda en el cielo disminuido del jardín.

Ahora Julita vuelve a reír pero más despacio, prolongando las pausas, agotando la histeria y el contento.

—Idiotaidiotita —me saluda con cariño.

Está fumando en la cama, vestida con un traje negro de fiesta, con oro en el cuello y en los brazos. Contempla las vigas del techo con una sonrisa perfecta y enfriada. Yo soy el dueño, el indiferente, el cornudo. Voy a sentarme junto al fuego agonizante y lleno la pipa con demora y torpeza.

—Hay una botella entre las bombachas y cosas del ropero. Ahí está la botella. Tomo y escondo, no hay necesidad de vasos entre nosotros.

Bebimos en silencio, alternando los tragos en la redonda botella de coñac. Vuelvo a mezclarla entre las ropas.

Lentamente, apoyándose en los codos, moviendo las grandes caderas, oprimiéndose después los pómulos con las manos, logra sentarse en la cama y vuelve a reír. Nunca tuvo unas piernas tan lindas.

—¿Estoy borracha? —pregunta.

—Un poco sí, parece —murmuro tratando de adivinar el resto que me espera, equivocándome.

—Federico —me dice. No le creo.

—Seguro.

—Federico o lo que yo quiera...

—Claro.

—Traéme.

Mientras vuelvo a buscar en el armario y aparto calzoncillos sin peso ni olor, la escucho:

—Un tordillo, un rosal, una mañana, un perro tullido. Yo me transformaba, era inevitable. Y nunca varió la distancia entre la cama y el *water*.

Le dejo la botella en la falda y vuelvo a sentarme. Oigo con asco el ruido de los tragos, me llama y no contesto. Se levanta para mirar lo que es posible de la noche en la ventana. Pronuncia mi nombre, lo repite como un gato maullando, no espera ninguna clase de respuesta. Vuelve a reír y ahora siento que se ríe de mí y para que la oiga. Me nombra y empieza a desnudarse tirando las ropas contra las paredes y los vidrios.

Los hombros estrechos, los senos pequeños, cada uno, exactamente, para el hueco de una mano; más abajo de la cintura flaca todo se ensancha exagerado, casi bestial. Desnuda, se acomoda en la cama, bebe, se acurruca para la muerte, bebe y me llama. Recuerdo la navaja sevillana en mi bolsillo, la escondo debajo de la almohada y me desvisto. Julita balbucea idioteces, sonriendo, los ojos cerrados.

Separa los grandes muslos para dejarme entrar. Siempre es distinto, es siempre la primera vez.

—Así —dice—, no te muevas.

Hay un silencio en la noche y estoy seguro que lo hizo ella. Al rato la oigo llorar, casi sin añadir ruido. Siento apenas las lágrimas resbalando en la sien, la agitación del pecho. Pienso en un título ya viejo y gastado, tal vez muerto; imagino que el viaje y el resto del invierno han terminado para siempre.

Al rato, después del amor, las palabras prohibidas y el suspiro, habla. Su voz suena en el cuarto, anula los perros lejanos. No me habla, no me cuenta. Describe cosas que está viendo, que ve o recuerda. Más que yo, la escucha mi mano lúcida sobre la frescura de la navaja.

De pronto mueve las caderas, me aparta, me pide un cigarrillo encendido. Ahora está sentada en el borde de la cama; habla de nuevo para el aire grisado por el tabaco, para nadie, tengo miedo que hable para ella. La mano libre descansa entre los muslos; es pesada y fuerte, muy blanca. Dice y la mano asciende, acaricia, separa.

Julita fuma y cuenta; sonríe tan feliz que sufro de envidia y ternura; su cuerpo musculoso ya está, casi, en la adolescencia. Observo la caricia pueril y acompasada de los dedos, espero que no abra los ojos, que sepa, esté sabiendo, que ya no hay motivo para abrirlos.

Tira el cigarrillo, se derrumba en la cama, se arquea como un feto, cierra los puños. Ahora está sin senos, tiene el pubis calvo;

murmura mientras la nariz se le hace diminuta, respingada. Por fin se duerme. Me agacho para besarle los pies, las rodillas.

Sin violencia, cariñosa, la mañana entra por la cortina entreabierta y me va despertando.

Parpadeo frente a la entreabierta penumbra sonrosada de Julita y empiezo a comprender. Semidormido, pienso en la noche y la madrugada, el coñac excesivo, la vertiginosa locura de la mujer, su galope de regreso al pasado hasta tocar peligrosamente el borde de la infancia.

Vuelvo a besarla rozándola apenas para conservar su sueño, su ausencia, la postura impúdica y abandonada de las gruesas piernas. Enciendo sin ruido un cigarrillo y me estiro boca arriba, protegiéndome de mirarla, recuperando el leve terror que me acerca el recuerdo.

Ya no hay diferencia entre noche, madrugada y mañana. Todo es lo mismo, un eterno tiempo presente que me fue impuesto por la locura de Julita. Avergonzado, mientras busco un cenicero, pienso, fabrico la mentira que recitaré a mis padres antes del mediodía, ahora mismo. La más hermosa que se me ocurre, la menos creíble, es la obediencia al impulso de buscar, andando, el alba en las chacras o junto al río. Saben que duermo hasta mediodía pero pueden recordar los paseos de Federico, creer y alegrarse.

Es de noche, madrugada y mañana. Tengo a Julita desnuda, sabia, un poco curiosa y compasiva, enseñándome con un ahínco desesperado todas las formas posibles de la lujuria, de lo perverso, inventando absurdos, riendo tan enloquecida como si creara, cuerda, maneras novedosas. Sin embargo, siento, no hay nada nuevo en la intimidad, en la fisiología exhibida y feliz. Nunca lo hice antes, es cierto; pero lo imaginé y lo quise y lo pensé desde hace muchos años, desde que tengo memoria de mí.

Irrefrenable, con una sonrisa indirecta que se reitera invariada, Julita llena las pausas, los descansos, hablándole al techo y sus vigas retintas, a la nada.

—¿Por qué se tuvo que morir Federico? Digo se tuvo, no pregunto por qué murió. Yo sé lo que hizo. Era un deber a cumplir. Nada tuvieron que hacer las cosas que hemos nombrado. Ni la caída del caballo, ni lo que llamaron pulmonía. Acaso lo haya postergado una vez o diez; no puede saberse. Pero ahora estoy segura de que lo sabíamos, él y yo, que lo supimos desde el principio y con más fuerza cada día, a medida que la felicidad iba criando raíces. Porque la felicidad verdadera no puede crecer, aumentar. Está ahí. Y nosotros nos reíamos, nos mirábamos, nos estábamos tocando con amor. Pero los dos sabíamos, nos abrazábamos sabiendo y locos de miedo y cada uno escondiéndole al otro su terror. De noche nos acostábamos encima del peligro, nos veíamos despertar pensando si sería aquella mañana, aquel día. Él o yo, claro. Temerosos de que le correspondiera al otro cumplir con el deber, horrorizados por la cobardía, el egoísmo de quedar solos, de cumplir con el otro espantoso deber de sufrir y recordar.

»Se parecía tanto a lo que yo había imaginado que casi en seguida se hizo idéntico. Lo imaginaba entre los muchachos de la Colonia y cuando veníamos a Santa María con los padres y las amigas, a la misa de los domingos, a las visitas, a los paseos rodeando la plaza, con aquellos largos vestidos de color y dureza de uniformes. Los veo; ropas que sólo una madre agriada por el trasplante y el desencanto puede cortar y coser para una hija cuyos pechos empiezan a hincharse.

»Después viene el tiempo del internado en el Colegio de Monjas. Flaca, triste, tan solitaria como me era posible; sin hinchazones todavía, presintiendo los secretos y vacilando sobre ellos. No puedo hablar de estupidez si recuerdo a las compañeras. Sólo diré que eran distintas, casi todas hermosas, llenas de celos, malicia y mentiras. Y cada una haciendo su juego, es seguro que yo también, ensayando ese estilo sinuoso y paciente que sólo las mujeres conocemos y dominamos.

»Veo, más adelante, las visitas del cura, las peleas con mi hermano, la cara hosca y envejecida de mi padre dando las gracias como prólogo de las comidas y predicándonos la obediencia, en voz alta y lenta, como sin apuro, como si no tuviéramos hambre. Enorme, enlutado, sin agradecer nunca a Dios los litros de vino que tomaba, solo o con los amigos, invariable, desprovisto de alegría.

»Estoy mirando la gran olla de bronce colgada sobre el fuego de la chimenea. Soy chica; sentada en el gran sillón que nos dejó la abuela, me hamaco mirando desde lejos el ardor de las astillas y las luces de Nochebuena que entreveran las chispas, me hamaco y espero el sueño, la orden de dormir con mi muñeca, porque soy muy chiquita y no quieren que me acerque al fuego.

XXVII

Me puse las ropas con cuidado y terminaba de peinarme cuando escuché la queja leve y prolongada de la bocina del coche de Marquitos. Bajé apresurado para evitar que la voz del Alfa despertara a Julita. Era extraño: los escalones de la vieja escalera crujían más aquella mañana que en tantas remotas noches confundibles. Todavía no era posible llamar mañana a la claridad del jardín, al vapor que se alzaba desde el pasto para engancharse, destrozándose, en el ramaje de los árboles.

Miré alrededor, traté de adivinar qué se traía Marquitos, estuve demorándome en cargar y encender la pipa. Él estaba apoyado en el cochecito rojo, abrigado con una chaqueta de cuero, horizontal en la boca el cigarrillo largo, de humo perezoso. Avancé en el aire frío y gris, me puse la boina, torcida hacia una oreja.

—¿Y...? ¿Qué pasa allá arriba? —preguntó Marquitos indiferente, como si me diera los buenos días.

Encogí los hombros, vacilé entre mentir el hastío o la resignación.

—Lo mismo, siempre. Habla de Federico y llora, habla de Federico y se emborracha. Ahora duerme, debe estar feliz. Cada vez me convenzo más que hay que hacer algo, internarla. Aunque sea a la fuerza.

Marquitos, sin moverse, incrustado para siempre el codo en la portezuela del automóvil, me miró mintiéndome, sonrió y arrastró el cigarrillo a un ángulo de la boca. No estaba borracho.

—Tan amorosamente de acuerdo... —dijo—. Quién te habrá hecho creer que naciste para entender de mujeres. Hacer algo a la fuerza. De un solo cachetazo Julita te aplasta. Así que cuando te acostás con ella, nunca es a la fuerza. Sucede cuando se le antoja a mi inconsolable hermana. Esposa sin tacha, viuda ejemplar. Ya es de mañana. Y desde las once de la noche estuviste oyendo el capítulo mil de la novela Federico. Es cierto; vine a buscarte y te encuentro vestido, correcto, como un caballero. Pero el pelo húmedo, ojeras, cara de sueño. Sabía dónde estabas. Algunas veces espías a Rita; otras veces ella te espía a vos. Tu mamá y Julita se van a llevar un disgusto.

Se rió escupiendo el cigarrillo, arrancándose del coche.

—Si te gusta más así... —empecé a decir.

—No hables de eso. No hay necesidad de explicaciones ni cuentos ni disculpas. Prefiero que te haya elegido a vos. Porque, pibe, nada de sueños. Fue ella. Y en cuanto a que esté loca...

Miró a lo lejos las nubes que se fundían frente al sol en ascenso. Le atribuí mirar la franqueza de la mañana, la injusticia incomprensible de la vida.

—Está loca. Loca desde siempre. Lo tengo observado. Ya era rara antes de la viudez, desde antes de conocer a tu hermano.

—¿Y por qué no la encierran, no la cuidan, no la vigilan?

—Porque yo no quiero. La veo muy pocas veces pero necesito saber que la tengo ahí. Pero no vine a conversar. Vine a buscarte para hacer cosas, para hacer algo. Y no porque en realidad te necesite. Subí al coche.

Obedecí y él se acomodó bostezando frente al volante. Encendió el motor y dijo, mientras esperaba:

—La hora es buena. Es la hora en que se toman las comisarías, los cuarteles.

Me froté la cara con la boina para limpiarme el sueño.

—No entiendo —dije.

—¿No? Es raro —encendió otro cigarrillo sin ofrecerme el paquete—. Debemos andar por las tres o las cinco de la mañana. Es domingo. Y hace muchas horas que no tengo una miserable gota de alcohol en las tripas.

El motor del coche ya estaba caliente y se sacudía. Marquitos seguía inmóvil, recostado en el asiento, dejando que el cigarrillo en los labios se quemara sin ayuda. Cuando habló, lo hizo con una voz lenta y peligrosa.

—Hace tiempo, una noche cualquiera, me prometiste estar conmigo cuando yo me decidiera a esto, a hacer cosas. Ahora, no sé por qué llegó el momento. Podría recurrir a otro más útil, a cualquier basura entre mis amigos. Pero recordé que te había prometido el honor de acompañarme. Al fin y al cabo, somos parientes. Al fin y al cabo, dormís con mi hermana. Y si olvidaste o negás tu promesa...

Rodeados por la bruma, era indudable que estábamos juntos y cansados en el principio de una mañana de domingo y en Santa María. Se empezaba a oler el pasto. Le miré de reojo el cuerpo macizo, engordado en los últimos meses, flojo, indolente sobre el asiento de cuero rojo. La sonrisa se empeñaba en la burla y la humillación. Escondí la pipa antes de hablar.

—No —dije al rato—. No recuerdo ninguna promesa, no me importa ninguna amenaza. Pero te acompaño a buscar lo que quieras.

—No me conociste nunca, pibe.

—No. Fue necesario que otros me hablaran. Lástima, si bien se mira.

—¿De quién te hablaron?

—Olvidé el nombre. Una muchacha, una vasquita. Historia vieja.

En el silencio esperamos y recibimos unidos el intimidado principio del viento, el grito de los pájaros. Después Marquitos se irguió envejecido e hizo saltar el coche hasta los portones. Dobló y corrimos a ochenta kilómetros buscando lo que aún quedaba en aquella hora de domingo. Esta vez sí me ofreció un cigarrillo. Le oí reír a carcajadas, atorarse y toser.

—Un momento —dijo—. Primero tenemos que darnos una vuelta por el Plaza. Al fin y al cabo, uno es un caballero, descendiente de fundadores.

—¿A esta hora?

—No te preocupes. Para mí siempre está abierto.

Me dejó en la esquina del hotel, bostezando los restos del sueño en el aire fresco, en la luz grisada pero ya implacable de la mañana. Volví a morder la pipa, escuché los campanazos de la iglesia; me impuse olvidar la noche anterior, la perversidad mutua y enloquecida que se empeña en alcanzar un más allá, un verdadero final imposible. No podía pensar en Julita con Marcos próximo o a mi lado; me repugnaban los visibles parecidos entre él y su hermana.

Volvió al fin, desde la puerta pequeña del costado del Plaza, con una botella cuadrada en la mano, los bolsillos de la chaqueta llenos de paquetes.

—Sí —dijo mientras se sentaba en el coche—. Bebidas finas y cigarrillos con boquilla para las damas. Nacido en cuna de oro, educado con esmero. Pero olvidaba que tu padre lo escribe mejor. Se especializa en las necrológicas, ¿verdad?

No contesto y el coche arranca, recupera en pocos metros su velocidad anterior, su temblor excesivo. Marquitos silba feliz. Sólo habla una vez, poco antes de llegar:

—Pagaría por saber dónde se habrá metido Ana María. En una de ésas la encontramos en la casita de la costa. Recuerdo que una noche le pedí o le aconsejé que se fuera a vivir allí.

Las nubes corrían sobre la casita celeste cuando llegamos. Marquitos arrimó sin ruido el coche a la zanja que separaba el camino del remedo de vereda. Luego repitió la postura anterior, apoyando el cuerpo sobre la portezuela, y encendió un cigarrillo. El otro brazo sujetaba la botella, el índice hacía girar con lentitud y seguridad la pistola negra.

—Hace meses que espero. Entendeme, pibe. Si no me ensuciara

las manos sería como aceptar que me las ensuciaran ellos. Hay muchos ellos en Santa María.

Se desperezó alzando la cabeza y se puso en marcha en seguida hacia el cielo invariable y celeste de las cortinas, en la mañana de domingo nublada e indecisa. Golpeó la puerta con el mango de la pistola y esperamos un rato. La más joven, la rubia de cara redonda, hizo correr una tranca y nos miró adormecida, tranquila como si hubiera estado esperándonos.

—Buenos días —murmuró hacia la pistola en la mano de Marcos.

Entramos cegados en la penumbra, descubrimos por su orden las mesitas, las láminas en las paredes, las flores mustias y olvidadas, las puertas hostiles de los dormitorios. Un segundo después vimos al hombre sentado a la mesa grande del centro, con el sombrero puesto, haciendo un solitario con naipes franceses, grasientos. Puso las cartas sobre el mantelito bordado de la mesa y nos saludó calmoso.

—¡Hola! —con las manos entrelazadas, Larsen hizo bailar los pulgares.

Marquitos se adelantó paso a paso, dejó la botella en la mesa y fue vaciando los bolsillos.

—Para las señoras —dijo.

—Se agradece.

Marcos acercó las volteretas de la pistola a la cara del otro. *Juntacadáveres* lo miraba distraído.

—Vine a limpiar con todo esto —explicó Marquitos sin alzar la voz—. Y, fíjese, personalmente no tengo nada contra usted. Usted no existe. Sólo que no se me antoja que haya un prostíbulo en Santa María.

La rubia gordita, Nelly, estaba a mi lado, sonriéndome con paciencia y ternura.

—¿Gusta sentarse? —me preguntó.

—No, gracias. Parado veo mejor.

Nelly encogió los hombros y fue hasta la mesa. Rozando a Marcos, alcanzó un paquete de cigarrillos.

—Permiso. Usted dijo que eran para nosotros. ¿Dijo?

Sin contestarle, Marcos continuaba jugando con el arma; la mujer encendió un cigarrillo y estuvo fumando como hambrienta. Después se desplazó perezosa para descorrer una cortina. Sentí que la luz de la mañana no convenía a la escena. La mujer pasó a mi lado y se introdujo sin ruido en uno de los dormitorios. Los dos hombres continuaban mirándose; estaban quietos, uno de pie y el otro sentado; sólo se movían los pulgares de *Junta* y la pistola de Marcos. Al rato, con aire aburrido, *Juntacadáveres* sacó un reloj de plata del chaleco; Marcos detuvo el arma.

—Las seis —dijo *Juntacadáveres* melancólico—. Justo la hora en que pensaba irme a dormir. Después de todo, si bien se mira, se trata de un antojo contra otro.

Marcos apoyó un puño en la mesa, escupió la cara de *Juntacadáveres* y se fue irguiendo lentamente.

—Judío de mierda —dijo.

Inmóvil, mirando de costado las flores del mantelito, *Juntacadáveres* comenzó a sonreír, a rejuvenecer. Parecía separado de nosotros, del momento, por una larga distancia de años. Al fin murmuró, despacio y claro:

—Nada de una cosa y apenas, según dicen, de la otra.

Marcos hizo sonar una risa de burla y se sentó frente a *Juntacadáveres*. Dejó la pistola en la mesa y destapó la botella.

—Ahí, en el mueble, hay vasos —indicó Larsen.

—Jorge —dijo Marquitos.

Me acerqué al aparador y vacilé un momento. Después, sonriendo, llevé tres vasos a la mesa. Marquitos me miró un instante, desconfiado; luego llenó el suyo. Casi en seguida yo derramé *whisky* en el vaso que había traído para mí y en el que había traído para *Juntacadáveres*.

—¿Sabe? —informó Larsen—. Hace mucho tiempo que no uso armas. Que no llevo encima, por lo menos.

Bebimos los tres y en la pausa nos llegaron las voces de las mujeres escondidas.

—Lugger, ¿verdad? —diagnosticó *Juntacadáveres* señalando la pistola. Marcos volvió a llenarse el vaso. No vi restos de saliva en la cara de Larsen. Una de las mujeres invisibles gritó dando órdenes. *Junta* puso a un lado el vaso vacío y estiró un brazo para levantar la pistola. Marcos lo observaba, sin moverse, sonriendo desdeñoso.

—Claro, Lugger —confirmó *Juntacadáveres* con expresión feliz—. Lo mejor que conozco. Por ahí adentro anda una Parabellum. Después les pido a las muchachas que la traigan. Son como hermanas gemelas. Sin embargo, si me pregunta a mí...

Cortés y delicado, colocó nuevamente la pistola junto al codo de Marquitos. Volví a llenar los vasos y bebimos. Me sentí de pronto contento y un poco borracho; el coñac de la noche anterior, la misma noche todavía viva, el poco dormir. Entonces, tropezando y adornadas, alegres, entraron las mujeres para darnos la bienvenida.

Marcos se levantó, hizo una reverencia, dijo su nombre y el mío. Trajo vasos del aparador, distribuyó cigarrillos. Después, sonriente, perdonando, estuvo buscando tangos en la pequeña radio blanca y bailó con María Bonita.

Así empezamos a vivir los seis. No quiero saber cuánto tiempo duramos juntos; estoy resuelto a olvidar, y cumplo, los sucesos de rutina y las situaciones absurdas. Puedo pensar que fuimos felices hasta el final, hasta que el oficial y Medina golpearon la puerta en una hora olvidable y hablaron con Marcos, fingieron no verme, le entregaron a Larsen una copia de la orden del gobernador.

XXVIII

El cura Bergner entró en la sacristía, erguido, a grandes pasos, conservando en la cara —a pesar de la sonrisa que dirigió a tres mujeres viejas y enlutadas que se alzaron de un banco junto a la pared, sollozantes, murmurando frases de confusa súplica— la expresión de enfermedad, de lejanía e insomnio que había sostenido durante la misa. Las oyó hablar y las bendijo; su sonrisa iluminaba con suavidad el sufrimiento engolfado en los pómulos y en los ojos, lo mostraba sin contradecirlo ni magnificarlo. El teniente párroco lo esperaba de pie junto a un ángulo de la mesa, la mano apoyada en un cartapacio, encorvado, admirativo, la mirada inmóvil y brillante.

—Dios dirá —dijo el cura, y las tres viejas enlutadas repitieron, consolándose, con distinta velocidad, las dos palabras. El cura las miró, los ojos acuosos y desteñidos, los iris estriados, con líneas sanguinolentas, con manchas semejantes a las que deja el tabaco en los dedos. Se dejó besar la mano para despedirlas.

Sentado a la mesa, mientras abría la carpeta que le empujaba el teniente, el padre Bergner miró el retrato del Papa en la pared y pensó, vagamente y como si recién lo descubriera, en el calor. El retrato era malo, construido con blancos y negros despiadados, con intenciones enfáticas que desorbitaban los ojos del modelo y convertían en rencor la austeridad de la boca; una paloma geométrica se crucificaba en el fondo, contra un ventanal poblado de imágenes indefinidas.

Lo único importante que contenía la carpeta era un informe de la Liga de Caballeros; después de los nombres y las cifras, la suma de los visitantes del prostíbulo durante la última semana y su cotejo con la suma de la semana anterior, los caballeros pedían permiso para formular sugestiones al Reverendo Padre y aconsejaban «proceder a la publicación de los nombres de todos los clientes del lenocinio, en los casos en que puedan ser obtenidos, empleando los medios que se considere conveniente arbitrar. La verdad no debe avergonzarnos».

—Dicen que el judío... —empezó el teniente; la entonación española, neta, gutural, hizo que se levantara la cabeza del cura—. Bueno, ese hombre que trajo las mujeres. Dicen que se va, que deja el hotel y se va al Rosario.

—Puede ser, no importa —dijo el cura—. No estamos luchando contra él, ni contra Barthé, ni contra esas mujeres. No luchamos contra nadie en particular; luchamos contra el mal.

—Yo, nada más, decía... —se quejó el teniente—. Si se va de veras...

—Gracias, te agradezco. Siempre me parece bueno aclarar que no queremos perseguir a nadie. Queremos que Santa María despierte, que el pueblo mismo quiera salvar sus almas.

Sonriendo, con una expresión de anciano que se disculpara sin humillarse, el padre Bergner escarbó en sus bolsillos y desplegó un pañuelo para secarse la frente y el labio. El retrato ocupaba un tercio de la altura de la pared; era un regalo, era malo y desagradable de mirar, era un símbolo, alternativamente, de que las buenas intenciones no siempre bastan y de que quien da lo que puede da todo. Ahora, en el calor, como deslumbrado, adormecido por la sensación de aquel verano que se alejaba tostando los pastos, el cura se abandonó a pensar los temas que había explicado tantas veces en las noches de invierno. Conocía al hombre que de niño hizo el cuadro, había visto, una o dos veces cada otoño, desde que el retrato fue colgado en la pared de la sacristía, aquella cara de treinta años que se aferraba a la adolescencia por motivos que el cura no podía comprender. Se acercaba siempre, cada otoño, acompañado de su tía, la directora de la escuela, después de la última misa. Y fue su tía quien trajo el cuadro a la iglesia y lo ofreció con una emocionante seguridad de estar conquistando con su dádiva una recompensa que nadie podía otorgarle en la tierra. Parecía necesario creer que el cuadro lo había pintado ella, dudar de la existencia de aquel sobrino pintor, y sospechar que el horroroso retrato tenía un significado inasible, un valor secreto y fabuloso. Pero el sobrino existía; aquel muchachito que había decidido fugarse en algún tiempo de fecha imprecisa, con nada más que la ropa indispensable, el boleto del tren, un par de pesos y los pomos de pintura comprados, vaya a saber cómo, a un viajante de comercio. Ahora el pintor, de regreso del misterio y del silencio, había instalado un taller en el Mercado Viejo.

El cura sabía, sin ir más allá, una vez y otra, que el simulacro de la juventud estaba determinado en el sobrino por cosas más graves que la vanidad; o por una vanidad distinta, más importante y difícil de perdonar que la que impulsaba a la tía achacosa a pintarse las mejillas y esconder el pelo blanco con el peinado, con el sombrero redondo resueltamente horizontal que aún usaba para venir a misa.

El teniente bostezó de hambre, alzando una mano que llegó tarde a la boca; el padre Bergner miró un segundo el rostro huesoso, afeitado y oscuro. Como un gordo moscón del verano, el mal humor revoloteó entre los dos hombres, chocó contra sus frentes.

—Van a venir las señoritas de la Liga en seguida del almuerzo —dijo el teniente—. Las tiene citadas. Preguntó la mujer si puede servir.

Volvió a bostezar, ahora detrás de la peluda mano encorvada, mientras el cura se iba levantando y pensaba nuevamente en el calor, trataba de descubrir un sentido importante e inédito a la imagen de la ciudad y las quintas en paz bajo la intensa blancura de la siesta. Manoteó el pañuelo, seguro de que olvidaba algo, de que alguna cosa se desperdiciaba para siempre.

—A las tres en punto recibiremos a las señoritas. Ahora vamos a comer.

Tocó con suavidad el hombro del otro para encaminarlo hacia la puerta.

—¿Entiendes? Te agradezco que me hayas dado ese informe; puede ser que sea importante, en cierto sentido. Pero no quiero, no debemos personalizar. Ésta no es una lucha política.

Por el corredor, más fresco, sobre el zapateo del teniente en las baldosas rojas y regadas, el cura iba pensando que la miseria del hombre llega hasta quitar grandeza a las desgracias que debe atravesar, a convertir en anécdotas los símbolos trágicos.

—Yo le contaba porque andan diciendo —insistió con tristeza el teniente, detenido en el olor a comida, frente a la puerta del refectorio—. También dicen de usted; dicen que usted se va.

El padre Bergner volvió a tocarle el hombro y sonrió maquinalmente, antes de saber qué quería expresar con su sonrisa. La cara del teniente parecía irse ennegreciendo de barba y la mirada vidriosa transparentaba con cautela la curiosidad, un amor deslumbrado y aprensivo.

—Deja que digan, hijo —respondió el cura—. Vamos a comer.

Entonces el teniente avanzó un paso en el sentido que indicaba la presión de la mano del sacerdote en su hombro; pero se detuvo en seguida, hirsuto, doloroso, mirando las manchas de colores de las tres botellas en la mesa tendida.

—Es que me han dicho también, padre, algo que no quieren que usted sepa. Pero yo no puedo callarme. Estuve rezando toda la mañana y ahora sé que tengo que decírselo. Y aun así... Me han dicho, pues, que su sobrino está en el prostíbulo.

—¿Mi sobrino? —el cura arrugó la cara, incrédulo, en desconcierto, apenado después por la seguridad indudable de que también él estaba unido a otros por el vínculo de la sangre—. ¿Cómo que está allí?

—Sí, padre —ronroneó el teniente, encogido bajo la mano del cura, pesaroso y culpable—. Marcos Bergner, su sobrino. Llegó anoche a la casa y allí se quedó. Dicen que todavía está el auto en la calle, frente a la puerta.

Avanzaron separados, sin ruido, acortando los pasos y la inclinación del cuerpo, como si se deslizaran sobre las húmedas losas en damero, como si se entendieran, como si hubieran ensayado la escena. Junto a la cabecera de la mesa, la mano y la expresión del cura autorizaron a los demás a sentarse. El padre Bergner pensó con objetividad, preparándose: «Marcos Bergner, Marquitos. Creía haberlo visto esta mañana, como todos los domingos, en la iglesia. En realidad, no me sorprende. Nunca me gustó oírlo en confesión. Es joven; físicamente se parece a mí.»

De inmediato se sintió pronto para valorar el escándalo, medir sus consecuencias y utilizarlas; durante todo el almuerzo, interviniendo puntual y distraído en la conversación, fallando en pleitos sobre fechas, exactitud de recuerdos y sabores de vinos, podía imaginar el pequeño coche rojo de Marcos abandonado en los terrones grises de la calle en pendiente, brillando como una fogata bajo la blancura del sol, llamativo e inconfundible, frente a las maderas clausuradas de la casa. Doblado sobre los platos que la vieja acarreaba con pausas larguísimas, espantando con la servilleta el zumbido de las moscas, separándolo del rumor de los tragos y la masticación, se le ocurrió que tal vez no hubiera sido el diablo quien condujo a Marcos hasta el prostíbulo, la noche anterior.

Deseaba estar solo y de rodillas, agradecer aquella sensación confusa sobre el calor y los paisajes de Santa María en la hora de la siesta, aquella imagen premonitoria que podía incluir un automóvil rojo en una callejuela perdida, con disimulo, frente al resplandor celeste de una casita pobre, allá en la costa ignorada.

XXIX

Marcos Bergner recibió la tarjetita a las ocho de la noche en el bar del Plaza. Había anunciado a María Bonita:

—Me voy unas horas de vacaciones. Cuidame al chiquilín. Y escondelo.

En el Plaza pensó vagamente que su tío debía estar ya enterado de su particular aventura prostibularia. La tarjeta lo invitaba a entrar en la iglesia una hora más tarde, por la puerta del costado, a reunirse en la sacristía con el cura, un zapatero, un rematador, un granjero, un estudiante, un acopiador de cereales, un abuelo suizo alemán.

Entre dos copas, mientras rompía la tarjeta, analizó burlón el nombre «Liga de Caballeros» e informó a los amigos del mostrador:

—En este país no se puede hacer nada. Todo está sucio y gastado. Pero tal vez nos equivoquemos al resolver qué es lo importante y qué no. Hace más de una semana que desapareció Ana María. Alguno de ustedes debe saber dónde está escondida. Y si alguno lo sabe, lo saben todos, con excepción de Marcos Bergner. Lo que prueba que todos ustedes, mis queridos amigos, son hijos de perra. Categoría indispensable para lograr la igualdad entre los hombres. Pero hacen bien. No quiero ir a buscarla. Que vuelva sola; nos vamos a divertir.

Pidió otra copa mientras volvía, lentamente, a sentirse feliz y joven. Afuera terminaba el verano y los canteros de la plaza vaciaban su último perfume; el río estaba quieto contra el muelle, la Isla de Latorre, la próxima costa de enfrente. Afuera estaban, otra vez y como siempre, todas las posibilidades: la de negarse, decir que sí, inventar algo distinto y sin pasado.

A las nueve y cuarto le dijo al *barman* que todas las copas las pagaba él y sonrió mientras buscaba una mentira, mientras se preguntaba si alguno en el mostrador podía merecerla.

—No soy egoísta. Una noche de éstas los llevo a todos, en cuanto me aburra. Pero algún derecho tiene el adelantado. Ahora no sé si volver al prostíbulo o meterme en la iglesia.

Durante unas cuadras hizo retumbar el estrépito del coche rojo, alejándose de la ciudad, en dirección a la costa. Después dobló en silencio, regresó por calles oscuras y desparejas hasta detenerse en la sombra, a cien metros de la iglesia. Sobre la puerta estrecha se disolvía una luz cauta y amarilla. Entró sin golpear, atravesando olores de cera, de vejez, de benjuí o incienso. En alguna remota mañana su madre había encendido perfumes semejantes, soplando un humo indolente para expulsar de la casa al diablo, la enfermedad y la mala suerte. Se detuvo un momento para escuchar las voces en la sacristía. «Los mejores debemos reagruparnos en los momentos de peligro», había escrito el cura Bergner en su tarjeta. Marcos golpeó la puerta con un dedo e hizo avanzar su sonrisa insolente entre frases que referían a la profilaxis y al alma inmortal. Alrededor de la mesa oblonga, los mismos pobres tipos que había imaginado.

—Te estábamos esperando, muchacho —saludó el cura en un tono apenas exagerado de regocijo y entusiasmo.

—Sigan hablando, por favor —pidió Marcos.

Deshizo unos pasos y luego retrocedió hasta apoyar las espaldas en la pared. Sacó un cigarrillo y estuvo escuchando el silencio, la molestia y la estupidez. Regresaban las palabras mal zurcidas, los lugares comunes, los entreverados discursos. Inclinando la cabeza sobre el chaleco tirante del vendedor de zapatos, alguien propuso:

—Señores, ya que nuestro amigo Marcos Bergner ha querido honrarnos con su visita, creo adecuado darle cuenta...

Marcos separó el cigarrillo de la boca y fue extendiendo un brazo para negar:

—Gracias. Pero no vine a la reunión de la Liga. Tengo que hablar con mi tío. Cuestiones de familia. Y es urgente.

Se disculpó moviendo la cabeza mientras el cura abandonaba el sillón de alto respaldo y se le acercaba lento, pisoteando el brusco silencio.

—Perdón otra vez —dijo Marcos.

En la larga soledad del refectorio, cada uno en las cabeceras de la mesa desnuda e interminable, el cura y el sobrino estuvieron mirándose.

—¿Qué pasa, Marcos? —preguntó por fin el padre Bergner—. Nada de lo que dijiste, estoy seguro.

—Nada. Todo sigue bien, igual. Julita, loca. En cuanto a mí, no es necesario el secreto de confesión. Toda la ciudad, todos esos imbéciles reunidos saben que me instalé en el prostíbulo. Pero se trata, apenas, de un viaje de turismo, un corto reconocimiento del terreno enemigo.

El padre Bergner volvió la cara hacia la puerta de la sacristía donde las voces se alzaban nuevamente, coléricas, confusas. Sonrió divertido, se restregó calmoso el empecinado mentón y fue a sentarse en otra silla, próximo a Marcos.

—Más juntos para no gritar —explicó.

Marcos asintió, estuvo palpando una silla y por fin quedó sentado sobre la mesa enfrentando directamente la expresión inteligente del cura.

—Total —se excusó—, para lo que comen los santos...

—Mucho. Y no importa. Tampoco interesa, en lo esencial, la vida estúpida que estás llevando. Irte al prostíbulo no era más, para ti, que hacer lo que llaman, tus amigos, una hombrada. Y, sin embargo, sin saberlo estabas ayudándome, sirviendo mi causa.

Marcos sonrió mientras buscaba otro cigarrillo; después estiró una mano para acariciar cariñoso la frente del cura.

—Eso me gusta, tío y padre —dijo—. La inteligencia, las astucias, el juego. Después de todo, es cierto. Estoy allí como un aliado suyo. Y es posible que no lo haya hecho de manera inconsciente. Que no haya invadido el prostíbulo sólo para anotarme una hombrada, como dice usted. Ahora, algo tiene que pasar.

—Sí —dijo el cura. Sacó un pañuelo y estuvo jugando con él, lo estiró sobre las mejillas y la nariz—. Algo. Pero, si no te molesta, quiero aprovechar tu visita para preguntarte por tu hermana. No estás borracho, ¿verdad?

—No puede ser. Estoy siempre borracho; en consecuencia, nunca estoy borracho. A esto le llamamos alta casuística. Difícil de explicar.

—¡Oh, se entiende! —tranquilizó el cura—. ¿Y cómo te va en la casita de la costa?

—Como a un Bergner, padre. Fui, vi y vencí. Sigo viendo y ya no hay victorias. Me emborracho con el increíble *Juntacadáveres,* jugamos a las cartas, nos contamos por turnos mentiras bien hechas. Espanté a dos o tres cretinos y no tengo otro remedio que abusar del derecho de pernada. Un tanto modificado, es cierto. Pero, mal o bien, es necesario respetar las tradiciones.

—Bien —dijo el cura—, me basta. ¿Y Julita? Me preocupa y no entiendo. No ha vuelto a misa, no quiere visitarme ni recibirme. O, acaso, sean los Malabia. Que la alejen de mí, de Dios. Pero Julita sabe que no soy hombre para sermonear o discutir.

—Salvo...

—Salvo cuando me lo piden o se lo están pidiendo. No es éste el caso y tú lo sabes.

Marcos enderezó el cuerpo y miró alguna Madona en la pared por encima de la cabeza del padre Bergner.

—Que alejen a Julita de Dios... —repitió con ternura, suavemente, saboreando la frase, sin mover casi el cigarrillo colgado de los labios—. No, nada tienen que ver los Malabia. En cuanto a mí, nunca he visto a nadie vivo tan cerca de Dios como ella.

El cura lo ayudó en la pausa; estuvo otra vez jugando con el pañuelo mientras uno de los invisibles caballeros alzaba su voz de flauta entre risas cortas y desafiantes.

—¿Por qué no se irán a la puta? —murmuró Marcos.

—No te apures. Pronto se irán a casa. ¿Y el chico de los Malabia?

—Es fácil. Hablábamos de Julita. Y yo le digo que nunca vi una mujer tan llena de amor. Tan absolutamente loca, tan restallante. Entienda. Tan indiferente a todo eso que llamamos mundo, al olor de ropa con mugre agria que le llena el dormitorio. Cree en Federico vivo. Y lo llama a Malabia chico para exagerar a dúo los méritos del difunto. O para tener un oído que la escuche, un coro tal vez. Hay que dejarla y esperar. Entretanto, reza.

—Esperar —comentó el cura, sacudiendo la cabeza—. Un poco de tabaco, Marcos.

Marcos le pasó el cigarrillo que estaba fumando; el cura dio dos largas pitadas y lo devolvió.

—¿Esperar qué? Esperar a que Julita, sola y rodeada por ustedes, termine aceptando para siempre la locura que eligió como refugio. Quiero verla.

—La verá —prometió Marcos; luego se puso a reír—. Ya imagino la entrevista. Usted a la altura de las circunstancias. A la altura de Federico el Hermoso y Julita la Loca.

El padre Bergner lo aplacó alzando una mano.

—Ya no gritan. Es peligroso. Tengo que ir con ellos. Alguna vez hablaremos. No sé, no puedo saber cuándo. En todo caso, será sin alcohol y después de una misa de once, la hora de los sepulcros blanqueados. Pero te pregunté por el chico de los Malabia. ¿Dónde está? Vino la madre a verme. Cree que se fue contigo.

—¿Conmigo? —fingió ofenderse Marcos—. Habrá disparado a la Capital. Le juro que no sé nada de ese idiota. Habrá disparado de lo que sobra de su asquerosa familia. No soy el guardián de mi concuñado.

El cura se alzó con una mirada irónica y tolerante. Se observaron un rato, se estudiaron los parecidos. Ya con una mano en el pomo de la puerta, el padre Bergner dijo:

—Para mayor gloria de Dios, Marcos Bergner, te bendigo. Quiero pedirte algo muy importante. Te pido que vuelvas al prostíbulo. Que te quedes allí, por lo menos, hasta la noche del domingo.

Marcos se inclinó desde la mesa:

—Queda prometido. Será mi penitencia, padre.

XXX

Díaz Grey estaba tomando cerveza, solo, en la mesa junto a la ventana del bar del Plaza. No hacía fresco pero las cortinas bajas cortaban horizontales la luz de la tarde del domingo e imponían una inconvincente penumbra, una frágil sombra de patios cerrados y húmedos, de dormitorios protegidos del calor desde la mañana.

Ellos, los cuatro chicos y la muchachita, bebían refrescos y copas de caña o coñac, cerca del mostrador, en una de las mesas de mimbre que sacarían a la vereda cuando el sol bajara. Se movían poco y con cautela, refrenando la vehemencia sin lograr suprimirla, desafiando cada uno, alternativamente, las miradas de los demás, con un rostro rubio, tostado, envejecido. Estarían entre los dieciséis y dieciocho años, aunque la muchachita flaca parecía más joven; tenía pantalones de terciopelo marrón, remangados, una camisa a cuadros y fumaba con los codos sobre el mantel, quitándose el cigarrillo de la boca regularmente, una vez con la mano izquierda —dos dedos cortos y fuertes, descuidados, sin anillos y casi sin uñas— y otra con la derecha. Tenía empeño en evitar que su cuerpo participara de la risa y se conservaba quieta, ajena, sin un temblor de la cabeza, mientras dejaba sonar su carcajada seca, aguda, interrumpida siempre antes de declinar.

Díaz Grey sabía que era sobrina nieta del viejo Petrus, el de la fábrica de conservas, el negocio de loteo para el balneario, el astillero, pero no recordaba quién era su padre, cuál de las sobrinas del viejo Petrus la había puesto en el mundo. «Y tal vez yo la estuve ayudando a nacer, a ella o a una prima, en alguna casa de ladrillos de la Colonia, espantando a mujeres calmosas y blancas para que me dieran más litros de agua hirviendo, en alguna cocina con manchas y olor, inmortales, de humo, fritura y humedad. Y no puede ser cierto porque no hace tantos años que Brausen me trajo a Santa María; y aunque no pueda ser cierto, es verdad que estamos separados por un tiempo equivalente y es verdad entonces que yo la alcé entre las piernas lechosas y ensuciadas de una de las sobrinas del viejo Petrus y la tuve en el aire, anfibia, viscosa y morada, y le di un par de golpes en las nalgas hasta que lloró un llanto breve y frío, impersonal, como esta risa que obliga a sonar, expulsa, frente a los cuatro granujientos aspirantes a la primera blenorragia que la tratan en camarada y se despreocupan ostentosamente de los menudos pechos con que ella infla, apocada, su camisa de chacarero.»

El muchacho de gris apartó su vaso para inclinarse sobre la mesa y murmurar ceceando, sintético, la historia de un método científico para acertar a las carreras y del hombre que lo construyó, lo puso en práctica en Mar del Plata y en la Capital y estaba ahora adjudicándose las recompensas adecuadas en París o en El Cairo. «Dicen que Marcos Bergner se fue a vivir esta madrugada al prostíbulo con una pistola cuarenta y cinco y la ropa que llevaba puesta. Pero el tío, el cura Bergner, no aludió para nada al suceso en el sermón de esta mañana, no habló del hijo pródigo, ni de la oveja descarriada, ni eligió en la Biblia el más próximo ejemplo de apostasía. Porque el tema del becerro de oro, ya gastado, era el de la apostasía de todos nosotros, su pueblo, y no avisa ni ejemplifica la personal, más asombrosa, de un sobrino dilecto, antisemita, antiliberal, antiyanqui, antisoviético.»

El más rubio de los muchachos encendió un cigarrillo y mantuvo una sonrisa, mordaz, reticente, amansada, hasta que el humo la dejó, desnuda y visible.

—Sistemas —dijo cuando lo miraron—. Que ésta les cuente lo del *Gaucho* y *Mirón*. Van a ver lo que son sistemas para jugar. El juego es el juego. —Tenía un traje azul, muy ajustado, de tres botones que abrochaba esforzándose, de solapas cortas, con un monstruoso jazmín fresco en la izquierda; la camisa de seda amarillenta, sin corbata, abría las puntas del cuello sobre la tela del traje y sustentaba, como una aleatoria base de yeso, la cabeza dorada cubierta por rizos cortos, incongruentes, educada en la sensatez y la indiferencia. La muchacha se puso a reír y esperó.

Ahora, de pronto, aprovechando un silencio, la tarde reveló que pasaba, que no había prometido eternizarse en el salón del hotel ni eternizar la penumbra cálida, las líneas de oro y polvo en las ventanas, el quinteto de adolescentes en los sillones de mimbre, los ruidos claros, exentos de hielo, vidrios y fichas que sonaban en el mostrador, falazmente lejanos, ilusoriamente comprometidos en la corroboración de un símbolo. «A todos ellos los ayudé a nacer y tal vez estuve imaginando una especie de superioridad encima de sus alaridos, de sus cuerpos lívidos y miserables, tal vez imaginé que ellos aceptaban deberme alguna forma del agradecimiento. Y ahora llegaron a los quince años y empiezan a ocupar sus sitios y a desplazar, empiezan a creer que la vieja aventura tediosa y apasionante, la interminable reiteración de lugares comunes, se inicia con ellos y que ellos la van descubriendo y creando. Y es verdad, tengo que aceptarlo; ellos van haciendo, entusiastas y sumisos, uno a uno, los capítulos de la inveterada historia y no saben que ella estaba antes, que vuelve a hacerse con ellos, que los hizo y los hace a ellos para consumar su porfía maniática.»

—Vino *el Gaucho* el domingo, a esta misma mesa —recitó la niña Petrus con una voz monótona, con agudos que se alzaban sin dificultad a través de una deliberada ronquera—, vino y me dijo que iba a jugar veinte y diez a *Sureño* en la quinta y que si yo quería mandar algo. No hice un gesto y le dije que sí y le puse cien pesos al lado de la mano, entre la mano y la copa. Ustedes no estaban, se acuerdan de que el domingo me fallaron, por el cumpleaños de *la Cota*. Pero *el Gaucho* vino y yo estuve sola aquí desde el almuerzo hasta las tres; el otro mozo, el italiano, haciendo chistes. Porque estaba sola y quieta. Yo le seguí la corriente y me reía. Si a las tres no venía nadie me iba en la bicicleta a pasar la jugada. Y nada más que por un sueño, había soñado con el chico de la mujer del Mercado Viejo, tiene tres años, que me seguía hasta casa y yo me iba a dormir y me miraba con la cabeza asomada a la puerta. De veras. Me miraba hasta que lo empujé y cerré la puerta y después lo veía mirando desde la ventana. Entonces, al otro día, miré el diario y dije *Mirón,* le voy a jugar a *Mirón.* Y *el Gaucho,* cuando le di la plata y estuvo riéndose de mí y de todos ustedes porque me habían fallado y se habían ido al cumpleaños, hizo cara de asco y me dijo que estaba loca. Él sabía que ganaba *Sureño,* sabía que *Mirón* era un burro. «No quiero ayudarte a tirar la plata.» «*Gaucho* —le dije—, mirá, no me importa; si no vas me subo en la bicicleta y paso yo la jugada, como voy a hacer ahora porque tengo el capricho.» Al final agarró la plata y se fue. No cobró él la jugada, le dije a mi hermano; *Mirón* vino a veinte y ahora lo estoy esperando *al Gaucho* para refregarle los billetes en la nariz.

—Sistemas —dijo el muchachito sin corbata, y se levantó para ir al teléfono.

Díaz Grey pidió más cerveza y fue comprobando en la luz que le caía en la mano la debilidad de la tarde.

Villa Petrus había seguido creciendo en el sur; junto a la playa. Siguió creciendo sola, con indiferencia de Petrus, que la planeó como un gran negocio balneario. Al no lograr de inmediato el apoyo de Veronentas que necesitaba, Petrus se desentendió. Fueron los jóvenes de la Colonia los que empezaron años después a edificar casitas en Villa Petrus, principalmente para los fines de semana y para sus excursiones amorosas. Al principio con las chinitas; después con sus iguales, las hermanas de sus amigos, aquella clase de chicas con la que es posible, aunque no forzoso, casarse. Así que, después de años, de este crecimiento y esta preparación clandestina, de golpe nos enteramos que Villa Petrus era un lugar, el lugar de moda. Quedó establecida la necesidad de ser dueño de una casita próxima a lo que llamaban la playa, aunque allí la arena no fuera diferente a la oscura, mezclada con tierra, barrosa, que se extendía por toda la costa de la región. Y, ridículamente, la casona inicial de Petrus, levantada sobre una loma y que había sido como la piedra fundamental del balneario, fue convertida por su propietario actual en casa de pensión.

En algunas quincenas de verano casi llegaba a llenarse con turistas que venían, los más lejanos, de cinco o seis kilómetros para respirar el mismo aire y admirar un paisaje aproximadamente igual al que hubieran podido ver cada día, si lo hubieran querido, en el lugar en que vivían y trabajaban durante todo el año.

Pero Villa Petrus fue bien pronto, para quienes supieron observar, algo más que un remedo, desparejamente feliz y meritorio, de una ciudad balnearia. Algo más o algo esencialmente distinto a la ambición que declaraban los nombres de los «hoteles»: Ostende, Biarritz, Monte Carlo, Lido, Atlantic. No ofrecían, casi ninguno, más que un dormitorio, abandonado en verano por hijos o cuñadas del hotelero que iban a agruparse, por la duración de la «temporada», en las pocas habitaciones restantes, o en galpones y garajes; sólo había dos con un par de decenas de habitaciones, el viejo y el nuevo, el de madera y el de cemento.

El pueblito, el no muy convincente amontonamiento de casitas, con pocas diferencias, aparte de las que podían imponer sus dueños en los colores de la pintura de los frentes, porque Ferrari, empresa de construcciones, las hizo casi todas y de acuerdo a un modelo convencional de chalet suizo que él no estaba capacitado para variar en mucho, se alzaba sobre alturas diversas, rodeadas por yuyos salvajes que ningún esfuerzo civilizador o estético y tampoco ningún verano logró matar, separadas del río por jactanciosas hileras de tamarindos que nunca crecieron ni fueron necesarios. Simbolizó primero, y después fue en realidad, una especie de bastión o de isla donde, sobre todo en los meses de estío, se cumplía la vida social de esta nueva generación de la Colonia, con prescindencia de Santa María y, principalmente, de sus habitantes. Así, año tras año, y cada vez con mayor intensidad, resolución y un desprecio que no necesitaba ser comentado y tal vez ni siquiera del todo consciente, los hijos y los nietos de los colonos fueron relegando a Santa María, de diciembre a febrero, a la bien delimitada condición de centro social, a un lugar donde no había más remedio que acudir para hacer compras, depósitos en la sucursal del Banco o reclamar cartas en el Correo.

Pero Santa María, ella misma, no llegó a enterarse nunca de aquella excomunión espontáneamente organizada. El desdén de los jóvenes gringos, apoyado con naturalidad y solidez por sus padres —que fueron sustituyendo las improvisadas, aventureras casitas de tablas por casas de verdad, con tejas y decorativas escaleras de lajas, casas a las que sólo convenían familias numerosas, y no furtivas, parejas o pandillas—, no era de las cosas que podrían interesar y menos herir a la ciudad que aumentaba a saltos, a cada venta de cosecha, su población y su riqueza. Sólo se enteraron los muchachos que en alguna tarde o noche de verano y de sábado decidieron ir de Santa María a Villa Petrus para divertirse en por lo menos un lugar, un cafetín distinto.

En aquel entonces había en la Villa dos sitios donde se podía beber alcohol y hasta bailar: la Confitería Las Brisas y un negocio minúsculo que sólo abría de noche, llamado Wilhelm y conocido por la *boîte.*

«Estamos, estoy, en todo caso, en Santa María, a fines de un verano y al costado de la anécdota del prostíbulo de la costa, la anécdota del boticario Barthé, el cura Bergner, María Bonita, *Juntacadáveres,* y, más o menos hacia el fondo, todos nosotros, el resto, la ciudad y la Colonia. Estamos ahora, en este domingo, en la etapa de los anónimos apocalípticos y encadenados, estamos buscando el sentido, la importancia, las consecuencias del hecho, tan fácil de contar en apariencia, de que Marcos Bergner, sobrino del cura, haya entrado esta madrugada en el prostíbulo, con una pistola cuarenta y cinco en la mano, y se encuentre todavía allí, según confirma con escándalo su automóvil de media carrera, pintado de rojo, atravesado en las huellas de la calle de tierra.»

XXXI

En aquel entonces empezamos a sentir que disminuía la fe en la existencia de una desengañada, madura, empeñosa redactora de anónimos; que ya no creíamos en los rasgos, vestimentas, idiosincrasia y forma y extensión de su sombra en las paredes, con que habíamos construido a la imaginada solterona, señorita mayor, suiza, rubia, flaca y alta, llena de fuerza y contenidas brusquedades al moverse.

El verano ardía y las puertas y las cortinas de las casas se conservaban cerradas desde el almuerzo hasta el anochecer, separando del sol patios y dormitorios, edificando una sosegada frescura que tenía como centro, siempre, vasos con jazmines en los que crecía velozmente el mismo tono pardo de las frutas podridas.

No podíamos ya creer en una penumbra que contuviera el busto transitoriamente encorvado de la escritora, la blusa de encaje, las visibles clavículas con el camafeo sostenido por una cinta negra, la sonrisa cansada, la nariz implacable. No veíamos ninguna oscuridad de siesta atravesada por su ir y venir de la comida de los gatos al riego de las plantas y nos era imposible ubicar la zeta de calles que debía ella recorrer en la madrugada para asistir a la misa primera. La zeta o ele de calles sonoras de gallos y pájaros que ella trotaba, tocándose la nariz, cada media cuadra lívida, con el pañuelito que guardaba en la manga.

Y también habíamos perdido la fe —y esta privación era más grave— en la existencia del coro con sordina de muchachas que se reunía, según se probó, en casa de Julita Bergner, la viuda de Malabia. Las muchachas que iban a tomar té, reírse con falsos motivos y sin convicción, espiar los rincones del dormitorio de Julita y su cara alucinada, su secreto dado y escondido por los gruesos párpados bajos, por la obsesionada, suave alegría que le alzaba los extremos de la boca. Espiar con el mismo disimulado interés con que espiaban el porvenir, los ojos de los hombres, los cielos ambiguos de las vísperas, el contorno foliáceo y taciturno de sus sexos entreabiertos sin consecuencia frente a espejos descolgados en el cuarto de baño.

Ya no creíamos en la vieja ni en las muchachas. El tono de los últimos anónimos, sus anatemas remotos y depurados, la deliberada prescindencia de ataques personales, la misma vulgar, terrena, solicitación final a sacar copias y enviarlas «a las almas que tú sepas pueden necesitar este aviso» nos impulsaban a imaginar que las cartas caían del cielo a los buzones, una hora antes de que el cartero montara en su bicicleta; a imaginar que un ángel gigantesco se encorvaba para escribirlas, contra el techo de la sacristía, flanqueado por los rezos del cura Bergner (arrodillado y prescindente) iluminando con el oro de su cabeza redonda y caída el retrato del Papa en el muro, haciendo de plata blanda y cálida el cuerpo de la paloma en cruz.

De esta época, la última, se conserva un ejemplo que puede confirmar o hacer más comprensible lo que dijimos: «El pecador de manos sucias debe saber que la amistad con el demonio es enemistad con Dios. Basta resistirse al diablo para que él huya; no hay, pues, excusa. Vuestra risa será lloro y vuestra alegría aflicción porque el rostro del Señor está sobre los que hacen mal. Si Dios condenó a destrucción las ciudades de Sodoma y Gomorra, tornándolas en cenizas, sabrá atormentar a los pecadores de Santa María.

»El Señor te reprende. Debes sacar tres copias de esta epístola y hacerlas llegar a las almas que tú sepas pueden necesitar este aviso.»

Y descubrimos que siempre hay tres para cada cosa, aunque a veces no haya dos o cuatro; siempre hay tres, supimos, para recordar como hermanos, para deformarlos hasta que coincidan con nosotros, tres con los que se puede estar en silencio, sonreírles, no explicar. Quizá sólo quisiéramos, cada uno, molestar a tres; quizá sólo nos interesaba suponer sus caras inclinadas sobre los anónimos que copiábamos e íbamos a echar por la noche en el buzón del correo. Suponer qué recuerdo, qué arrepentimiento íbamos a evocar para ellos, para cada uno de los tres que habíamos elegido.

Antes que sucediera nada de lo que importa contar, aquel domingo fue premonitorio, doblemente señalado por el fin de la invasión de jazmines y por la ausencia en el sermón del cura de toda frase que aludiera al prostíbulo de la costa. Esto último puede atribuirse al talento literario —opinión del librero Sabatiello— o táctico —opinión del doctor Díaz Grey— del padre Bergner.

La ciudad amaneció libre de los muchachitos descalzos que habían apretado contra las sucias camisas, cruzadas diagonalmente por el tirador, los ramos de jazmines envueltos en papel de diario; libre de las mujeres con inútiles delantales sobre los pobres vestidos, que habían llegado cada mañana desde las quintas, arrastradas por caballos lánguidos y peludos, o a pie, sosteniendo en las cabezas, encima de un rollo de trapos, las canastas que desbordaban la blancura excesiva, el perfume lunar de las flores.

En cuanto al padre Bergner, prescindió también, aquel sospechoso domingo, de la impasibilidad, que tanto lo separaba de sus fieles y que éstos sufrían tal vez más dolorosamente que las palabras de reproche y amenaza. Prescindió del melancólico, exhibido orgullo que lo hacía erguirse solitario, un metro por encima de la multitud silenciosa, ajeno, irrevocablemente resuelto a cargar con las culpas que sus hijos toleraban y no eran capaces de evitarle. Como de costumbre, inclinó su ancho cuerpo en el púlpito y lo fue alzando con trabajo, gradualmente, para ofrecer ahora a la encorvada masa de temor y expectativa un rostro reconocible, comprensivo, alegre, ojos y boca que distribuían la paz, el agradecimiento por haber nacido, la convicción de que la vida es buena porque no puede ser discutida. Hombres y mujeres sintieron que la reconquistada cabeza amable, franca y rubicunda, equivalía a los paternales golpes en la espalda y saludos en el atrio de la iglesia o en las puertas de las casas de la Colonia, a las desaparecidas preguntas sobre partos de vacas, siembras, planes de casamiento, los accidentes de la salud.

Muchos creyeron que el mal había sido vencido y se inclinaron hacia el púlpito para escuchar la primera noticia y deducir de los presentidos, confusos, equívocos ejemplos bíblicos los detalles particulares del milagro que suponían cumplido unas horas antes, en la noche siempre turbadora, siempre engañosa, del sábado, mientras ellos hacían cuentas, jugaban gratuitamente a los naipes o iban soplando nubes sobre los vidrios de los insólitos anteojos para enterarse de las peripecias de los parientes del vecino recién llegado a la tertulia.

Los menos dijeron, después, que habían encontrado promesas de males más temibles en la ancha, feliz, cara amistosa del cura, que en la expresión lejana, tétrica, indirectamente despectiva que les había impuesto, ya casi como una costumbre, o un paisaje, ya casi como un elemento ritual, en tantos domingos anteriores. Pero tal vez sólo el viejo Küttel, enorme, vestido de negro, rodeados por su barba redonda y blanca los pequeños, claros ojitos que apenas separaba la perfecta nariz de mujer, chupando y escondiendo por respeto una pipa vacía, estaba enterado de qué era prólogo el sermón indulgente.

Erguido, coloquial, sonoro y saludable, el padre Bergner dijo rápidamente que estaba terminada la misa y alzó bruscamente la cabeza y una mano para que todos se detuvieran y lo contemplaran sonreír. Fue entonces que, lentos, torpemente y a disgusto, los feligreses empezaron a remorderse por haber sustituido la aprensión por su olvido.

Acababan de levantarse, iniciaban la entumecida marcha de costado, mezclaban el tema del sermón con imágenes de los vehículos esperando alrededor de la plaza, con anticipaciones de la fuerza del sol en las calles y en el camino descendente, con la perdonable gula sobre los trozos de gallina hervida. Arriba, en el púlpito, se mantenía la expresión alegre; era la misma cara de entusiasmo y excusa con que el padre Bergner repartía socorros diversos. La habían visto en sobremesas, en consultas privadas, en duelos y bautizos. Pero ahora veían que el cura les estaba mostrando con deliberación la bondad y el placer de humillarse; que la sonrisa —que apenas levantaba las cejas, que apenas introducía los labios en las mejillas pecosas y sonrosadas— aludía a difusos martirios y tesones, a despedidas que podrían ser detalladas y que eran resumidas por el pudor y otra forma de humildad.

Las muchachas de la Acción ya estaban en la calle, formándose de a cuatro en fondo al costado con sombra de la iglesia, mirando hacia la plaza y el letrero con nombres de helados sobresaliente en la confitería. La directora de la escuela, balanceándose, recorrió las filas, fue corrigiendo distancias, uniformó la posición de los velos encima de los hombros y los breves escotes. La gente salía con lentitud de la iglesia, parpadeaba al sol, avanzaba sin impaciencia hacia los caballos y los automóviles, hacia las puertas de la confitería y el hotel.

Algunos vieron la columna de mujeres quieta al amparo del muro, o el cartelón de lienzo que empezaban a desplegar, o los hombres de la banda municipal que se iban acercando gravemente, marciales, casi heroicos, para ponerse a la cabeza del batallón de muchachas. O el sombrero redondo, rígido como el hierro, incapaz de inclinaciones y flexibilidad, rematando el incesante, angustiado ir y venir de la directora de la escuela junto al flanco de las muchachas inmóviles que alzaban las barbillas y los pechos. Vieron algo de esto y se detuvieron, esperando. A los demás los sorprendió el golpe espaciado, discretamente jubiloso, de las campanas volteadas sobre un cielo azul, sobre arrugadas, escasas nubes perezosas.

De modo que cuando la directora declaró terminada la revista y se detuvo, un poco separada, entre el segundo y el tercer pelotón, aceptando, pero sin alardes, su misión de comando, con las medias flojas, con la cara encendida que intentaba alejarse del bochorno de la timidez exasperada mediante su expresión reticente y los ojos severos que miraban ya el sentido final de la ceremonia, todos los que estábamos en la plaza o asomados a ella, sabíamos, que algo insólito iba a suceder, por fin, en Santa María. Sabíamos por lo menos, que el batallón de muchachas se pondría en marcha.

Y, sin embargo, cuando los hombres generalmente bigotudos de la banda trataron de unir los ruidos de sus instrumentos para tocar «¡Oh, María!» y las muchachas de las últimas filas —que no podían ver la cara ni los gestos de la directora de la escuela— empezaron a cantar desconcertadas los dos primeros versos, y a un golpe de las manos de la directora toda la columna inició el avance, sentimos que no habíamos adivinado esto, la única cosa razonable, la única que podría haber sido prevista.

Ahora resulta imposible averiguar qué hubiéramos admitido sin sorpresa, qué nos habría resultado más normal que el desfile de las muchachas alrededor de la plaza. Pero la verdad es que cuando ellas, ahora en silencio, arrastradas por la música lenta, suplicante de la banda y como una prolongación normal de la misma, empezaron a caminar por el costado de la plaza donde están la confitería y el club, donde estaba entonces la tienda de Alsina, jóvenes, vigorosas y torpes, equivocando el paso, cada una con la expresión de prescindencia y desafío que parecían haber copiado de la directora y que creían suficiente para individualizarse, para colocarse en el recuerdo aparte de la multitud que contribuían a formar, la verdad es que los que estábamos en la plaza y los que espiábamos desde las puertas de los negocios y las mesas del hotel y del café, conocimos, pura y sorpresivamente la cualidad extraordinaria y sorpresiva de lo que estaba ocurriendo.

Un metro detrás de la música, la nieta gigantesca de Küttel y la hija de los panaderos sostenían sin esfuerzo el cartelón donde flameaban con dulzura las altas, estrechas letras negras: *Queremos novios castos y maridos sanos.* Con las bocas cerradas, erguidas con exceso, impacientes y tolerantes, tomadas de la mano, los brazos tan alargados como era compatible con la retención de libros de misa en las axilas, desfilaron por los cuatro costados de la plaza removiendo con sus tacones el pedregullo rojizo, silencioso bajo el pausado estruendo de la banda.

Las veíamos altas, rubias, atléticas; las suponíamos vírgenes, sudorosas y conscientes de ambas cosas, comparando, con indolencia, con desapego crítico, piernas, pechos, caderas, gracia de los pasos, delgadez de los cuellos. Cuando terminaron de rodear la plaza y llegaron a la iglesia, y la directora de la escuela reapareció al frente de la columna —agitando los brazos, metiéndose entre las ropas verdosas de los músicos que se alejaron rápidos, enfundando, de nuevo conscientes de que eran hombres y estaban de más—, todo el pueblo, toda Santa María miraba callada desde las cuatro aceras.

Menos de un minuto y vimos que los vestidos de verano —barras de color violento, flores imposibles, reiteraciones geométricas— de las muchachas de la Acción se agrupaban con violencia para apartarse en seguida, para irse deslizando sobre el fondo gris de la iglesia, para aproximarse a los automóviles y las bestias impávidas sobre la bosta humeante, para imponer la soledad al atrio. Las campanas dejaron de sonar y comprendimos entonces que habían estado tocando, graves y suaves, ominosamente alegres, contenidas, durante todo el tiempo que demoraron las muchachas en contornear la plaza. Hicimos entre todos el silencio y creímos haber estado sospechando el final del mediodía.

El padre Bergner, negro y lento, con ademanes de rutina, la teja hundida en la cabeza, apareció en la puerta de la iglesia, sin rozar sus hojas entornadas, y las fue juntando sin esfuerzo. Se volvió solitario para mirar y contarnos, sosteniendo contra el vientre el gran candado; después lo hizo entrar en las argollas y lo cerró. Vino, visiblemente no hacia nosotros, hasta las rejas de la puerta; nos miró con paciencia, nos estuvo midiendo y comparando, pensó, tal vez, en usados agrupamientos bíblicos, en la conveniencia de hablarnos, de glosar en provecho nuestro el portazo y el candado gris. Pero no hizo otra cosa que volver a mirarnos, ahora triste, perdonando sin reproche.

También supimos que el lento gesto teatral, recortado diestramente por el silencio, era y significaba un final para las oprobiosas culpas que agobiaban a los sanmarianos y se alargaban, de modo injusto, hasta los habitantes de la Colonia, suizos, católicos puros por definición. Y si es cierto que el viejo Lanza, o cualquiera de nosotros, estaba escribiendo un cronicón basado en los trascendentales sucesos de la muerte de un año y el principio del otro, el cerrojazo del padre Bergner decretaba, además, un punto final a toda clase de verdad escrita o fantasía.

Enorme en el aislamiento y el silencio, la nieta de Küttel se apartó de su abuelo y fue a buscarlo. El padre Bergner le sonrió e hizo caer dos veces la cabeza; con el sombrero en la mano, pesado, torpe, indeciso, humillando su estatura, tratando de no adelantarse a la muchacha, llegó hasta el coche y subió. El viejo Küttel había estado esperando en el pescante, las riendas y el látigo en las manos, echado para atrás, casi horizontal la barba blanca. Sólo tuvo que decir una palabra y los animales trotaron frente a la iglesia, giraron sin presión en la esquina y fueron moviéndose, gordos y húmedos bajo el sol, hasta alcanzar el camino a la Colonia.

XXXII

En vísperas de carnaval, Santa María ya era una ciudad, el Berna mostraba un techo de guirnaldas mientras un gordo triste tocaba en el acordeón una melodía alemana que coreaban desde algunas mesas.

Estábamos agolpados en el reservado, comiendo los postres, aguardando la hora imprecisa en que llegaría el tren para recoger la peste que emporcaba a Santa María y devolverla a la Capital. Orden del gobernador. Empecinado y astuto, el padre Bergner había ganado la corta o larga batalla. Esperábamos con risas y silencios, respirando el aire espeso, el humo y los perfumes insolentes de las mujeres.

María Bonita hundía y sacaba la mano izquierda del bolso de las uvas; la otra estaba sobre la mesa, para mí, para que yo la acariciara. Yo tenía en la cintura la pistola de Marquitos, aceptaba la tolerancia pero desconfiaba de todo matiz de burla o patronazgo. Pensé en Julita y en mis padres, en mi afán rabioso de despojarme, en mi creencia en las vidas breves y los adioses, en el vigor hediondo de las apostasías. Aún no me había alcanzado el remordimiento. Sabía que iba a llegar, en cuanto apareciera ese tren sin horario, fantasmal, y yo lo tomara para quedarme solo.

Había, entretanto, un gusto amargo, una forma de precaución y consuelo en el desafío de sobar en público, en el Berna, la mano diestra de una prostituta que tenía edad bastante para ser mi madre, que me sonreía con amor, que buscaba dejar como recuerdo la imagen de una dama vestida con un traje sastre severo y oscuro.

Fumé espiando a veces la cara de *Juntacadáveres,* engordada desde que llegaron las malas noticias, el pelo que conservaba: un mechón solitario pegado sobre una ceja.

El doctor Díaz Grey tenía ropas flamantes, azules, y era el único con aire de divertirse sinceramente. Hablaba poco y sonreía como si la historia del prostíbulo y el último capítulo que contemplaba fuera obra suya. Medina estaba junto a la cortina del reservado; como Jefe del Destacamento, era responsable de que la lacra abandonara Santa María.

—Yo sólo pregunto —insistió Larsen balanceándose en la silla— si el asunto era legal o no. ¿Teníamos o no teníamos un permiso del Concejo? Les puedo dar el número de la resolución. Y nunca, hasta este mismo momento, fue revocada.

—¡Bah! —dijo Medina—, la deben haber escrito entre usted y el boticario. Hay orden del gobernador y para mí se acabó la historia.

El viejo Lanza avanzó hacia la mesa, más rengo que nunca, el sombrero en la cabeza. Tomó un trago de vino y volvió a llenar el vaso.

—Usted, Larsen, reitera hasta aburrir. Las señoras se fatigan. Concejo, permiso, resolución. El amigo Medina, que acaso le haya puesto el hombro, por así decirlo, y más de una vez a una causa noble, no hace otra cosa que cumplir con sus deberes.

—No sé lo que piensan la Irene y la Nelly —dijo María Bonita—. Pero, por mí, no hace falta que me llame señora. Para los amigos de verdad, alcanza con María Bonita.

—Gracias —dijo Lanza tocándose el sombrero—. Aunque no volvamos a vernos, se agradece.

—Como le estaba diciendo a Jorge —siguió María Bonita mientras me revolvía el pelo—, el cura, con perdón, debe haberse vuelto loco. Ninguno de nosotros le faltó nunca a Dios.

Se hizo, rápidamente, el signo de la cruz.

—No hay razón verdadera para dudarlo. Bueno, una etapa más de la viejísima lucha entre el oscurantismo y las luces. Las luces, claro, las representa aquí el amigo Larsen. Pero yo lo veo, lo presiento esta noche como la vieja Inglaterra: puede perder todas las batallas menos la última.

Paciente, dejándose rodear por el clima de broma, desarmado y envejecido, *Juntacadáveres* alzó los hombros y la mano con que buscaba en la mesa un apoyo innecesario; durante un momento sus ojos desorbitados se fijaron en María Bonita y en Díaz Grey.

—¿Por qué los concejales no suspenden el receso? —tartamudeó.

—¡Ah! —dijo el viejo Lanza—. Les juro que todos vamos a recordar esta noche. Los vencidos, los vencedores y los curiosos neutrales. Larsen luchó por la libertad, la civilización y el honrado comercio. Y ahora se preocupa por el debido respeto a las instituciones. Después de todo, no debemos echar toda la culpa sobre el padre Bergner. En realidad, es Santa María la que puso punto final a la empresa inolvidable. Felices los que se van —serio y dichoso, levantó un resto de vino—. Esta ciudad. Ave María, Gracia plena, *Dominus tecum, Benedicta...*

Con una risa lenta y un golpe de tos, Díaz Grey lo interrumpió.

—Ya es tarde —dijo Lanza—, debo marcharme. Es lamentable no poder publicar unas líneas de salutación y despedida en la columna de *Viajeros.*

—Váyase a dormir, gallego —rezongó Larsen, volviendo a bambolearse.

—A trabajar, a hundirme en metros de plomo y estupidez. Pero algún día publicaré la historia de estos cien días que conmovieron al mundo. Y tal vez... Piense: si uno regresó de Elba otro puede escapar de Santa Elena. Buenas noches.

De acuerdo, las tres mujeres se estaban pintando. Usaban pinceles y unas extrañas cajitas que parecían de acuarelas, saliva o el agua helada del bol.

—Bueno —dijo Medina—. A la una salimos para la estación. Ya no falta mucho.

Larsen lo miró perplejo, con un resto de odio. Díaz Grey se volvió para mirarme.

—¿Te vas? —preguntó.

—Ya lo oyó —contesté—. A la una.

—¿Qué está pensando, doctor? —dijo María Bonita—. ¿Cree que me dedico a robar menores?

—No, perdone —repuso Díaz Grey—. Creo que se va porque quiere, que ya juntó motivos suficientes para dejar Santa María.

—No puedo impedirle que suba al tren. A ese o a cualquier otro. Mire: soy mujer y más pienso en la madre que en él.

—También está el padre —murmuró Medina.

Escarbé en los bolsillos hasta encontrar la pipa. No miré a Medina.

—Puedo ir en otro vagón. Puedo irme mañana o cuando quiera. Además, doctor, se me hace que ningún milico me va a sujetar —ahora sí busqué la cara de Medina—. Sin ofensa; no lo digo por usted.

El hombre movió sonriendo la cabeza aburrida.

—Éramos pocos y parió mi abuela —rezongó de nuevo *Juntacadáveres*—. Que se vaya algún día, cuando quiera. Pero no con nosotros. Una complicación más; y tenemos pocas.

—Es un mocoso —afirmó Nelly, la gorda, mientras cerraba la cartera con rabia—. Es un capricho y nada más. El nenito consentido. Ganas de jorobar la paciencia y hacerse el hombre.

—Ustedes lo oyeron con todas las letras —dijo María Bonita—. Me lo dijo bien claro. Que no es por María Bonita que va —vuelve a darme una mano para que se la acaricie, me sacude el pelo—. ¿Qué tal le parece, doctor? Dieciséis años, diecisiete...

Esperé que me olvidaran para pensar en Julita, recordar vagamente a mi madre. Medina bostezó y fue enderezando perezoso hacia la puerta del reservado. Mi reloj marcaba casi la una; pero me sentí en esa hora apática del amanecer en que todo ha sido dicho, en que uno se arrepiente de haber hablado y oído, esa hora variable pero puntual que vuelve para convencernos de la inutilidad de la compañía y de las palabras. Medina volvió poco después:

—Señoras y señores... Cuando gusten.

Detrás de la cortina vi las botas de un par de policías. Aquí o en la estación, me pregunté, calculando, queriendo adivinar, intuir. Nos levantamos con fatiga y la cara de Díaz Grey no me dijo nada; continuaba divirtiéndose, necesitaba atestiguar el momento final. Me senté a su lado en uno de los coches, entre Irene y él; en el primer asiento se molestaban el chofer, Nelly y un milico.

Entonces tuve que hablar con el perfil flaco del médico inmóvil, con su incurable expresión de vigilancia bajo el pelo escaso y de un rubio que confundía las canas.

—Estoy seguro de que todo esto lo inventó usted. Es absurdo, ya sé. Y me refiero a todo, no sólo al final que está resuelto a contemplar más por un misterioso, para mí, sentido del deber que por el goce que pueda darle asegurarse de la derrota. Es decir, de su propio fracaso. Y más: de toda la bazofia que llena los dos autos, ninguno peor que usted. Nos conocemos poco, es cierto, pero nunca me equivoco. A veces, cuando lo pienso o lo miro, le tengo desprecio. Otras veces lástima. Quería decírselo como despedida.

El médico continuaba quieto y sin mudar la expresión. Irene no protestó. Llegamos, fuimos cruzando los fines de la noche de otoño, sin apurarnos ni hablar. Los dos policías cerraban la marcha. Iba a ser allí, entonces.

—Por milagro llega sin atraso —dijo Medina.

Había muy poca gente esperando los faros rojos del tren que se acercaba. Los dejé subir, vi a las viejas mujeres dobladas por las valijas, vi a un *Juntacadáveres* disminuido en su estatura, cabizbajo, las manos unidas en la espalda, sostenido por los restos de un extraño orgullo. Medina ascendió tras él y resolví moverme.

Pero los dos milicos, luciendo las paternales sonrisas en la luz amarilla de la estación, en la limitada noche de Santa María y su silencio, se cuadraron frente a los escalones del tren. Era aquí. Les mostré sorpresa y desconcierto, la debilidad de mis años, mientras sacaba la pistola de Marquitos y bajaba el seguro con el pulgar.

—Se abren o tiro —ahora me tocaba a mí mostrarles los dientes—. En seguida. Dos hijos de puta menos.

Estaba moviendo la pistola de un pecho al otro cuando me tocaron sin violencia un hombro.

—Jorge. Hijo mío. No esta noche.

Reconocí la voz del padre Bergner. Estaba limpia de amenaza, de orden, de imperio; libre también de súplica. Las caras enfurecidas de los milicos se inclinaron apenas, en saludo. Creo que uno, el de la derecha, hizo la venia.

El peso de la mano era idéntico a la voz, tan triste como ella. Dejé caer el brazo con la pistola mientras el cura derramaba sobre mí el absurdo, lento y sin lágrimas:

—Julita murió esta noche. Nadie puede saber si te espera, nadie puede saber si fue perdonada.

Le regalé la pistola y salimos juntos de la estación.

XXXIII

Julita estaba muerta. Era como una de las tantas tradiciones sanmarianas, falsas o no, heredadas por todos los supervivientes. No mucho más que eso. Desde tanto tiempo atrás, ahora inmensurable, desde la muerte de mi hermano, sabíamos que Julita estaba muerta.

Era imprescindible fingir a los demás la ignorancia y un leve pesar. Lo hice, lo hicimos tantas noches. Éramos nosotros, dos, ella y yo, sabios y mintiendo, resignados a la espera.

Mi padre conversaba con el juez. Impasible y dolido, varón fuerte destinado a la historia si le dieran tiempo a la historia para divisarlo. Rodeada por varones fuertes y solícitos, mi madre babeaba, decía que no, se tragaba entre llantos y suspiros las tazas de té que le acercaban.

Para nosotros los machos, había soda, botellas altas, y botellas gordas. Una noche larga, digna de la occisa, del primer desembarco civilizador.

Por respeto guardé la boina y metí la lengua en la copa de coñac para buscar con prudencia y quemándome un recuerdo, muertes diversas, cotidianas y nocturnas.

En palabras de Julita, yo era un dulce pequeño monstruo. Yo era un cuñado, contaba las tablas del piso, sufría sin sonreír. Ayudado por la ironía de la mujer muerta, encendí acurrucado la pipa y retorné al coñac.

Oía tanto lloro, tanto suspiro bien hecho, que llegué a sentirme, nuevamente, separado. Hice sonar la pipa pero nada escondía el llanto exagerado de Marquitos, la corta entrega espiritual de un borracho mezclándose con el vaivén cómico, medido, de la histeria de las hembras. Las quejas se alzaban pidiendo compartir la muerte, descendían para ofrecer alimentos y bebidas.

Supe que nadie la quería como yo, recordé la navaja y me alivié con el frío de la hoja. Supe que nadie la quería. Le arrimé un fósforo a la pipa encendida. Miré las tablas del piso y ya era muy tarde para contarlas.

Todo era un sueño y yo estaba en paz, doblado en la silla, ignorante de Julita, desleal como siempre, llenándome de amor. Pero no me dieron tiempo. Mi padre, el juez, el inevitable Díaz Grey, el oficial, hablaron con rapidez en una lengua extraña, estuvieron de acuerdo. Entendí lo que me era necesario y me alcé con la navaja en la mano, hice saltar la hoja con un amistoso chasquido. Estaba resuelto y tierno, sin apuro.

—Perdón. Quiero verla antes de que la toquen.

No lo dije para la pobre gente invisible que me rodeaba silenciosa. No se lo dije a mi desgracia ni al hijo infeliz de la paloma de plata, traicionado, como es costumbre, por su padre. Empezaba, simplemente, a charlar con Julita. Volvíamos a estar juntos y yo necesitaba un minuto puro mío, rescatado a las horas que habíamos perdido. Entré en el dormitorio.

Entonces, sordo a tantas formas distintas de la estupidez, a la marea de voces, súplicas y gemidos, levanté la cabeza para verla, casi en seguida para mirarla. Me fui acercando a sus sandalias lustradas y castañas, sin abandonar la fiereza inútil de la navaja, sin disminuir la sonrisa burlona que sólo ella podría haber convertido en llanto.

La miré. Apenas se balanceaba y parecía hacerlo por capricho. Colgada de una viga, posiblemente con las vértebras rotas, la cabeza torcida asomaba la punta burbujeante de la lengua. Se había amortajado con una túnica blanca de colegial, severa y tiesa por el almidón; se había adornado con un gran moño de corbata azul. Usaba, para mí, unas medias negras que llegaban, tirantes, hasta el final de las pantorrillas. Supo lo que hizo. Ninguna maestra hubiera podido hacerle un reproche, así en la tierra como en los cielos. Oscilaba pendiente de la viga, balanceada con respeto por el viento de fin de noche. Los muslos se alargaban incongruentes, algo chorreaba espacioso.

No me impresionaba por muerta; la había visto así muchas veces. Me disgustaba su vejez repentina y creciente, el impudor de su cara ofrecida que, luego de rebotar en la infancia, progresaba acelerada hacia la inmundicia de la senectud, la destrucción.

Pero, de todos modos, me invadían las malas palabras, las ideas sucias e intempestivas. Asquerosamente muerta era por fin mía, amiga sin límites. Estábamos entendiéndonos, se iba formando un pacto indestructible, cierta complicidad en la broma. Se movía lenta y aburrida mientras yo le rezaba una vieja canción:

Las marionetas dan, dan
dan tres vueltas y se van.

El cura estaba sentado en el gran sillón, tan conocido, próximo a la chimenea sin fuego. Fumando los cigarrillos de Marquitos, con las piernas cruzadas, golpeaba a compás, con un pie distraído, la pequeña valija puesta a su lado. Terco, de espaldas a todo, murmurando entre dientes. Se me ocurrió que lo sabía, que nos estuvo mirando desde la noche primera.

Me enfurecía el futuro inmediato, la imagen de una Julita, larga y dura en la cama, con su disfraz de colegial, con la definitiva expresión de gravedad y respeto que conviene ofrecer como adiós a un mundo hecho, administrado por hombrecitos imbéciles. Me dolían las heredadas frases moscas yendo y volviendo encima de su boca en paz, sus ojos sin mirada, su nariz cínica y ya sin motivo.

Antes de irme guardé la navaja, me puse la boina y volví a saludar a los dolientes.

—Mierda —dije con una dulzura, una piedad, una alegría que sólo ella, pudriéndose colgada de la viga, hubiera podido entender.

Sólo ella podía ver cómo me alejaba para bajar, sin remedio, hacia un mundo normal y astuto, cuya baba nunca se acercó a nosotros. Julita y yo, desde ahora yo solo, soportándola, por fin honradamente, de veras.

El astillero

Este libro está dedicado a Luis Batlle Berres

Junio de 1960

SANTA MARÍA - I

Hace cinco años, cuando el Gobernador decidió expulsar a Larsen (o *Juntacadáveres*) de la provincia, alguien profetizó, en broma e improvisando, su retorno, la prolongación del reinado de cien días, página discutida y apasionante —aunque ya casi olvidada— de nuestra historia ciudadana. Pocos lo oyeron y es seguro que el mismo Larsen, enfermo entonces por la derrota, escoltado por la policía, olvidó en seguida la frase, renunció a toda esperanza que se vinculara con su regreso a nosotros.

De todos modos, cinco años después de la clausura de aquella anécdota, Larsen bajó una mañana en la parada de los «omnibuses» que llegan de Colón, puso un momento la valija en el suelo para estirar hacia los nudillos los puños de seda de la camisa, y empezó a entrar en Santa María, poco después de terminar la lluvia, lento y balanceándose, tal vez más gordo, más abajo, confundible y domado en apariencia.

Tomó el aperitivo en el mostrador del Berna, persiguiendo calmoso los ojos del patrón hasta obtener un silencioso reconocimiento. Almorzó allí, solitario y rodeado por las camisas a cuadros de los camioneros. (Ahora éstos disputaban al ferrocarril las cargas hasta El Rosario y los pueblos litorales del norte; parecían haber sido paridos así, robustos, veinteañeros, gritones y sin pasado, junto con el camino de macadam inaugurado unos meses atrás.) Se cambió después a una mesa próxima a la puerta y a la ventana para tomar el café con gotas.

Son muchos los que aseguran haberlo visto en aquel mediodía de fines de otoño. Algunos insisten en su actitud de resucitado, en los modos con que, exageradamente, casi en caricatura, intentó reproducir la pereza, la ironía, el atenuado desdén de las posturas y las expresiones de cinco años antes; recuerdan su afán por ser descubierto e identificado, el par de dedos ansioso, listo para subir hasta el ala del sombrero frente a cualquier síntoma de saludo, a cualquier ojo que insinuara la sorpresa del reencuentro. Otros, al revés, siguen viéndolo apático y procaz, acodado en la mesa, el cigarrillo en la boca, paralelo a la humedad de la avenida Artigas, mirando las caras que entraban, sin otro propósito que la contabilidad sentimental de lealtades y desvíos; registrando unas y otras con la misma fácil, breve sonrisa, con las contracciones involuntarias de la boca.

Pagó el almuerzo, con la exagerada propina de siempre, reconquistó su pieza en la pensión de encima del Berna y después de la siesta, más verdadero, menos notable por haberse aliviado de la valija, se puso a recorrer Santa María, pesado, taconeando sin oírse, paseando ante la gente y puertas y vidrieras de comercios su aire de forastero incurioso. Caminó sobre los cuatro costados y las dos diagonales de la plaza como si estuviera resolviendo el problema de ir desde *A* hasta *B*, empleando todos los senderos y sin pisar sus pasos anteriores; fue y volvió frente a la verja negra, recién pintada, de la iglesia; entró en la botica, que seguía siendo de Barthé —más lento que nunca, más característico, más alerta—, para pesarse, comprar jabón y dentífrico, contemplar como a la imprevista foto de un amigo el cartel que anunciaba: «El farmacéutico estará ausente hasta las 17.»

Insinuó después una excursión a los alrededores, fue bajando, aumentando el balanceo del cuerpo, tres o cuatro de las cuadras que llevan a la convergencia del camino de la costa con el que va a la Colonia, por la descuidada calle en cuyo final está la casita con balcones celestes, alquilada ahora por Morentz, el dentista. Lo vieron más tarde cerca del molino de Redondo, con los zapatos hundidos en el pasto mojado, fumando contra un árbol; golpeó las manos en la granja de Mantero, compró un vaso de leche y pan, no contestó directamente a las preguntas de los que trataron de ubicarlo («estaba triste, envejecido y con ganas de pelear; mostraba el dinero como si tuviéramos miedo de que se fuera sin pagarnos»). Llegó, probablemente, a perderse durante unas horas en la Colonia, y reapareció, a las siete y media de la tarde, en el mostrador del bar del Plaza que no había visitado nunca cuando vivió en Santa María. Estuvo repitiendo allí, hasta la noche, las farsas de agresión y curiosidad que atribuyeron a su estada del mediodía en el Berna.

Disputó benévolo con el *barman* —con una tácita, mantenida alusión al tema que llevaba cinco años de enterrado— acerca de fórmulas de cócteles, del tamaño de los pedazos de hielo, del largo de las cucharas de revolver. Tal vez haya esperado a Marcos y sus amigos; miró al doctor Díaz Grey y no quiso saludarlo. Pagó esta otra cuenta, empujó sobre el mostrador la propina y fue bajándose con seguridad y torpeza del taburete, fue caminando por la tira de linóleo, balanceándose con el premeditado compás, corto y ancho, seguro de que la verdad, aunque marchita, iba naciendo de los golpes de sus zapatos y se transfería al aire, a los demás, con insolencia, con sencillez.

Salió del hotel y es seguro que cruzó la plaza para dormir en la habitación del Berna. Pero ningún habitante de la ciudad recuerda haberlo visto nuevamente antes de que se cumplieran quince días de su regreso. Entonces, era un domingo, todos lo vimos en la vereda de la iglesia, cuando terminaba la misa de once, artero, viejo y empolvado, con un diminuto ramo de violetas que apoyaba contra el corazón. Vimos a la hija de Jeremías Petrus —única, idiota, soltera— pasar frente a Larsen, arrastrando al padre feroz y giboso, casi sonreír a las violetas, parpadear con terror y deslumbramiento, inclinar hacia el suelo, un paso después, la boca en trompa, los inquietos ojos que parecían bizcos.

EL ASTILLERO - I

Fue la casualidad, claro, porque Larsen no podía saberlo. De todos los habitantes de Santa María, sólo Vázquez, el distribuidor de diarios, puede aceptarse como posible corresponsal de Larsen durante los cinco años de destierro; y no está probado que Vázquez sepa escribir y no es creíble que el astillero en ruinas, la grandeza y decadencia de Jeremías Petrus, el caserón con estatuas de mármol y la muchacha idiota sean temas de cualquier hipotético epistolario de Froilán Vázquez. O no fue la casualidad, sino el destino. El olfato y la intuición de Larsen, puestos al servicio de su destino, lo trajeron de vuelta a Santa María para cumplir el ingenuo desquite de imponer nuevamente su presencia a las calles y a las salas de los negocios públicos de la ciudad odiada. Y lo guiaron después hasta la casa con mármoles, goteras y pasto crecido, hasta los enredos de cables eléctricos del astillero.

Dos días después de su regreso, según se supo, Larsen salió temprano de la pensión y fue caminando lentamente —acentuados, para quienes pudieran reconocerlo, el balanceo, el taconear, la gordura, aquella expresión de condescendencia, de hacer favores y rechazar el agradecimiento— por la rambla desierta, hasta el muelle de pescadores. Desdobló el diario para sentarse encima, estuvo mirando la forma nublada de la costa de enfrente, el trajinar de camiones en la explanada de la fábrica de conservas de Enduro, los botes de trabajo y los que se apartaban, largos, livianos, incomprensiblemente urgidos, del Club de Remo. Sin abandonar la piedra húmeda del muelle, almorzó pescado frito, pan y vino, que le vendieron muchachitos descalzos, insistentes, vestidos aún con sus harapos de verano. Vio el derribo de la balsa y su descarga, examinó con negligencia las caras del grupo de pasajeros; bostezó, separó de la corbata negra el alfiler con perla para limpiarse los dientes. Pensó en algunas muertes y esto le fue llenando de recuerdos, de sonrisas despectivas, de refranes, de intentos de corrección de destinos ajenos, en general confusos, ya cumplidos, hasta cerca de las dos de la tarde, cuando se levantó, hizo correr dos dedos ensalivados por la raya de los pantalones, recogió el diario aparecido la noche anterior en Buenos Aires y se fue mezclando con la gente que descendía de la escalinata para ocupar la lancha entoldada, blanca, que iba a remontar el río.

Viajó leyendo en el diario lo que ya había leído de mañana en la cama de la pensión, se mantuvo indiferente a los balanceos, con una pierna sobre una rodilla; el sombrero contra una ceja, la cara insolente, ignorante y alzada, disimulando el esfuerzo de los ojos para leer, defendiéndose de las probabilidades de ser observado y reconocido. Bajó en el muelle que llamaban Puerto Astillero, detrás de una mujer gorda y vieja, de una canasta y una niña dormida, como podría, tal vez, haber bajado en cualquier parte.

Fue trepando, sin aprensiones, la tierra húmeda paralela a los anchos tablones grises y verdosos, unidos por yuyos; miró el par de grúas herrumbradas, el edificio gris, cúbico, excesivo en el paisaje llano, las letras enormes, carcomidas, que apenas susurraban, como un gigante afónico, Jeremías Petrus & Cía. A pesar de la hora, dos ventanas estaban iluminadas. Continuó andando entre casas pobres, entre cercos de alambre con tallos de enredaderas, entre gritos de cuzcos y mujeres que abandonaban la azada o interrumpían el fregoteo en las tinas para mirarlo con disimulo y esperar.

Calles de tierra o barro, sin huellas de vehículos, fragmentadas por las promesas de luz de las flamantes columnas de alumbrado; y a su espalda el incomprensible edificio de cemento, la rampa vacía de barcos, de obreros, las grúas de hierro viejo que habrían de chirriar y quebrarse en cuanto alguien quisiera ponerlas en movimiento. El cielo había terminado de nublarse y el aire estaba quieto, augural.

—Poblacho verdaderamente inmundo —escupió Larsen; después se rió una vez, solitario entre las cuatro lenguas de tierra que hacían una esquina, gordo, pequeño y sin rumbo, encorvado contra los años que había vivido en Santa María, contra su regreso, contra las nubes compactas y bajas, contra la mala suerte.

Dobló a la izquierda, hizo dos cuadras y entró en el Belgrano, bar, restaurante, hotel y ramos generales. Es decir, entró en un negocio que tenía alpargatas, botellas y cuchillas de arado en la vidriera, un cartel con luces eléctricas sobre la puerta, un piso mitad de tierra y mitad de baldosas coloradas, en un negocio que muy pronto aprendería a llamar, para sí mismo, «lo de Belgrano». Se sentó a una mesa para pedir cualquier cosa, albergue, cigarrillos que no había, un anís con soda; sólo le quedaba esperar la lluvia y soportar oírla y verla —a través del vidrio con palabras en círculo, hechas con polvo matamoscas y que elogiaban a un sarnífugo— mientras durara en el barro expectante y en el zinc del techo. Después sería el fin, la renuncia a la fe en las corazonadas, la aceptación definitiva de la incredulidad y de la vejez.

Pidió otro anís con soda, y estaba mezclando cuidadoso las bebidas, pensando en años muertos y en *pernod* legítimo, cuando se abrió la puerta y la mujer llegó, casi corriendo, hasta el mostrador, y él pudo unir un anterior ruido de caballos con la alta figura en botas que recitaba enardecida, frente al patrón, y con la otra, redonda, achinada, mansa, que cerró sin ruido la puerta, presionando apenas contra el viento que se acababa de levantar, y fue a colocarse paciente, servicial, dominadora, detrás de la primera.

Larsen supo en seguida que algo indefinido podía hacerse; que para él contaba solamente la mujer con botas, y que todo tendría que ser hecho a través de la segunda mujer, con su complicidad, con su resentida tolerancia. Ésta, la sirvienta —que aguardaba un paso atrás, separadas las gruesas piernas cortas, las manos juntas sobre el vientre, la cabeza rodeada por un pañuelo oscuro, sin más expresión que la risa enfriada, desprovista adrede de motivos—, no servía como problema al aburrimiento de Larsen: pertenecía a un tipo sabido de memoria, clasificable, repetido sin variantes de importancia, como hecho a máquina, como si fuera un animal, fácil o complejo, perro o gato, ya se vería. Examinó a la otra, que continuaba riéndose y golpeaba con la fusta el borde de lata del mostrador: era alta y rubia, tenía a veces treinta años y otras cuarenta.

Le quedaban restos de infancia en los ojos claros que entornaba para mirar —una luz rabiosa, desafiante, que se arrepentía en seguida— un poco en el pecho liso, en la camisa de hombre y el pequeño lazo de terciopelo al cuello; un convincente remedo en las piernas largas, en el sobrio trasero de muchacho, libre dentro del pantalón de montar. Tenía los dientes superiores grandes y salientes, y reía a sacudidas, con la cara asombrada y atenta, como eliminando la risa, como viéndola separarse de ella, brillante y blanca, excesiva; alejarse y morir en un segundo, derretida, sin manchas ni ecos, sobre el mostrador, sobre los hombros del dueño, entre las telarañas que unían las botellas en el estante. Tenía el pelo dorado y largo peinado hacia atrás, sujeto en la nuca por otra cinta de terciopelo negro.

—Hay que embromarse —comentó Larsen, reflexivo y con entusiasmo; movió un dedo para pedir más anís al mozo y descubrió con una sonrisa que la lluvia, muy suave, golpeaba en el techo y en la calle, compañera, interlocutora, perspicaz.

Porque el pelo largo, opaco, con las puntas retorcidas y más oscuras, colgaba sin edad contra la camisa de la mujer; y de la forma de lirio, de cerradura, del pelo metálico, salía la cara pálida, con arrugas recientes, con desgaste y pintura, con pasado, con su risa estridente que no se reía de nada, que sonaba, inevitable, como hipo, como tos, como estornudo.

No había nadie más sentado a las mesas del negocio; era seguro que cuando las mujeres salieran pasarían a su lado, y lo mirarían.

Pero el instante aconsejaba otra cosa, otra manera de ser mirado. Larsen arregló la corbata, hizo sobresalir el pañuelo de seda en el bolsillo, y fue lentamente hasta el mostrador. Tapó a la mujer con su hombro izquierdo y mantuvo una sonrisa cortés para el dueño.

—No vengo a quejarme por el anís —dijo con voz baja y sonora—. Yo sé que en estos tiempos... ¿Pero no tiene una marca mejor? —el patrón dijo que no, arriesgó después un nombre. Larsen sacudió la cabeza con liviano desencanto; escuchaba el silencio de la mujer a su lado, el «bueno vamos es tarde se vino la lluvia» de la sirvienta en segundo plano, en un fondo remoto y presente. Nombró sin éxito marcas extranjeras, monótono, también él sin fe, como si diera una lección.

—Está bien, señor, no importa. Déjeme mirar las etiquetas.

Apoyado en el mostrador, siempre sonriente y perdonador, leyó con lentitud las letras en las botellas de los estantes. La mujer volvió a reírse y él no quiso mirarla; algo le decía que sí, el rumor de la lluvia hablaba de revanchas y de méritos reconocidos, proclamaba la necesidad de que un hecho final diera sentido a los años muertos.

—Pero yo estoy seguro, señorita, que todo se tiene que arreglar. Demorará más o menos —dijo el patrón.

Ella volvió a reírse, encogió el cuerpo hasta que la risa terminó de salir y fue modificada, absorbida, por la lluvia perezosa, seria, inflexible.

—Esperate. Tenés miedo de mojarte —dijo a la sirvienta, sin volverse; no podría saberse a quién miraba; los ojos se movían a un lado y otro, quedaban fijos dos centímetros encima de la cabeza del patrón—. Él dice que todo tiene que arreglarse. Él puso el dinero y el trabajo, la idea y los planes. Los gobiernos pasan y todos dicen que sí, que tiene razón; pero pasan y no arreglan —volvió a reír, esperó resignada a que la risa se desprendiera de sus grandes dientes salidos, estuvo removiendo los ojos con excusa e imploración—. Desde chica. Ahora parece cierto, cuestión de semanas. No me importa por mí, pero todas las mañanas voy a la iglesia, con ésta, a pedir que las cosas se arreglen, alguna vez, antes que él esté demasiado viejo. Sería muy triste.

—No, no —dijo el patrón—. Tiene que ser, y pronto. —Acodado en el mostrador, Larsen miraba con sorpresa y bondad la cara de la sirvienta; sonrió, mantuvo una fina línea de sonrisa hasta que ella, balanceándose, se puso a pestañear y separó los labios. Dio un paso sin dejar de mirarlo, tocó la camisa de la otra mujer.

—Vamos que llueve, que va a ser noche —dijo.

Entonces Larsen alzó del mostrador la fusta, veloz y cortés, para ofrecerla a la mujer del pelo largo, la risa, y las botas, sin palabras, sin mirarla. Esperó a que se fueran, las vio montar los caballos en el paisaje amarillento y desconsolado de la vidriera, reanudó con el patrón la charla estéril sobre anises, invitó a tomar y no hizo preguntas y mintió para contestar las que le hicieron.

Oscurecía y apenas lloviznaba cuando empezó a moverse para tomar la última lancha a Santa María, anduvo lento, dejándose mojar por las gotas que caían de los árboles, hasta la penumbra y la soledad del muelle. No quería proyectar ni admitir. Pensó distraído en la mujer del traje de montar; imaginó el ímpetu, el hastío.

LA GLORIETA - I

Estuvo, como se ha dicho, dos semanas después en el atrio, al final de la misa, ofreciendo con un gesto tímido el ramo de primeras violetas que sostenía contra el pecho; estuvo allí, en el mediodía de un domingo, segregando, sin defenderse, el ridículo, rígido y tranquilo, engordando sin prisa en el interior del abrigo oscuro y entallado, indiferente, solo, abandonándose como una estatua a las miradas, a la intemperie, a los pájaros, a las palabras despectivas que nunca le repetirían en la cara. Esto fue en junio, por San Juan, cuando la hija de Petrus, Angélica Inés, estuvo viviendo unos días en Santa María, en casa de unos parientes, cerca de la Colonia.

Y después estuvo —ya de vuelta en Puerto Astillero e instalado en una habitación sórdida, a los fondos de los de Belgrano— junto al portón de hierro donde se enlazaban con discreción una *J* y una *P*. Pisó el jardín abrumado de yuyos de la casa que había construido Petrus sobre catorce pilares de cemento, junto al río, próximo al astillero. Cuchicheó a lo largo de noches ambiguas, rememorativas, profesionales, con la sirvienta. Tenía treinta años, había sido criada por la esposa difunta de Petrus, estaba gastando su vida en un juego de adoración, de fraternidad, de dominio, de revancha, en el que «la niña» y su estupidez eran a la vez el objeto, el aliciente y el otro jugador. Hasta que obtuvo una serie de encuentros, casi idénticos y tan semejantes que podrían haber sido recordados como tediosas repeticiones de una misma escena fallida; encuentros cuya gracia estaba igualmente repartida entre la distancia, la luminosidad del invierno que se había hecho seco, la suave incongruencia de los largos y blancos vestidos de Angélica Inés Petrus, la lentitud dramática del movimiento con que Larsen liberaba su cabeza del sombrero negro y lo sostenía unos segundos, unos centímetros, por encima de su sonrisa, hechizada, candorosa, postiza.

Luego vino el primer encuentro verdadero, la entrevista en el jardín en que Larsen fue humillado sin propósito y sin saberlo, en que le fue ofrecido un símbolo de humillaciones futuras y del fracaso final, una luz de peligro, una invitación a la renuncia que él fue incapaz de interpretar. No reconoció la calidad novedosa del problema que lo enfrentaba con miradas furtivas, escondiendo la mitad de la sonrisa para morderse las uñas; la vejez o el exceso de confianza le hicieron creer que la experiencia puede llegar a ser, por extensión y riqueza, infalible.

El viejo Petrus estaba en Buenos Aires, inventando escritos reivindicativos con su abogado o buscando pruebas de su visión de pionero, de su fe en la grandeza de la nación, o trotando encogido, piadoso e indignado por oficinas de ministerios, por gerencias de bancos. Josefina, la sirvienta, dijo que sí después de dos noches de asedio; después de tener en los hombros, por sorpresa, un pañuelo de seda; después de ruegos, exaltaciones del amor y sus tormentos, que no se originaban exclusivamente en Angélica Inés Petrus sino —con amplitud, con vaguedad— en todas las mujeres que habían suspirado sobre la tierra, con especial inclusión de ella, Josefina, la sirvienta.

De modo que Larsen recorrió una tarde, a las cinco, la calle de eucaliptos, lento, de negro, planchado, limpio, digno, con un paquete de dulces colgado de un dedo, defendiendo los zapatos relucientes de los charcos de la última lluvia, pesado de trucos y seguridades, codicioso y contenido.

—Como un reloj —dijo Josefina en el portón, un poco burlona, un poco amarga; tenía un delantal nuevo, lleno de dibujos de flores y almidón.

Larsen se tocó el ala del sombrero y le ofreció la bandeja de dulces.

—Traje algo —dijo con disculpa, con modestia.

Ella no extendió un dedo para tomar el paquete por el lazo de cinta celeste como esperaba *Junta*; lo sostuvo con la mano, vertical, como un libro, contra la curva del muslo y miró al hombre de arriba abajo desde la sonrisa enternecida hasta las puntas de charol, incólumes.

—Me gustaría no haberlo hecho —dijo—. Pero ahora lo está esperando. No se olvide de lo que le dije. Toma el té y se va, la respeta.

—Claro, mi hija —asintió Larsen; le buscó los ojos y fue ensombreciendo la cara—. Como usted quiera. Si lo prefiere, me voy desde la puerta. Usted manda, mi hija.

Ella volvió a mirarlo, ahora en los ojos pequeños, plácidos, que sostenían sin esfuerzo el decoro y la obediencia. Encogió los hombros y se puso a caminar por el jardín. Con el sombrero en la mano, mirándole las caderas, la firmeza del paso, Larsen la siguió con desconfianza, inseguro de que lo hubiera invitado a entrar.

El pasto había crecido a su capricho durante todo el año, por lo menos, y las cortezas de los árboles tenían manchas blancas y verdes, de humedad sin brillo. En el centro del jardín —a Larsen le bastaba, ahora, seguir con el oído la continuidad de los pasos, el ruido de cuchilla de las piernas de la mujer entre los yuyos— había un estanque, redondo, defendido por un muro de un metro, musgoso, con grietas ocupadas por tallos secos. Junto al estanque, después del estanque, una glorieta, también circular, hecha con listones de madera, pintados de un azul marino y desteñido, que imponían formas de rombo al aire. Más allá de la glorieta estaba la casa de cemento, blanca y gris, sucia, cúbica, numerosa de ventanas, alzada sin gracia por los pilares, excesivamente, sobre el nivel de las probables crecidas del río. En todas partes, manchadas y semicubiertas por el ramaje, blanqueaban mujeres de mármol desnudas. «Lo están dejando convertir en una ruina —pensó Larsen con disgusto—; doscientos mil pesos y me quedo corto; y quién sabe cuánto terreno hay atrás, desde la casa al río.» Josefina bordeó el estanque y Larsen, dócilmente, miró de reojo el agua sucia, la confusión de las plantas en la superficie, el angelito que se encorvaba en el centro.

La mujer se detuvo en la puerta de la glorieta y alzó con pereza un brazo. Defraudado, Larsen hizo una sonrisa y un cabeceo, se quitó el sombrero y avanzó hacia la mesa de cemento de la glorieta, rodeada de sillas de hierro, cubierta por un mantel bordado, por tazas, por un vaso de violetas, por platos con tortas y dulces.

—Póngase cómodo. En seguida llega. La tarde no está fría —dijo Josefina, sin mirarlo, balanceando la mano con el paquete.

—Gracias, todo está perfecto —volvió a inclinar la cabeza hacia la mujer, hacia la forma baja y presurosa que se alejaba rozando las maderas de la glorieta.

Tratando de analizar su sensación de estafa, Larsen colgó su sombrero de un clavo, palpó el asiento de hierro y puso sobre él un pañuelo abierto antes de sentarse.

Eran las cinco de la tarde, al fin de un día de invierno soleado. A través de los tablones mal pulidos, groseramente pintados de azul, Larsen contempló fragmentos rombales de la decadencia de la hora y del paisaje, vio la sombra que avanzaba como perseguida, el pastizal que se doblaba sin viento. Un olor húmedo, enfriado y profundo, un olor nocturno o para ojos cerrados, llegaba desde el estanque. Al otro lado, la casa se alzaba sobre los delgados prismas de cemento, sobre el alto hueco de oscuridad violácea, sobre pilas de colchones y asientos de verano, una manga de riego, una bicicleta. Bajando un párpado para mirar mejor, Larsen veía la casa como la forma vacía de un cielo ambicionado, prometido; como las puertas de una ciudad en la que deseaba entrar, definitivamente, para usar el tiempo restante en el ejercicio de venganza sin trascendencia, de sensualidades sin vigor, de un dominio narcisista y desatento.

Murmuró una palabra sucia y sonrió mientras se levantaba para recibir a las dos mujeres. Estaba seguro de que era adecuada una expresión de leve sorpresa y supo aprovecharla después, en el principio de la conversación: «Estaba esperándola, pensando en usted, y casi me había olvidado de dónde estaba y de que usted iba a venir; así que cuando apareció era como si se me hiciera verdad lo que pensaba.» Casi se impuso luego para servir el té; pero comprendió, ya separadas las nalgas de la silla, que en el mundo difícil de la glorieta la cortesía podía expresarse pasivamente. Ella iniciaba una frase —después de revolver los ojos como un animal acorralado, en guardia, pero sin miedo, con una viejísima costumbre de hostigamiento y peligros—, creía terminarla, hacerla comprensible y recordable con dos golpes de risa. Quedaba entonces un momento con los ojos y la boca abiertos, sin sentido, como si los usara para escuchar, hasta que las dos notas de la carcajada podían considerarse definitivamente diluidas en el aire. Se ponía seria, buscaba huellas de la risa en la cara de Larsen y apartaba la mirada.

Más allá de los losanges de la glorieta, lejana y presente, amputada por los yuyos, Josefina discutía con un perro, afirmaba los tutores de las rosas. Dentro de la glorieta estaba el poblema, aún sin planteo, la cara blanca y sumisa dentro del ancho peinado, los brazos gruesos y blancos que se movían para interrumpirse, para caer sin acabar las confesiones. Estaba el vestido malva, anchísimo más abajo de la cintura, largo hasta los zapatos hebillados, lleno de adornos sobre el pecho y los hombros. Afuera y adentro, encima de ellos, tocando el cuerpo enhiesto y engordado de Larsen, la tarde de invierno, el aire tenso y caduco.

—Cuando vino la inundación en la casa vieja —dijo ella—, ya no estaba mamá, era de noche, empezamos a subir las cosas al piso de los dormitorios, cada uno arrastraba lo que más quería y era como una aventura. El caballo que tenía más miedo que nosotros, las gallinas ahogadas y los muchachos que se pusieron a vivir en bote. Papito estaba furioso pero nunca se asustó. Los muchachos pasaban en los botes entre los árboles y nos querían traer comida y nos invitaban a pasear. Comida teníamos. Ahora, en la casa nueva, puede subir el agua. Los muchachos pasaban remando y no les importaba, venían de todas partes en los botes y hacían señas con los brazos agitando camisas.

—Adivine cuándo —dijo Larsen en la glorieta—. Ni en mil años, porque a usted no le importó. Yo estaba en el Belgrano y había llegado por casualidad; ese negocio a una cuadra del astillero. No sabía qué hacer de mi vida, créame; me tomé una lancha y me bajé donde me gustó. Empezó a llover y me metí allí. Así eran las cosas cuando usted aparece. Desde aquel momento tuve la necesidad de verla y hablarle. Para nada; y yo no soy de aquí. Pero no quería irme sin verla y hablarle. Ahora sí, ahora respiro: mirarla y decirle cualquier cosa. No sé lo que me tiene reservado la vida; pero este encuentro ya me compensa. La veo y la miro.

Josefina golpeó al perro y lo hizo ladrar: entraron juntos en la glorieta y la mujer miró sonriente y jadeando la cara de Angélica Inés, el perfil dolorido de Larsen, los platos olvidados en la mesa de cemento.

—No pido nada —dijo Larsen en voz alta—. Pero me gustaría volver a verla. Y le doy las gracias, tantas gracias, por todo.

Hizo chocar los tacones y se inclinó; fue a descolgar su sombrero mientras la hija de Petrus se levantaba y reía. Inclinándose otra vez, Larsen recogió el pañuelo de la silla.

—Ya es de noche —susurró Josefina. Apoyaba una cadera en el listón de la entrada y miraba la mano que ofrecía a los saltos del perro—. Salga que lo acompaño.

Guiado por el cuerpo de la sirvienta, Larsen se mezcló, sordo y ciego, con los reiterados vaticinios del frío, de los roces filosos de los yuyos, de la luz afligida, de los ladridos distantes.

Incauto y rejuvenecido, apretó la mandíbula de Josefina bajo la *J* y la *P* del portón y se inclinó para besar.

—Gracias, querida —dijo—. Sé agradecer.

Pero ella le detuvo la boca con una mano.

—Quieto —dijo, distraída, como si hablara con un caballo manso.

EL ASTILLERO - II

No se sabe cómo llegaron a encontrarse Jeremías Petrus y Larsen. Es indudable que la entrevista fue provocada por éste, tal vez con la ayuda de Poetters, el dueño del Belgrano; resulta inadmisible pensar que Larsen haya pedido ese favor a ningún habitante de Santa María. Y es aconsejable tomar en cuenta que hacía ya medio año que el astillero estaba privado de la vigilancia y la iniciativa de un Gerente General.

De todos modos, la reunión fue en el astillero y a mediodía; tampoco entonces pudo Larsen entrar en la casa alzada sobre pilares.

—Gálvez y Kunz —dijo Petrus, señalando—. La administración y la parte técnica de la empresa. Buenos colaboradores.

Irónicos, hostiles, confabulados para desconcertar, el joven calvo y el viejo de pelo negro le dieron la mano con indiferencia, miraron en seguida a Petrus y le hablaron.

—Mañana terminamos con la comprobación del inventario, señor Petrus —dijo Kunz, el más viejo.

—La verificación —corrigió Gálvez, con una sonrisa de exagerada dulzura, frotándose las puntas de los dedos—. Hasta el momento no falta un tornillo.

—Ni una grampita —afirmó Kunz.

Apoyado en el escritorio, siempre cubierto con el sombrero negro, prolongando una oreja con la mano para oír, Petrus entornó los ojos hacia la ventana sin vidrios y hacia la luz y el frío de la tarde; tenía los labios apretados y sacudía la cabeza nervioso y solemne, asintiendo puntual a cada una de las ideas que se le ocurrían.

Larsen volvió a mirar la hostilidad y la burla en las caras inmóviles de los dos hombres que aguardaban. Enfrentar y retribuir el odio podía ser un sentido de la vida, una costumbre, un goce; casi cualquier cosa era preferible al techo de chapas agujereadas, a los escritorios polvorientos y cojos, a las montañas de carpetas y biblioratos alzadas contra las paredes, a los yuyos punzantes que crecían enredados en los hierros del ventanal desguarnecido, a la exasperante, histérica comedia de trabajo, de empresa, de prosperidad que decoraban los muebles (derrotados por el uso y la polilla, apresurándose a exhibir su calidad de leña), los documentos, sucios de lluvia, sol y pisotones, mezclados en el piso de cemento, los rollos de planos blanquiazules reunidos en pirámide o desplegados y rotos en las paredes.

—Exactamente —dijo por fin Petrus con su voz de asma—. Poder dar a la Junta de Acreedores, periódicamente, sin que ellos lo pidan, la seguridad de que sus intereses están fielmente custodiados. Tenemos que resistir hasta que se haga justicia; trabajar, yo lo hice siempre, como si no hubiera pasado nada. Un capitán se hunde con su barco; pero nosotros, señores, no nos vamos a hundir. Estamos escorados y a la deriva, pero todavía no es naufragio —el pecho le silbó durante la última frase, las cejas se alzaron, expectantes y orgullosas; hizo ver veloz los dientes amarillos y se rascó el ala del sombrero—. Que terminamos mañana sin falta la verificación del inventario, señores; por favor. Señor Larsen...

Larsen miró, lento y provocativo, las dos caras que lo despedían con sonrisas parejas, acentuando la burla de origen impreciso, confesando además, y sin saberlo, una inevitable complicidad de casta. Después, siguiendo el cuerpo erguido y trotante de Petrus, respiró consciente y sin despecho, apenas entristecido, el aire oloroso a humedad, papeles, invierno, letrina, lejanía, ruina y engaño. Sin volverse, oyó que Gálvez o Kunz decía en voz alta:

—El gran viejo del astillero. El hombre que se hizo a sí mismo.

Y que Gálvez o Kunz contestaba, con la voz de Jeremías Petrus, ritual y apático:

—Soy un pionero, señores accionistas.

Cruzaron dos oficinas sin puertas —polvo, desorden, una soledad palpable, el entrevero de cables de un conmutador telefónico, el insistente, increíble azul de los planos en ferroprusiato, idénticos muebles con patas astilladas— antes de que Petrus circundara una enorme mesa ovalada, sin otra cosa encima que tierra, dos teléfonos, secantes verdes, gastados y vírgenes.

Colgó el sombrero e invitó a Larsen a sentarse. Meditó un instante, las grandes cejas juntas, las manos abiertas sobre la mesa; después sonrió de improviso entre las largas patillas chatas mirando los ojos de Larsen, sin mostrar alegría, sin ofrecer otra cosa que los largos dientes amarillos, y tal vez, el pequeño orgullo de tenerlos. Friolento, incapaz de indignación y de verdadero asombro, Larsen fue asintiendo en las pausas del discurso inmortal que habían escuchado, esperanzados y agradecidos, meses o años atrás, Gálvez, Kunz, decenas de hombres miserables —desparramados ahora, desaparecidos, muertos algunos, fantasmas todos— para los cuales las frases lentas, bien pronunciadas, la oferta variable y fascinante, corroboraban la existencia de Dios, de la buena suerte o de la justicia rezagada pero infalible.

—Más de treinta millones, señor. Y esta cifra no incluye la enorme valorización de algunos de los bienes en los últimos años, ni incluye tampoco muchos otros que aún pueden ser salvados, como kilómetros de caminos que en parte vuelvan a convertirse en tierra, y el primer tramo de la vía férrea. Hablo de lo que existe, de lo que puede ser negociado en cualquier momento por esa suma. El edificio, el hierro de los barcos, máquinas y piezas que usted podrá ver en cualquier momento en el cobertizo. El señor Kunz recibirá instrucciones al respecto. Todo indica que muy pronto el juez levantará la quiebra y entonces, libres de la fiscalización, verdaderamente asfixiante, burocrática, de la Junta de Acreedores, podremos hacer renacer la empresa y darle nuevos impulsos. Cuento desde ahora con los capitales necesarios; no tendré más trabajo que elegir. Es para eso que me serán importantes sus servicios, señor. Soy buen juez de hombres y estoy seguro de no arrepentirme. Pero es necesario que usted tome contacto con la empresa sin pérdida de tiempo. El puesto que le ofrezco es la Gerencia General de Jeremías Petrus, Sociedad Anónima. La responsabilidad es muy grande y la tarea que lo espera será pesada. En cuanto a sus honorarios, quedo a la espera de su propuesta tan pronto como esté usted en condiciones de apreciar qué espera la empresa de su dedicación, de su inteligencia y de su honradez.

Había estado hablando con las manos frente a la cara, unidas por las puntas de los dedos; volvió a ponerlas sobre la mesa, a mostrar los dientes.

—Le voy a contestar, señor, como usted dice —repuso Larsen, calmoso—, cuando estudie el panorama. No son cosas para andar improvisando —reservó la cifra que había redondeado desde días atrás, desde que Angélica Inés le confirmara, mirándolo incrédula, muequeante, no sólo en el principio del amor sino también del respeto, que el viejo Petrus pensaba ofrecerle un puesto en el astillero, una posición tentadora y firme, algo capaz de retener al señor Larsen, un cargo y un porvenir que superaran las propuestas de Buenos Aires que el señor Larsen estaba considerando.

Jeremías Petrus se levantó y recogió el sombrero. Caviloso, aceptando a disgusto el regreso de la fe, rebelándose tibiamente contra la sensación de amparo que segregaban las espaldas encogidas del viejo, Larsen lo custodió a través de las dos habitaciones vacías en el aire luminoso y helado de la sala principal.

—Los muchachos se han ido a comer —dijo Petrus, tolerante, con un tercio de su sonrisa—. Pero no perdamos tiempo. Venga por la tarde y preséntese. Usted es el Gerente General. Tengo que irme para Buenos Aires a mediodía. Los detalles los arreglaremos después.

Larsen quedó solo. Con las manos a la espalda, pisando cuidadoso planos y documentos, zonas de polvo, tablas gemidoras, comenzó a pasearse por la enorme oficina vacía. Las ventanas habían tenidos vidrios, cada pareja de cables rojos enchufaba con un teléfono, veinte o treinta hombres se inclinaban sobre los escritorios, una muchacha metía y sacaba sin errores las fichas del conmutador («Petrus, Sociedad Anónima, buenos días»), otras muchachas se movían meneándose hasta los ficheros metálicos. Y el viejo obligaba a las mujeres a llevar guardapolvos grises y tal vez ellas creyeran que era él quien las obligaba a conservarse solteras y no dar escándalo. Trescientas cartas por día, lo menos, despachaban los chicos de la Sección Expedición. Allá en el fondo, invisible, creído a medias, tan viejo como hoy, seguro y chiquito, el viejo. Treinta millones.

Los muchachos, Kunz y Gálvez, estaban comiendo en lo de Belgrano. Si Larsen hubiera atendido su propia hambre aquel mediodía, si no hubiera preferido ayunar entre símbolos, en un aire de epílogo que él fortalecía y amaba, sin saberlo —y ya con la intensidad de amor, reencuentro y reposo con que se aspira el aire de la tierra natal—, tal vez hubiera logrado salvarse o, por lo menos, continuar perdiéndose sin tener que aceptarlo, sin que su perdición se hiciera inocultable, pública, gozosa.

Varias veces, a contar desde la tarde en que desembarcó impensadamente en Puerto Astillero, detrás de una mujer gorda cargada con una canasta y una niña dormida, había presentido el hueco voraz de una trampa indefinible. Ahora estaba en la trampa y era incapaz de nombrarla, incapaz de conocer que había viajado, había hecho planes, sonrisas, actos de astucia y paciencia sólo para meterse en ella, para aquietarse en un refugio final desesperanzado y absurdo.

Si hubiera recorrido el edificio vacío para buscar la escalera de salida —milagrosamente, una mujer de metal continuaba volando a su pie, sonriente, con las ropas y el pelo arrastrado rígidamente por un viento marino, sosteniendo sin esfuerzo una desproporcionada antorcha con llama de cristal retorcido—, es seguro que habría entrado a almorzar en lo de Belgrano. Y entonces hubiera ocurrido —ahora, antes de que aceptara perderse— lo que sucedió veinticuatro horas después, en el mediodía siguiente, cuando él ya había hecho, ignorándolo, la elección irrevocable.

Porque al siguiente mediodía entró en lo de Belgrano y vio que Gálvez y Kunz se volvían para mirarlo desde la mesa en que comían; no lo invitaron a sentarse con ellos, no lo llamaron. Pero mantuvieron sus ojos, sus caras de asechanza y liviana sabiduría dirigidas hacia él, sin pedir nada ni desearlo, como si contemplaran un cielo nublado y esperaran desinteresados la caída de la lluvia. De modo que Larsen se acercó a la mesa desprendiéndose el sobretodo, y roncó:

—Permiso, si no molesto.

Renunció al fiambre para alcanzarlos; comieron la sopa, el asado y el flan mientras hablaban, vehementes, insinceros, sin tomar partido, de climas, cosechas, políticas, la vida nocturna en las diversas capitales de provincia. Cuando fumaban sobre pocillos de café, Kunz, el más viejo, que parecía teñirse el pelo y las cejas, miró a Gálvez y señaló a Larsen con un dedo.

—¿Así que usted es el nuevo Gerente General? ¿Cuánto? ¿Tres mil? Perdone, pero como Gálvez está a cargo de la administración lo vamos a saber muy pronto. Tiene que anotarlo en los libros. Acreditado al señor Larsen, ¿Larsen, verdad?, dos o tres o cinco mil pesos por sus honorarios correspondientes al mes de junio.

Larsen lo miró, primero a uno, un rato, después al otro, tomándose tiempo; había construido una frase insultante, sonora, ideal para su voz de bajo y para el silabeo moroso. Pero no pudo comprobar que se burlaran; el más viejo, peludo y redondo, corpulento, encorvado como una araña, con la piel de la cara marcada por arrugas profundas y escasas, Kunz, lo miraba sin otra cosa que curiosidad y un brillo de ilusión infantil en los ojos renegridos; el otro, Gálvez, mostró con franqueza la dentadura de adolescente y se acarició calmoso la cabeza desnuda.

«Nada más que divertidos, como si buscaran un chisme para contárselo esta noche a las mujeres que no tienen. O que tal vez tengan, pobres desgraciados los cuatro. No hay motivo para pelear.»

—Es así, como dice —dijo Larsen—. Soy el Gerente, o lo voy a ser si el señor Petrus acepta mis condiciones. Además, no hace falta decirlo, tengo que estudiar la situación real de la empresa.

—¿La situación real? —preguntó Gálvez—. Está bien.

—Recién conocemos al señor —dijo Kunz con un relámpago de sonrisa respetuosa—. Pero lo correcto es decirle la verdad.

—Un momento —interrumpió Gálvez—. Usted es el experto en alta técnica. Puede decir si las cosas se pudren por la humedad del río, o por el oxígeno. Al fin, todo se pudre, todo cría cáscara y hay que tirarlo o venderlo. Para eso está; y para conseguir negocios, Gerente Técnico, dos mil pesos. Nunca me olvido, ningún mes, de cargarlos a Jeremías Petrus, Sociedad Anónima. Pero esto es otra cosa, esto es mío. Señor Larsen: suponiendo que usted decida aceptar el cargo de Gerente General ¿puedo preguntarle qué sueldo piensa pedir? No es más que curiosidad, le pido que comprenda. Yo anotaré lo que usted diga, cien pesos o dos millones, con todo respeto.

—Algo entiendo de llevar libros —sonrió Larsen.

—Pero podrá orientar al amigo —dijo Kunz, sonriente, sirviéndose vino—. Podría violar secretos y ayudarlo con antecedentes.

—Claro, ya estaba decidido —asintió Gálvez, agitando la cabeza calva—. Para eso le preguntaba. Sólo quería saber cuál era el sueldo de un Gerente General del astillero a juicio del señor Larsen.

—Debería decirle cuánto cobraron los anteriores.

—No me importa, gracias —dijo Larsen—. Lo estuve pensando. Por menos de cinco mil no me quedo. Cinco mil cada mes y una comisión sobre lo que pase más adelante —mientras alzaba el pocillo del café para chupar el azúcar, se sintió descolocado y en ridículo; pero no pudo contenerse, no pudo dar un paso atrás para salir de la trampa—. Estoy viejo para hacer méritos. Con eso me arreglo, puedo ganar eso en otro lado. Lo que me importa es hacer marchar la empresa. Ya sé que hay millones.

—¿Qué tal? —preguntó Kunz a Gálvez, inclinando la cara sobre el mantel.

—Bueno, está bien —dijo Gálvez—. Espere —se acarició el cráneo y aproximó a Larsen la sonrisa—. Cinco mil. Lo felicito, es el máximo. Tuve Gerentes Generales de dos, de tres, de cuatro y de cinco. Está bien, es un sueldo para el puesto. Pero permítame; el último de cinco mil, otro alemán, Schwartz, que pidió una escopeta prestada para matarme a mí o al señor Petrus, pionero, no se sabe con certeza, y estuvo una semana haciendo guardia en la puerta de atrás, entre mi casa y el edificio, y al fin disparó, dicen para *el Chaco,* trabajaba por cinco mil hace un año. Es por ayudarlo. Yo sé que la moneda bajó mucho desde entonces. Usted podría pedir, ¿no le parece, Kunz?, seis mil.

—Me parece correcto —dijo Kunz, peinándose la melena con las manos, repentinamente serio y triste—. Seis mil pesos. No es demasiado, no es poco. Una suma adecuada al puesto.

Entonces Larsen encendió un cigarrillo y se echó hacia atrás, sonriente, condenado a defender algo que ignoraba, a pesar del ridículo y el error.

—Gracias otra vez —dijo—. Cinco mil está bien. Mañana empezamos. Les prevengo que me gusta que se trabaje.

Los dos hombres asintieron con la cabeza, pidieron más café, dedicaron tiempo y silencio a ofrecerse cigarrillos y fósforos. Miraron por la ventana la calle gris y barrosa: Gálvez fue alzando a sacudidas la cabeza pelada para un estornudo que no vino, después pidió la cuenta y la firmó. En el último charco de la calle desierta el cielo se reflejaba, marrón y sucio. Larsen pensó en Angélica Inés y en Josefina, en cosas pasadas que tenían la virtud de consolarlo.

—Bueno, cinco mil si prefiere —dijo Gálvez, después de mirar a Kunz—. A mí me da lo mismo, es el mismo trabajo. Pero dicen, acá se sabe todo, que usted es casi el yerno. Lo felicito si es verdad. Una chica muy buena y los treinta millones. No en efectivo, claro, no todo suyo; pero nadie se animaría a discutirme que es el capital social.

Perdido y empezando a saberlo, provocador y lánguido, Larsen movió los labios y la lengua para cambiar de lugar al cigarrillo en la boca.

—En cuanto a eso no hay nada concreto y es personal —dijo con lentitud—. A ustedes, sin ofensa, sólo debe importarles que soy el Gerente y que mañana empezamos a trabajar en serio. Esta tarde la voy a dedicar a mandar telegramas y hablar por teléfono a Buenos Aires. Hoy hagan lo que quieran. Mañana a las ocho estoy en la oficina y vamos a reorganizar las cosas.

Se levantó, se puso sin convicción el sobretodo ajustado. Estaba triste, irresoluto, buscando en vano una fórmula de adiós que pudiera fortalecerlo, sin otro recurso que el odio, actuando, como en una borrachera, por medio de impulsos en que no era posible creer.

—A las nueve —dijo Gálvez alzando la sonrisa—. Nunca llegamos antes. Pero si me necesita, se corre hasta la casita al lado del cobertizo, del hangar, y me llama. A cualquier hora, no molesta.

—Señor Larsen —Kunz se levantó con una expresión de inocencia donde se marcaban las arrugas como cicatrices—. Mucho gusto en comer con usted. Serán cinco mil, como usted mande. Pero permítame decirle que pide poco; una miseria en realidad.

—Adiós —dijo Larsen.

Pero esto sucedió demasiado tarde, veinticuatro horas después. Aquel mediodía de la entrevista con Petrus, ya Gerente General, aunque no hubiera elegido aún su sueldo, Larsen olvidó el almuerzo y después de evocar los cuerpos, las preocupaciones, los gestos desaparecidos del enorme salón que habían dividido las oficinas, empezó a bajar, lento y ruidoso, la escalera de hierro que llevaba a los galpones y a los restos del muelle.

Descendió con torpeza, sintiéndose en falso y expuesto, estremeciéndose con exageración cuando, en el segundo tramo, las paredes desaparecieron y los escalones de hierro rechinantes giraron en el vacío. Caminó después sobre la tierra arenosa y húmeda, cuidando los zapatos y los pantalones de las ramas de los yuyos. Pasó junto a un camión con las ruedas hundidas; quedaban algunas piezas carcomidas en el motor descubierto. Escupió hacia el vehículo y a favor del viento. «Parece mentira. Y el viejo no ve esto. Más de cincuenta mil si lo hubieran cuidado, con sólo meterlo bajo techo.» Enérgico, irguiéndose, cruzó frente a una casilla de madera con tres escalones en el umbral y entró en el enorme galpón sin puertas que aprendería a llamar cobertizo o hangar.

A pesar de la luz gris, del frío, del viento que gemía en los agujeros de las chapas del techo, de la debilidad de su cuerpo hambriendo, caminó, pequeño y atento, entre máquinas herrumbradas e incomprensibles, por el desfiladero, que formaban las estanterías enormes, con sus nichos cuadrilongos rellenos de tornillos, bulones, gatos, tuercas, barrenas, resuelto a no ser desanimado por la soledad, por el espacio inútilmente limitado, por los ojos de las herramientas atravesados por los tallos rencorosos de las ortigas. Se detuvo en el fondo del galpón, cerca de una pila de balsas para naufragio —«ocho personas en cada una, tela como un colador, madera impudrible, bandas de goma, mil pesos y me quedo corto»—, para recoger un plano azul con maquinarias y letras blancas, embarrado, endurecido, con largas hojas de pasto ya inseparables.

—Flor de abandono —dijo en voz alta, amargo y despectivo—. Si no sirve, se archiva. No se tira en los galpones. Esto tiene que cambiar. El viejo que lo tolera debe estar loco.

Ni siquiera hablaba para un eco. El viento descendía en suaves remolinos y entraba ancho, sin prisas, por un costado del galpón. Todas las palabras, incluyendo las sucias, las amenazantes y las orgullosas, eran olvidadas apenas terminaban de sonar. No había nada más, desde siempre y para la eternidad, que el ángulo altísimo del techo, las costras de orín, toneladas de hierro, la ceguera de los yuyos creciendo y enredándose. Tolerado, pasajero, ajeno, también estaba él en el centro del galpón, impotente y absurdamente móvil, como un insecto oscuro que agitara patas y antenas en el aire de leyenda, de peripecias marítimas, de labores desvanecidas, de invierno.

Se guardó el plano en un bolsillo del sobretodo, tratando de no mancharse. Con un lado de la boca sonrió, indulgente y viril —como a viejos rivales, tantas veces vencidos que el mutuo antagonismo era ahora blando y simpático como un hábito—, a la soledad, al espacio y a la ruina. Juntó las manos en la espalda y volvió a escupir, no contra algo concreto, sino hacia todo, contra lo que estaba visible o representado, lo que podía recordarse sin necesidad de palabras o imágenes; contra el miedo, las diversas ignorancias, la miseria, el estrago, y la muerte. Escupió sin sacudir la cabeza, con una coordinación perfecta de los labios y la lengua; escupió hacia arriba y hacia el frente, experto y definitivo, siguiendo con impersonal complacencia la parábola del proyectil. No pensó la palabra oficina ni la palabra escritorio; pensó: «Voy a instalar mi despacho en la pieza donde está el conmutador ya que el viejo se reservó la más grande, la que tiene o le quedan mamparas de vidrio.»

Debían ser las dos de la tarde; Gálvez y Kunz habrían vuelto ya para completar el inventario; era imposible conseguir un almuerzo en el Belgrano. Separando vigorosamente el lomo de la pila de balsas que se estropeaban bajo una rotura del techo, con las manos hundidas en los bolsillos del sobretodo, seguro con exactitud de los centímetros de su estatura, del ancho de los hombros, de la presión de los tacones sobre la tierra perennemente húmeda, sobre los pastos tenaces, se puso en marcha hacia la entrada del galpón. Iba con el sombrero descuidado en la cabeza, los ojos moviéndose a compás, desconfiados por deber, para pasar revista a las filas de máquinas rojizas, paralizadas tal vez para siempre, a la monótona geometría de los casilleros colmados de cadáveres de herramientas, alzada hasta el techo del edificio, continuándose, indiferente y sucia, más allá de la vista, más allá del último peldaño de toda escalera imaginable.

Fue, paso a paso, con la velocidad que intuía apropiada a la ceremonia, cargando deliberadamente con la amargura y el escepticismo de la derrota para sustraerlos a las piezas de metal en sus tumbas, a las corpulentas máquinas en sus mausoleos, a los cenotafios de yuyo, lodo y sombra, rincones distribuidos sin concierto que habían contenido, cinco o diez años antes, la voluntad estúpida y orgullosa de un obrero, la grosería de un capataz. Iba vigilante, inquieto, implacable y paternal, disimuladamente majestuoso, resuelto a desparramar ascensos y cesantías, necesitando creer que todo aquello era suyo y necesitando entregarse sin reservas a todo aquello con el único propósito de darle un sentido y atribuir este sentido a los años que le quedaban por vivir y, en consecuencia, a la totalidad de su vida. Paso a paso, oprimiendo sin ruido la suavidad del piso, sin dejar de mover los ojos a derecha e izquierda, hacia máquinas estropeadas, hacia bocas de casilleros tapados con telarañas. Paso a paso hasta salir al viento frío y débil, a la humedad que se agolpaba en neblina, ya perdido y atrapado.

LA GLORIETA - II

De modo que Larsen ya estaba hechizado y resuelto cuando entró en lo de Belgrano, al mediodía siguiente y almorzó con Gálvez y Kunz. Nunca se supo con certeza si eligió encabezar la lista mensual de sueldos con cinco o seis mil pesos. En realidad, su preferencia por una y otra cifra sólo podía tener importancia para Gálvez, que escribía la lista a máquina, con varias copias, cada día 25, interrumpiéndose para frotarse la calva con ataques de furia. Cada día 25 volvía a descubrir, a comprender el absurdo regular y permanente en que estaba sumergido. La revolución periódica lo obligaba a interrumpirse y caminar, ir y volver por la gran sala desierta, las manos en la espalda, el cuello envuelto con la bufanda marrón, deteniéndose frente a la mesa de dibujo de Kunz para mostrarle la risa blanca, silenciosa, siempre exasperada y pronta.

De modo que fueron cinco o seis mil, puntualmente acreditados en los libros, cinco o seis, según las supersticiones de Larsen lo inclinaran a los números pares o nones. Había elegido la cifra y el resto y ahora llegaba cada mañana antes que nadie, pensaba, temblando de frío, sin admitir que sólo había aventajado a Gálvez y a Kunz, para instalarse en la pieza designada como asiento de la Gerencia General, el despacho dominado por el conmutador telefónico, con su entrevero negro de cables, ahora menos polvoriento y sucio, definitivamente sordo y mudo.

«Este pobre gordito, este difunto sin sepelio, esta hormiguita laboriosa», podría haber dicho Larsen de sí mismo dos meses antes, si hubiera podido verse entrar a las ocho de la mañana en el despacho de la Gerencia General, quitarse el sombrero, el sobretodo y los guantes, acomodar el cuerpo en la silla cubierta por cuero agujereado, y revisar las pilas de carpetas que había seleccionado y puesto encima del escritorio la tarde anterior.

Los timbres funcionaban, o volvieron a funcionar, desde que él dedicó una jornada a trabajar en los cables. Había pintado con letras negras *Gerencia General* sobre el vidrio escamoso de la mampara. En la mitad de la mañana interrumpía el aburrimiento de los azules «muy señores nuestros» precedidos siempre por una fecha de cinco o diez años atrás; interrumpía las historias de precios, toneladas y peritajes, de ofertas e infaltables contraofertas, para apretar uno de los dos timbres sobre el escritorio, Gálvez o Kunz, arreglarse la corbata y ensayar en la soledad una mirada y una sonrisa. Ellos, uno u otro, empezaban a burlarse desde que oían la trabajosa agitación de la campanilla; golpeando la puerta, pedían permiso, lo llamaban señor.

No iba a cobrar, en todo caso, ni cinco ni seis mil pesos a fin de mes. Pero nadie le negaba la satisfacción de imponer un asiento con una sonrisa, con un manoteo afectuoso, al hombre que empujaba la puerta de madera y vidrio de la Gerencia General, Gálvez o Kunz, ni tampoco el placer demente de hacer preguntas y obtener respuestas sobre temas de sonido prestigioso y que muy probablemente no aludieran a nada: alternativas de la balanza de pagos, límites actuales de la compresión de las calderas.

Cruzaba las piernas, reunía las yemas de los dedos frente a la boca, atenta y escéptica la cara redonda, e imaginaba a veces ser el viejo Petrus, manejar sus experiencias y sus intereses.

Todas las mentiras, los disparates, las irritadas burlas que iba inventando el otro, uno de los dos, al otro lado del escritorio —con una oportuna profusión de sonrisas, de cabezadas, de mal calculados «señor Gerente General»— calentaban el corazón de Larsen.

—Entiendo, claro está, seguro, natural, lo que yo pensaba —iba diciendo en las pausas, alegre y discreto como si prestara dinero a un amigo.

Siempre al borde de los bostezos del mediodía, arrancaba una hoja del calendario de escritorio de años anteriores y apuntaba las palabras más extrañas que acababa de oír. Estaba deseando levantarse y abrazar al Gálvez o al Kunz, confesarse en una frase obscena, golpearle la espalda. Pero con voluntad y tristeza, no pasaba nunca de darle las gracias y despacharlo con un corto movimiento de la mano, con una sonrisa de amistad y aprobación.

Esperaba hasta oírlos salir; destrozaba pacientemente los papelitos atravesados por las palabras dudosas y extrañas, se ponía el sobretodo, el sombrero, los guantes, miraba desde un ventanal sin vidrios la soledad del hangar, de la tierra con agua y matas de yuyos que lo rodeaba, y hacía sonar los tacones sobre el piso polvoriento de la gran sala vacía. Entraba a lo de Belgrano por la puerta trasera de alambres que llevaba a las letrinas y al gallinero: se metía en su cuarto y esperaba el almuerzo leyendo *El Liberal*, tiritando en el sillón de mimbre y cretona raída, haciendo cortes de manga a los presagios que redoblaba el invierno contra el techo. Y por la tarde, al final de un día dedicado a remover, sacudir y hojear carpetas que registraban compras y trabajos que nada le decían a pesar de su empeño en imaginar, que nada podían significar ya para nadie, Larsen se aseguraba de que era el último en abandonar las oficinas, hacía girar cerraduras inútiles, y se iba hasta lo de Belgrano para afeitarse y ponerse la camisa de seda, siempre limpia y reluciente, un poco gastada en los puños. Mentía destinos plausibles al patrón si lo tropezaba al salir y daba largos rodeos, dibujaba sobre calles y aceras de tierra caminos siempre distintos e irresolutos, senderos vagos, novedosos, hijos de la trampa y la duplicidad.

Más tarde o más temprano, hacía sonar la pesada campana, cruzaba el portón de hierro, mostraba a la sirvienta —ahora burlona, huraña— una sonrisa entristecida por represiones visibles, un pequeño gesto de la boca, una mirada que insinuaban la resignación e inducían a compartirla. Avanzaba detrás de ella sin necesidad ya de ser guiado, entre olores y alturas vegetales, descubierto, entre los dos muros de la noche rápida perforados por la inmovilidad blanca de las estatuas.

Sonreía sin sombra de resignación al llegar a la glorieta, cincuenta metros después del portón: él era la juventud y su fe, era el que se labra un porvenir, el que construye un mañana más venturoso, el que sueña y realiza, el inmortal. Y tal vez besara a la mujer antes de sentarse sobre su pañuelo desplegado en el asiento de hierro, antes de prolongar la sonrisa correlativa, la de embeleso y asombro: he suspirado todo el día por este momento y ahora dudo de que sea cierto.

O tal vez sólo se besaran después de haber oído a la sirvienta y a los ladridos del perro alejarse hacia la casa sostenida por los postes de cemento, la casa cerrada para él, Larsen. («Nada más que para ver, estar en los lugares donde vive, la sala, la escalera, la pieza de costura.» Había estado pidiendo. Ella se sonrojó y cruzó las piernas: estuvo gastando la risa al suelo y después dijo que no, que nunca, que tenía que invitarlo Petrus.)

O tal vez, por entonces, no se besaran. Es posible que Larsen alargara su prudencia y esperara el momento inevitable en que descubriría en qué tipo de mujer encajaba la hija de Petrus, con qué olvidada María o Gladys coincidía, qué técnica de seducción podría usarse sin provocar el espanto, la histeria, el final prematuro. «Más loca que cualquier otra que pueda acordarme —pensaba en su cama de lo de Belgrano, irritado y admirándola—. Se ve que es de familia, que es rara, que nunca tuvo un hombre.»

Si era así, si el miedo al fracaso y a otra cosa que no podía determinar fueron más fuertes para Larsen que la conciencia del deber o del oficio que lo impulsaba a no demorar la toma de posesión, a establecer sin pérdida de tiempo la única base que podía dar un sentido a sus relaciones con mujeres, es legítimo admitir, como la versión más importante y rica de las entrevistas crepusculares en la glorieta, la que hubiera dado Angélica Inés Petrus en el caso de que fuese capaz de construir una frase:

«Empiezo a sudar, a dar vueltas, dos horas, una hora antes de que llegue. Porque tengo miedo y miedo también de que no venga. Me pongo crema y me perfumo. Le miro la boca cuando se levanta los pantalones para sentarse, cuando me río alzo la mano hasta los ojos y lo miro como quiero, sin vergüenza. En la glorieta él me toma la mano; tiene olor a *bayrhum,* a mí, a cuando papá estuvo fumando cigarros en el baño, a espuma seca de jabón. Puedo sentir náuseas pero no asco. Josefina, *la Negra,* se ríe; ella sabe todo y no me lo dice; pero no sabe eso que yo sé. Le hago caricias o un regalo para que me pregunte. Pero eso nunca lo preguntó, porque no sabe, no puede imaginarlo. Cuando está rabiosa se ríe, me pregunta cosas que no quiero entender. Crema y perfume; miro desde la ventana o lo beso a *Dick, Dick* ladra, quiere bajar y que lo acompañe. Pienso verdades y mentiras, me confundo, siempre sé cuando es la hora, apenas me equivoco, y él no tiene más remedio que venir en el momento en que yo digo "camina desde la esquina al portón".

»Al principio yo hubiera querido que fuera hermano de papito y que tuviese la boca, las manos, la voz, distintas según las horas del día. Sólo esas cosas. Él viene y me quiere; tiene que venir porque yo no lo busqué. Ahora son amigos y están siempre juntos en la oficina cuando yo no los veo. Papá mira el cielo y tiene la cara sin brillo y flaca. Él no es así. Bajo y lo espero, me pongo a reír con *Dick* y todo lo que encuentro, rápida, para estar sin risa, o sólo la que yo quiera tener, cuando él llega y me da la mano y empieza a mirarme. Entonces me río un poco y veo cómo se sienta: recoge los pantalones con los dedos, con dos golpecitos y se queda quieto con las piernas separadas. Pienso verdades de noche, cuando él no está y cuando encendemos velas a los santos y a los muertos. Pero en la glorieta siempre pienso mentiras; me habla, le miro la boca, le doy una mano, y él explica con paciencia quién soy y cómo. Pero también lloro. Cuando recuerdo la mentira en la cama me veo acariciar el pasto de la glorieta con los zapatos; nunca lo lastimo, trato de conocerlo. Pienso en mamá, en las noches siempre de invierno, en *Lord* durmiendo parado y la lluvia que le revienta en el lomo, pienso en Larsen muerto muy lejos, vuelvo a pensar y lloro.»

LA CASILLA - I

El escándalo debe haberse producido más adelante. Pero tal vez convenga aludir a él sin demora para no olvidarlo. De todos modos, debe haber sucedido antes de que Larsen mirara nuevamente la cara de la miseria, antes de que Poetters, el dueño de lo de Belgrano, suprimiera las sonrisas y casi los saludos, antes de que terminara el crédito por las comidas y los lavados. Antes de que Larsen plagiara, gordo, enfurruñado, sin ingenio, como cuando aceptaba ser llamado *Juntacadáveres*, escenas de veinte y treinta años atrás, dietas de mate y tabaco, promesas que se repetían y se embotaban, sobornos humillantes para conseguir del mucamo una plancha, un cigarrillo, agua caliente por las mañanas.

El escándalo puede ser postergado y hasta es posible suprimirlo. Puede preferirse cualquier momento anterior a la tarde en que, al parecer, Angélica Inés Petrus entró y salió de la oficina de Larsen para detenerse en la puerta que comunicaba la gran sala con la escalera de entrada y donde hacía lentos remolinos el viento, para volver sin apuros, sin orgullo ni modestia, con el vestido roto sobre el pecho, arrancado por ella misma desde los hombros hasta la cintura mientras regresaba con el abrigo desprendido hacia las retintas letras, Gerencia General, sobre el vidrio despulido.

Podemos preferir el momento en que Larsen se sintió aplastado por el hambre y la desgracia, separado de la vida, sin ánimos para inventarse entusiasmos. Después del mediodía de un sábado estaba leyendo en un despacho un presupuesto de reparaciones dirigido un 23 de febrero de siete años atrás a Señores Kaye and Son Co. Ltd., armadores del barco *Tiba*, entonces con averías en El Rosario. Habían pasado cuarenta y ocho horas de viento y lluvia, de la presencia inolvidable e impuesta del río hinchado y oscurecido; hacía cuatro o cinco días que sólo se alimentaba de las tortas y las jaleas que acompañaban el té en la glorieta.

Dejó la carpeta y fue alzando la cabeza; escuchó el viento, la ausencia de Gálvez y Kunz, sintió que también le era posible escuchar el hambre, que había pasado ahora del vientre a la cabeza y a los huesos. Tal vez el *Tiba* se hubiera hundido en marzo, siete años atrás, al salir de El Rosario, cargado de trigo. Tal vez su capitán, J. Chadwick, pudo hacerlo navegar sin novedad hasta Londres, y Kaye and Son Co. Ltd. (Houston Line) lo hizo reparar en el Támesis. Tal vez Kaye and Son, o Mr. Chadwick, por poderes, aceptaron el presupuesto o aceptaron el precio final, después del regateo, y el barco gris sucio, alijado, con nombre de mujer, descendió el río y vino a echar anclas frente al astillero. Pero la verdad no podía ser hallada en aquella carpeta flaca que sólo guardaba un recorte de periódico, una carta fechada en El Rosario, la copia de otra que firmaba Jeremías Petrus y el minucioso presupuesto. El resto de la historia del *Tiba,* su desenlace feliz o lamentable, estaría perdido en las pilas de carpetas y biblioratos que habían formado el archivo y que cubrían ahora medio metro de las paredes de la Gerencia General y se desparramaban por el resto del edificio. Quizá lo descubriera el lunes, quizá nunca. En todo caso, disponía de centenares de historias semejantes, con o sin final; de meses y años de lectura inútil.

Cerró la carpeta y dibujó sus iniciales en la tapa para saber que ya la había leído. Se puso el sobretodo, recogió el sombrero y fue haciendo correr todas las cerraduras de puertas y muebles del piso de oficinas, todas las que funcionaban, las que tenían llaves y pestillo.

Se detuvo en el centro de la sala donde habían estado Administración, Correspondencia, parte de Técnica, y Exportación, frente al pupitre de Gálvez, mirando los enormes libros de contabilidad, forrados en arpillera, con el nombre de Petrus en las cubiertas, con las escalas de los índices en los costados.

El hambre no era ganas de comer sino de tristeza de estar solo y hambriento, la nostalgia de un mantel lavado, blanco y liso, con diminutos zurcidos, con manchas recientes; crujidos del pan, platos humeantes, la alegre grosería de los camaradas.

Recordó la casilla de madera donde vivía Gálvez, tal vez con una mujer, con niños, entre el cañaveral y el cobertizo. Era casi la una de la tarde. «Este asunto del *Tiba,* y el gringo Chadwick and Son. Cuando se producen esos casos, cuando llegan a nuestro conocimiento... ¿Se limita la empresa a mandar una carta o contamos con un agente en El Rosario? Digo El Rosario como cualquier puerto comprendido en nuestra zona de influencia. Perdone que los moleste fuera de horas de oficina.»

Pero no lo dejaron hablar, suprimieron su obligación de hacer preguntas y mentir en el mismo momento en que él se detuvo, para descubrirse y sonreír, cerca del grupo agachado, torciendo un poco el cuerpo para que el humo del asado no le tocara el sobretodo. Decidieron no dejarlo hablar, sin palabras, sin mirarse, desde que lo vieron entrar en el viento y el descampado, avanzando por la escalera, negro, corto, desmañado, tanteando sonoro y cauteloso los peldaños de hierro, con sus pequeños pies lustrados, sujetándose el ala del sombrero, como si empuñara un arma, un símbolo de nobleza, una ofrenda valiosa.

—¿Un mate? Mi señora. Perdone que atienda el fuego que se quiere apagar —dijo Gálvez, sonriendo desde el humo en remolinos y el chirrido de la grasa.

El alemán se había puesto de pie y movió la cabeza para saludar; después alzó el brazo y le ofreció el mate.

—Gracias; sólo vine por un momento —dijo Larsen.

Se descubrió y mantuvo la mano estirada hacia la mujer, hermosa, ventruda y mal peinada que se le acercaba desde los escalones de la casilla, desde la zona de tablones que rodeaba la casilla, a la que debían llamar porche y donde se sentarían en las noches de verano para respirar el río, tal vez felices, tal vez agradecidos. La mujer tenía un sobretodo y zapatos de hombre, se balanceaba al andar, ancha, muy blanca; venía tocándose el pelo, no para intentar en vano remedar un peinado ni para disculpar la inexistencia o el deterioro del peinado, sino para que el viento no lo hiciera caer sobre los ojos.

—Es para mí un honor, señora —dijo Larsen, veloz y claro, sintiendo que la vieja sonrisa del primer encuentro con mujeres (deslumbradora, protectora e insinuante, y que no escondía del todo el cálculo) se le formaba sin esfuerzo, no alterada por el tiempo ni las circunstancias.

Se puso a chupar el mate y miró alrededor, la casa de madera que parecía la reproducción agrandada de una casilla de perro, con tres escalones vencidos que llevaban hasta el umbral, con rastros de haber estado pintada de azul, con una mal adherida timonera de barco fluvial, extraída del cadáver de algún *Tiba*.

Miró la desconfianza de los dos perros falderos, el edificio gris de las oficinas, el galpón de ladrillos, chapas, herrumbre, deterioro, la lámina del río, ilesa bajo el viento.

—No se está mal aquí —dijo con otra sonrisa, también fácil, cortésmente envidiosa.

La mujer, con los perros refugiados entre las piernas, alta, inconmovible, alzó los hombros del sobretodo y le mostró los dientes jóvenes y manchados.

—Viene a ver cómo viven los pobres —explicó Gálvez, de pie, la bombilla clavada en su sonrisa furiosa.

—Vengo a ver a los amigos —dijo Larsen con dulzura, como si hubiera descubierto una posibilidad de que el otro hablara en serio. El agua ardiente y amarga del mate le corría velozmente por las tripas. Sintió que era fácil pelear, darle una patada al asador, decir una frase obscena mirando a la mujer.

—Estaba por retirarme de mi despacho —recitó examinándose las uñas—, cuando tuve la idea de preparar un informe durante este fin de semana. Dediqué la mañana a revisar el archivo. Estudié un presupuesto enviado hace algunos años al capitán de un barco que estaba con averías en el puerto de El Rosario.

Pensó que lo dejaban hablar por maldad, que acordaban la burlona imitación de un silencio respetuoso para obligarlo a confesar la farsa, el desespero. Guardó las manos y bajó la cabeza para mirarse las puntas de los zapatos que hizo subir y bajar entre yuyos calcinados, papeles endurecidos por el barro, pozos de humedad sucia. La radio en el porche —supo después que ellos llamaban galería a los tablones sobresalientes al costado de la casilla— empezó a tocar un tango o él empezó a oírlo entonces.

—El caso de un barco, el *Tiba,* cargando trigo en el puerto de El Rosario y necesitado de reparaciones para poder zarpar. No consta lo que pasó después; va a costar encontrar el resto dada la confusión de las carpetas del archivo —buscaba la manera de despedirse—. Una de las primeras medidas debe ser, me permito opinar, la reorganización del archivo y de todos los antecedentes comerciales —había aceptado ahora enloquecer o morir, miraba despistado el movimiento de sus zapatos sobre la tierra oscurecida por la lluvia y dedicaba gratuitamente el discurso a la mujer amplia e inmóvil. Cuando no pudo más alzó la cabeza y los miró, uno a uno, los hombres, la mujer, los perros, con las manos en los bolsillos, jadeante, el sombrero tocando una oreja, los ojos remozados y buscadores.

—Depende del año —dijo Kunz con tristeza—. No recuerdo haber intervenido en ese presupuesto.

Gálvez continuaba mirando el fuego, en cuclillas.

—¿Falta mucho? —preguntó la mujer.

Entonces Gálvez se incorporó con un cuchillo en la mano; la estuvo mirando con sorpresa, como si no le fuera posible entender, como si la cara de ella o su pregunta le revelaran algo que era vergonzoso no haber visto antes. Le sonrió y le besó la frente.

—El agua está fría —dijo Kunz—. Si el lunes me muestra la carpeta puede ser que sepa.

Gálvez se acercó a Larsen y trató de no sonreír.

—¿Por qué no deja el sobretodo adentro? —ordenó suavemente—. De paso se trae un plato y cubiertos, ya va a encontrar dónde. Vamos a comer.

Sin mirarlo, Larsen subió los tres peldaños, dejó caer el sobretodo en una cama, se encajó el sombrero, trajo el plato de lata y el tenedor de plomo, sonrió bondadoso al nuevo silencio del grupo como si él ofreciera la comida y acomodó el cuerpo para contemplar el asado crepitante, mientras bisbiseaba la letra de nostalgia y desquite del tango gangoso en la radio.

Entonces, con lentitud y prudencia, Larsen comenzó a aceptar que era posible compartir la ilusoria gerencia de Petrus, Sociedad Anónima, con otras ilusiones, con otras formas de la mentira que se había propuesto no volver a frecuentar.

Acaso se había visto obligado a decir que sí cuando supo en su corazón que no cobraría los cinco o seis mil pesos al final de este mes ni de ninguno de los que le quedaban por vivir; cuando el dueño de lo de Belgrano continuó leyendo el diario o espantando moscas alguna vez que él se acercó al mostrador con una sonrisa de bebedor locuaz; cuando tuvo que esconder los puños de la camisa antes de recorrer el familiar laberinto entre mármoles ateridos que desembocaba en la glorieta. Acaso se haya abandonado, simplemente, como se vuelve en las horas de crisis al refugio seguro de una manía, un vicio, o una mujer.

Pero ésta era su última oportunidad de engañarse. De modo que mantuvo, sin que se viera el esfuerzo, con voluntad desesperada, un límite infranqueable entre la Gerencia General, y el frío creciente de la glorieta y las comidas dentro o alrededor de la casilla donde vivía Gálvez con la mujer vestida de hombre y los perros sucios.

Aparte de la piedad intermitente, de la conciencia de que nunca le sería explicado el secreto de la invariable alegría de la mujer («no es porque esté resignada, no es por el privilegio de dormir con este tipo, no es tampoco por imbecilidad»), tuvo que soportar muy pocas cosas. En realidad, no estaba con ellos sino con reproducciones de fidelidad fluctuante, de otros Gálvez y Kunz, de otras mujeres felices y miserables, de amigos con nombre y rostro perdidos que lo habían ayudado —sin propósito, sin tomarlo de verdad en cuenta, sin agregar nada al impulso instintivo de ayudarse ellos mismos— a experimentar como normal, como infinitamente tolerable, la sensación de la celada y la desesperanza. Ellos, por su parte, soportaron desde el primer día, sin humillarse, sin burla, el doble juego de Larsen: la Gerencia de 8 a 12, de 3 a 6, las desapariciones de Larsen hasta la cena, sus silencios cuando se hablaba del viejo Petrus o se insinuaba la existencia de su hija.

Las cenas (guisos ahora, casi siempre, porque el frío obligaba a cocinar en la casilla y allí el humo no cabía) duraban hasta tarde, con litros de vino, con tangos sordos en la radio (los perros dormían, la mujer canturreaba ronca y suave dentro del calor de las solapas alzadas, sonriente, proponiendo con cada palabra un enigma de gozo y de preservada inocencia), con el plácido intercambio de anécdotas, de recuerdos pintorescos deliberadamente impersonales.

Habían dejado de odiarlo y es casi seguro que lo soportaban porque lo creían loco, porque Larsen agitaba en ellos un espeso, coincidente légamo de locura; porque extraían una indefinible compensación del privilegio de oír su voz grave y arrastrada hablando del precio por metro de la pintura de un casco de barco en el año 47 o sugiriendo tretas infantiles para ganar mucho más dinero con el carenaje de buques fantasmas que nunca remontarían el río; porque podían distraerse con las alternativas del combate entre Larsen y la miseria, con sus triunfos y sus fracasos en la interminable, indecisa lucha por cuellos duros y limpios, pantalones sin brillo, pañuelos blancos y planchados, por caras, sonrisas y muecas que traslucieran la confianza, la paz de espíritu, aquella grosera complacencia que sólo puede procrear la riqueza.

LA GLORIETA - III
LA CASILLA - II

En aquellos días, Larsen bajó hasta Mercedes, dos puertos hacia el sur, para vender lo único que le quedaba; un broche con diamantes y un rubí, recuerdo de una mujer no ubicable, y cuyo precio había ido corrigiendo durante años con satisfacción y paciencia.

Se dejó robar de pie, levemente apoyado en el mostrador del negocio. Luego, por superstición, buscó una joyería pequeña, joyería para su voluntad y su memoria: estaba cerca del mercado, frente a cuadras de campo raso, y también vendían allí sedas y medias, revistas, zapatos de mujer. Separado por el mostrador angosto de vidrio de un turco bigotudo e impasible se abandonó al viejo placer de manosear regalos para mujeres, objetos inútiles o de utilidad sutil o tortuosa, que establecían una rápida amistad con cualquier clase de manos y ojos, que atravesaban los años desgastándose con lentitud y cambiando dócilmente de sentido.

—Todo caro y nada bueno —dijo, sin éxito, gastándose en el silencio premeditado y triste del turco.

Eligió por fin, concediendo, una polvera dorada, con espejo, con un escudo en la tapa, con un cisne que arrastró en provocación sobre la nariz y los labios. Compró dos, idénticas.

—Envolvelas como para que no se rocen.

Almorzó solitario en un restaurante desconocido, se llenó los bolsillos de chocolatines y se volvió en la primera lancha.

Aquella noche lo extrañaron, bromeando, en la casilla de Gálvez. Comió con el patrón de lo de Belgrano después de pagar la deuda y adelantarle dos mensualidades del alquiler de la pieza. Frente al patrón, hasta la madrugada, Larsen estuvo emborrachándose en secreto mientras hablaban de la industria relojera, de los altibajos de la vida, las posibilidades sin límites de un país joven; insinuó al final, de regreso al mostrador para el último coñac, que los treinta millones de Petrus iban a ser liberados muy pronto por la Junta de Acreedores y que sólo esperaba esto para anunciar su compromiso con Angélica Inés.

Subió a dormir recordando que le sobraban unos doscientos pesos para seguir contribuyendo a las comidas en lo de Gálvez; se durmió pensando que había llegado al final, que dentro de un par de meses no tendría ni cama ni comida; que la vejez era indisimulable y ya no le importaba; que le traería mala suerte la venta del broche.

Vino, en seguida del sueño matinal y confuso, sin realmente interrumpirlo, la jornada abierta a las 8 o 9 en punto en su despacho, cuando sacudió la cabeza con resignación frente a la pila de carpetas de sucesos muertos que se había reservado el día anterior. Leyó hasta que lo distrajeron las ganas de pasar al salón principal y acercarse a la mesa abandonada donde Kunz y Gálvez calentaban el café a las once. Desde un rato atrás los había estado oyendo moverse y hablar. Gálvez sobre los enormes libros de contabilidad, el alemán entre los cándidos azules de los planos, entre los signos secretos, duros, separados de las hojas de cálculos.

Pudo olvidarlos ayudado por una oferta de máquinas esfaltadoras y vagonetas de vuelco mecánico; volvió a pensar en ellos, y entonces apartó con lentitud la carpeta que estaba leyendo. Encendió un cigarrillo tratando de moverse apenas lo indispensable. Escuchó voces impulsadas sin entusiasmo, alguna risa sin respuesta; el viento, crujidos de madera, un ladrido, pequeños puntos sonoros que servían para la mensura de la distancia y el silencio.

«Están tan locos como yo», pensó. Había hecho retroceder la cabeza y la mantenía inmóvil en el aire frío, los ojos salientes, la pequeña boca desdeñosa y torcida para sostener el cigarrillo. Era como estarse espiando, como verse lejos y desde muchos años antes, gordo, obsesionado, metido en horas de la mañana en una oficina arruinada e inverosímil, jugando a leer historias críticas de naufragios evitados, de millones a ganar. Se vio como si treinta años antes se imaginara, por broma y en voz alta, frente a mujeres y amigos, desde un mundo que sabían (él y los mozos de cara empolvada, él y las mujeres de risa dispuesta) invariable, detenido para siempre en una culminación de promesas, de riqueza, de perfecciones; como si estuviera inventando un imposible Larsen, como si pudiera señalarlo con el dedo y censurar la aberración.

Pudo verse, por segundos, en un lugar único del tiempo; a una edad, en un sitio, con un pasado. Era como si acabara de morir, como si el resto no pudiera ser ya más que memoria, experiencia, astucia, pálida curiosidad.

«Y tan farsantes como yo. Se burlan del viejo, de mí, de los treinta millones; no creen siquiera que esto sea o haya sido un astillero; soportan con buena educación que el viejo, yo, las carpetas, el edificio y el río les contemos historias de barcos que llegaron, de doscientos obreros trabajando, de asambleas de accionistas, de debentures y títulos que anduvieron, arriba y abajo, en las pizarras de la Bolsa. No creen, me doy cuenta, ni siquiera en lo que tocan y hacen, en los números de dinero, en los números de peso y tamaño. Pero trepan cada día la escalera de hierro y vienen a jugar a las siete horas de trabajo y sienten que el juego es más verdadero que las arañas, las goteras, las ratas, la esponja de las maderas podridas. Y si ellos están locos, es forzoso que yo esté loco. Porque yo podía jugar a mi juego porque lo estaba haciendo en soledad; pero si ellos, otros, me acompañan, el juego es lo serio, se transforma en lo real. Aceptarlo así —yo, que lo jugaba porque era juego— es aceptar la locura.»

Estaba despierto, cansado, débil; escupió el cigarrillo, se puso de pie, fue a empujar la puerta con las letras Gerencia General. Sonriente, frotándose las manos se acercó a la mesa donde Gálvez y Kunz se habían sentado y balanceaban a compás las piernas colgantes mientras tomaban el café.

—¿Una tacita para mí? —preguntó Larsen antes de servirse—. Un café arriba de la comida y un café arriba del hambre. Es mejor que el viejo aperitivo. Me dan pena esos kilómetros de rieles que no se usaron nunca. La idea del camino carretero paralelo es muy buena; pero, claro, había que conseguir la concesión.

—Por lo menos los durmientes —dijo Gálvez—, los estamos quemando para cocinar y calentarnos.

—Algo se aprovecha —consoló el alemán.

—No deja de ser una lástima —dijo Larsen; puso la taza en la mesa, miró las caras de los otros y se tocó los labios con el pañuelo—. No voy a venir a la oficina esta tarde. Les dejo cincuenta pesos para la noche, para que compren cosas y hacemos una fiesta.

—No se olvide que hoy no es sábado —dijo Kunz.

—Está bien —dijo Gálvez—; nos vamos a divertir. No hay por qué preocuparse; tienen en los libros muchos miles a favor.

Después del almuerzo se tiró en la cama y durmió a través de un sueño cuyas cóncavas paredes estaban hechas con caras ya vistas, con púdicas expresiones de inquisición y renuncia, y despertó para volverse a ver —frío ahora, dispéptico, enchalecado— boca arriba en la cama, escuchando el anuncio del fin de la tarde en los gritos de animales lejanos, escuchando la voz del dueño al pie de la ventana. Buscó un cigarrillo y se puso una manta en los pies, miró en el techo la última luz del día, evocó una infancia campesina, común a todos los hombres, un paraíso invernal, calmo, materno. Olió, debajo del humo, un rastro de amoníaco y una olvidada playa de pescadores. Cada siete días se rompía un caño o desbordaba una letrina. El patrón, con botas de goma, estaba dando órdenes a las dos mucamas y al muchacho.

Esperó a que el sol iluminara el techo con la luz de las seis de la tarde. Se acarició frente al espejo la carne barbuda del mentón, se puso agua en el pelo, hizo llover el talco sobre tres dedos y estuvo masajeándose las mejillas, la frente y la nariz. No quería pensar al anudarse la corbata, al ponerse el saco, al elegir una de las dos polveras. «Este señor que me mira en el espejo.» Caminó metiéndose en la quietud del frío, tieso y taconeando sin resultado, calle abajo sobre la tierra húmeda, negro y empequeñecido entre alturas de árboles.

El portón estaba cerrado; miró las luces aún pálidas de las ventanas, estuvo escuchando el silencio con un perro en el centro, tiró tres veces del cordón de la campana. «Puedo pegarme un tiro», pensó sin entusiasmo, compadeciéndose. Ya no se oía el perro: alguien se apartó de la primera sombra azul de la noche, rodeó la glorieta y vino por el sendero de ladrillos. El perro trotaba, jadeaba, ladró hacia el portón y las estatuas, a derecha e izquierda. Una claridad se desvanecía en las puntas de los árboles. «Puedo también...», pensó Larsen, y se encogió de hombros, apretando la polvera en el bolsillo.

Era Angélica Inés, no Josefina, acercándose y deteniéndose, con un largo vestido blanco, apretado en la cintura, rodeada por los saltos del perro.

—Ya no lo esperaba —dijo—. Papito está por venir y cerramos el portón porque a él no le gusta. Josefina se puso en la cocina.

—Tuve mucho que hacer —explicó Larsen—. Mucho trabajo, y además un viaje a Santa María para buscar algo. Adivine.

Ella terminó de separar la hoja del portón y echó el perro; empezó a reírse encorvada mientras simulaba buscar una piedra para espantar al animal, y se rió después con la boca alzada entregando un brazo a Larsen. La rodeaba un perfume de flores de verano. Mientras se acercaban vieron una luz amarilla dentro de la glorieta, un resplandor inmóvil que crecía con la noche y los pasos.

Entraron en el fulgor apenas inquieto de las velas. Larsen observó con desconfianza el candelabro —viejo y empañado, con formas de bestias y flores— macizo, pesando en el centro de la mesa de piedra. «Parece cosa de judíos, parece todo de plata.»

Ella volvió a reír inclinada sobre la mesa y las llamas se estremecieron; el vestido blanco llegaba hasta los zapatos de cintas brillantes, recogía la luz de las velas en el cuello y el pecho adornados con espirales de perlas de cera. Descubierto y respetuoso, Larsen olió la humedad y el frío, se detuvo a compararlos con la blancura del vestido.

—Me he permitido traerle un recuerdo —dijo, mientras daba un paso corto y mostraba la polvera—. Es nada; pero tal vez para usted valga la intención.

Cuadrada, flamante, agresiva, la polvera amarilleó la luz de las velas. La mujer hizo otra risa, ahora con ruido de pájaro, murmuró una negativa y fue alargando los brazos, incrédula, animosa, hasta arrebatar la cajita de metal. El perro ladraba lejos, yendo y viniendo, el cielo se hizo repentinamente negro y las velas ardieron crecidas, intensas, con un júbilo vengativo.

—Para que me recuerde —dijo Larsen, sin acercarse—; para que la abra y mire en el espejo esos ojos, esa boca. Puede ser que entienda, mirándose, que no es posible vivir sin usted.

La voz había sonado rota y convincente, lejana, y era probable que ella —mientras miraba la boca entreabierta en el espejo, mientras balanceaba frente a la polvera los dientes apretados— imaginara una noche sin Larsen, una noche con Larsen perdido para siempre. Pero él estaba avergonzado de su actitud, de la distancia, de la pierna doblada, del sombrero apoyado en el vientre; sufría, consciente de su torpeza, incapaz de corregir el fracaso de sus gestos, admirando la exactitud de las palabras que acababa de decir.

—Es linda, es linda —con las dos manos apoyó la polvera en el pecho para protegerla del frío, miró desafiante a Larsen—. Ahora es mía.

—Es suya —dijo Larsen—, para que me recuerde —no se le ocurrieron frases hermosas y útiles, aceptó que el final de la historia fuese aquel encuentro de la mujer con la caja dorada, en un principio de noche de invierno, a la luz de siete velas quemándose en el frío. Dejó el sombrero sobre la mesa y se acercó con una sonrisa obsequiosa y triste.

—Si usted supiera... —comenzó sin plan. Ella retrocedió sin mover las piernas, inclinando hacia atrás el cuerpo, los hombros encogidos para defender la polvera.

—No —gritó; en seguida se puso a murmurar, hechizada, cantando—: No, no, no —pero apenas Larsen le tocó los hombros, dejó caer el regalo y le ofreció la boca. Con la cabeza junto a la base del candelabro, ella estuvo riéndose, llorando sin queja. Los pasos y las voces de Josefina, las carreras y los jadeos del perro los rodeaban amenazantes mientras se incorporaban.

Ella hizo girar los ojos y trató de llorar un poco más; una manga tocó la llama y Larsen interpuso su mano. Se estaba oliendo el vello chamuscado mientras tanteaba el suelo para buscar la polvera.

Josefina se acercaba en la sombra prometiendo cosas al perro. Larsen recogió el sombrero y besó la frente de la mujer.

—Ni en el más feliz de mis sueños —mintió con ardor.

Mientras se acercaba en la noche a la casilla, hundiendo la cabeza en el abrigo del cuello y el pañuelo, se le hizo imposible alegrarse de su victoria, no pudo siquiera evocarla como victoria. Se sentía empobrecido, incapaz de jactancia, incrédulo, como si no fuera cierto que hubiera besado a Angélica Inés entre los titilantes rombos dorados de las velas; o no se tratara, en realidad, de una mujer; o no fuera él quien lo había hecho.

Desde hacía muchos años, abrirse paso en una mujer no era más que un rito indispensable, una tarea a ser cumplida, a pesar o al margen del placer, con oportunidad, con eficiencia. Lo había hecho, una vez y otra, sin preocupaciones ni problemas, como el patrón que paga un salario; reconociendo su deber, confirmando la sumisión ajena. Pero siempre, aun en los casos más tristes y forzados, había extraído del amor plenitud y un desvaído orgullo. Aun en aquellas ocasiones en que le era necesario exagerar el cinismo y la torcedura de su sonrisa frente a los amigos silenciosos, falsamente desinteresados, que en las reuniones de madrugada bostezaban sin sueño al llegar la mujer de Larsen. Y luchaban contra el silencio, torpes, con la primera frase de sentido heroico que podían componer o recordar: «Es problemática la inclusión de Labruna.»

Ahora no; ahora no había sitio para el orgullo o la vergüenza, estaba vacío, separado de su memoria. Escupió ruidoso cuando se acabó a su izquierda el paredón de ladrillos de los fondos del astillero; vio la luz caliente de la fogata, su reflejo en las chapas del cobertizo. Volvió a escupir mientras doblaba, mientras componía la cara, mientras un viento helado y tranquilo traía un murmullo de música y el olor del asado y las ramas ardiendo.

«Todas son locas», pensó, aliviándose.

Avanzó deslumbrado, tanteando los ladrillos sinuosos entre el fango, con la cabeza alzada, con una expresión de júbilo y bondad que fue creciendo desde la oscuridad a la hoguera. Se acercaba la fiesta y él la había pagado.

—Buenas noches la compañía —gritó cuando lo descubrieron. Atravesó los saludos para acariciar los hocicos de los perros.

Después de la comida estuvo un momento a solas en la casilla con la mujer; entregó la polvera con el mismo aire de nostalgia y arrepentimiento con que acariciaba a los perros. Sólo dijo:

—Para que me recuerde, para que la abra y se mire en el espejo.

Despeinada y huraña, oscurecida, con su viejo abrigo de hombre cerrado hasta el mentón por un alfiler enorme, deformada por la gran barriga, limitando con los brillos grasosos de su cara una sabiduría que era inútil e imposible transmitir, la mujer protestó con indolencia, sonrió burlándose, miró paciente y cariñosa, como si Larsen fuera su padre, su hermano mayor, un poco fantástico, bueno en el fondo, tolerado.

—Gracias, es linda —dijo; la abrió y estuvo paseando su pequeña nariz resuelta en el espejo—. Para lo que me va a servir... Es cómico que me haya regalado esto. Pero hizo bien, no importa. Si me hubiera preguntado le habría dicho que no quiero nada, pero creo que después le habría pedido una polvera como ésta —la cerró por el gusto de oír el chasquido del resorte a la altura de su oreja, movió en la luz el brillo de oro y la forma de corazón del escudo en la tapa y se guardó la polvera en un bolsillo—. Ya debe estar el agua para el café. ¿Qué quiere? ¿Quiere que le dé un beso?

Lo ofrecía sin secreto, sin rencor. Larsen encendió un cigarrillo y le hizo una pequeña sonrisa extasiada. Jugó un instante a creer, desesperado y contenido: «Esto sí que es una mujer. Si estuviera bañada, vestida, pintada. Si yo me la hubiera encontrado hace años.» Acentuó el éxtasis, lo hizo melancólico.

—No, gracias, señora; no quiero nada.

—Entonces vaya afuera a conversar y les llevo el café.

Él alzó los hombros y salió de la casilla con su aire definitivo, transportando en el frío, por segunda vez en la noche, la sensación de un triunfo complicado e inservible. Tomaron el café junto a la fogata y continuaron sirviéndose vino de la damajuana, charlando de política, de fútbol, de buenos negocios ajenos. La mujer ya estaba durmiendo con los perros en la casilla cuando Gálvez se desperezó y alzó la sonrisa.

—Tal vez no lo crea —dijo, y miró rápidamente a Kunz—. Pero al viejo Petrus yo puedo mandarlo a la cárcel cuando quiera.

Mientras se agachaba para encender el cigarrillo en la brasa de una ramita, Larsen preguntó indiferente:

—¿Y por qué lo va a meter preso? ¿Qué va ganando, aunque pueda?

—Son cosas —dijo el alemán con suavidad—. Es largo de contar.

Larsen esperaba, inmóvil en su cajón, el cigarrillo colgándole con indolencia de la cara. Kunz tosió y uno de los perros apareció corriendo, lamió la grasa que rodeaba el asador, hizo sonar, cauteloso, un hueso. Cantaba lejos un gallo, la noche verdadera se hacía sensible y próxima cuando Larsen vio, de reojo, la curva de la gran sonrisa blanca de Gálvez elevándose hacia el cielo.

—Usted no cree —dijo Gálvez con tristeza. «No es una sonrisa, ni está contento ni se burla, nació así, con los labios abiertos y los dientes apretados»—. Pero puedo.

Sin suerte, trató Larsen de recordar cuándo y a quién y dónde había escuchado aquella nota de odio impuro, de sosiego, de imperio. En la voz de una mujer, sin duda, amenazándolo a él o a cualquier amigo, prometiendo implacables venganzas remotas.

Gálvez continuaba sonriendo hacia arriba. Larsen escupió el cigarrillo y estuvieron los tres mirando el cielo negro de la noche de invierno, el camino de limaduras de plata, la insistencia de las estrellas aisladas que exigían un nombre.

EL ASTILLERO - III

LA CASILLA - III

Al día siguiente, a las diez de la mañana, Kunz golpeó en la puerta de la Gerencia General y avanzó intimidado, sonriente, exponiendo a la luz un colmillo de oro. (Era una luz gris y desanimada, una luz que llegaba vencida después de atravesar nubes gigantescas de agua y frío; el tiempo se había descompuesto, un viento indiferente entraba silbando por todos los agujeros del edificio.)

Larsen alzó la cabeza entre las pilas de carpetas y estuvo husmeando, sin cariño, la burla, el juego, la encubierta desesperación.

—Permiso —dijo Kunz, y se inclinó, golpeó un carcomido taco contra el otro.

—El señor Administrador pide al señor Gerente General una entrevista. La gracia de una entrevista. El señor Administrador se considera en condiciones de documentar, ésa es la palabra justa, la verdad de ciertas afirmaciones verbales.

Larsen contrajo la boca y el hombro, mirándolo. Hubo un silencio, un rencor, un desconsuelo. Saliendo de las dos vueltas de la bufanda rojiza y desteñida, la cabeza peluda del hombre no parecía borracha ni agresiva. Sólo que él no servía para aquello que recitaba penosamente y nada era más triste que la oscuridad inmóvil de sus ojos.

—Que venga —dijo Larsen; le mostró los dientes con insolencia—. Mi despacho está siempre abierto.

El alemán asintió en silencio, dio media vuelta y salió. Siempre jugando, estremecido de esperanza, de energía, de saña, casi joven, Larsen se quitó el revólver de abajo el brazo y lo puso en el cajón semiabierto que le empujaba el vientre. El viento susurraba en los papeles caídos en el piso, se revolvía en cortas vueltas contra los altos techos. Gálvez tocó la puerta y fue acercando su sonrisa fija, también él sin desafío, hasta llegar al escritorio. Tenía los pómulos más grandes, más viejos, más amarillos.

—Me anunció el señor Gerente Técnico... —empezó a decir Larsen silabeando; pero el otro le hizo ver la mano abierta, agrandó un poco la sonrisa y puso sobre la mesa, con dulzura, como la carta de un triunfo que le doliera obtener, una cartulina ajada, impresa en verde.

Larsen examinó confuso el torbellino de círculos en los márgenes y leyó: Jeremías Petrus, S. A., emisión autorizada, diez mil pesos, presidente, secretario, las acciones libradas al portador.

—Así que usted tiene un título de diez mil pesos...

—Parece raro, ¿verdad? Diez mil pesos. Se acuerda que le dije anoche que podía mandarlo a la cárcel.

Ahora la sonrisa hizo un ruido, una diminuta explosión, como una cucaracha que aplastaran.

—Sí —dijo Larsen.

—¿Entiende?

—¿Qué tiene que ver?

—Es falso. Los falsificó él, éste y no sé cuántos más. Por lo menos, es falso y él lo firmó. Lea. J. Petrus. Hubo dos emisiones, la primera y la de ampliación del capital. Este título no es de ninguna de las dos. Y él lo firmó, vendió muchos como éste.

El dedo tocando la firma tenía el color del queso demasiado viejo. La mano recogió la cartulina de encima de la mesa.

—Bueno —dijo Larsen con alegría, descansado—. Usted debe estar seguro, y usted entiende el asunto. Falsificó títulos. El viejo Petrus. Lo puede meter en la cárcel y es seguro, a primera vista, que le van a dar una punta de años.

—¿Por esto? —Gálvez volvió a reír, golpeándose el bolsillo donde había guardado el título—. No sale más. No le queda vida para pagar.

—Es una vergüenza —dijo Larsen mirando una ventana—. Habrá que vender algo para comprar vidrios y tapar los agujeros.

—Sí, no tiene nada de agradable en invierno —con la sonrisa más angosta, lacia, Gálvez se volvió hacia la mañana lluviosa—. Nosotros vendemos cada mes dos mil pesos de mercadería de los galpones. Kunz y yo, a mitades. El alemán no se animaba a invitarlo; no quiero que piense que no se lo decíamos por egoísmo.

—¿Qué podíamos hacer? —continuaba mirando el agujero triangular del cristal de la ventana, macilento, envejecido, con un temblor húmedo en los extremos de la sonrisa—. Lo mismo da que sean tres mil. Puede haber para un año o dos.

Pensaba cómo hacía para vivir.

—Se agradece —dijo Larsen—. Bueno, es cierto, lo puede mandar a la cárcel. ¿Pero qué vamos ganando?

—Ni piense —dijo Gálvez—. Si va preso perdemos todos, nos echan en veinticuatro horas. No es por eso. Es porque ese viejo merece acabar así. Usted no sabe.

—No —asintió Larsen, pensativo—, no sé. Tal vez sea mejor, tal vez no. Haga lo que quiera.

—Gracias —dijo Gálvez, otra vez ancha y tensa la sonrisa—. Gracias por darme permiso.

Con minucioso cuidado, con asco, con tristeza, como si hubiera peligro de cortarse, Larsen volvió a colgarse el revólver en el pecho y se abandonó en el sillón. Por los agujeros de las ventanas el viento traía ahora gotas heladas de llovizna que salpicaban con breve alegría las hojas de papel de seda, desordenadas en la mesa, de un informe sobre metalización. Incrédulo, trompudo, haciendo con los labios un suave ruido telegráfico, entornó los ojos para comprobar hasta qué distancia le era posible leer. «Los astilleros y talleres de reparaciones navieras han encontrado un gran auxiliar y la solución de múltiples problemas con el empleo de la metalización. Las pinturas por más buenas y antióxidas que fueran no protegen el acero y el hierro contra el fenómeno electroquímico que se establece al contacto de cualquier atmósfera, siendo el zinc el único metal realmente antiácido sobre el hierro o acero, porque cierra el circuito electrogalvánico evitando el fenómeno electroquímico.»

No le preocupaba que la vida pasara, arrastrando, alejándole las cosas que le importaban; sufría, boquiabierto, con una enfriada burbuja de saliva en los labios, sintiendo la grasa en que se le hundía el mentón, porque ya no le interesaban de verdad esas cosas, porque no las deseaba instintivamente y nunca lo bastante como para mantenerlas u organizar la astucia. «Hay mil pesos mensuales seguros, por lo menos, hasta que yo intervenga y les enseñe a esos mozos cómo es posible sacar más sin provocar la ruina, sin comernos el capital. No hay problema. Y, sin embargo, me cuenta la historia de los títulos falsificados, lo veo al tipo ese que anda desde quién sabe cuándo durmiendo con la prueba legal entre la piel y la camiseta, como una criatura con una pistola celosa cargada y me quedo frío, haraganeando, no se me ocurre una idea, no sé francamente qué lado tengo que elegir para caer parado.»

Avanzó lentamente la cabeza, impasible, casi inocente, gozándose en su solitaria delincuencia, sospechando confusamente que el juego deliberado de continuar siendo Larsen, era incontables veces más infantil que el que jugaba ahora. Pudo leer más lejos, aplastado el vientre contra el escritorio, casi cerrando los ojos: «Podemos aportar materiales de las más variadas naturalezas, según los requerimientos de cada caso; aceros de alto carbón, aceros inoxidables, bronce, fósforos, metal Babbit antifricción.»

Algunas gotas le golpearon la mejilla. Se levantó y estuvo escuchando el silencio que cubría el viento: recogió los papeles del informe mientras se oía canturrear tres versos de un tango que reiteraba con plácida, jubilosa furia, que se bastaban. Al llegar a la puerta, ladeándose el sombrero, pensó que había olvidado algo: tuvo ganas de reír, de palpar la proximidad de un amigo verdadero, de hacer una crueldad a la que nadie pudiera descubrirle una causa.

Volvió a bravuconear en mediodía, con las piernas separadas, desprendido el sobretodo, en la enorme oficina desierta; miró las mesas de Gálvez y Kunz, los escritorios que no habían sido convertidos aún en leña, los ficheros abollados, las inútiles, incomprensibles máquinas arrumbadas. El viento inflaba los papeles amarillos que habían protegido al piso de las goteras del techo; próxima, una canaleta rota dejaba caer un chorro de agua sobre latas. Casi alegre, inquieto, abrochándose, con una diminuta expresión de venganza, Larsen imaginó el ruido laborioso de la oficina cinco o diez años atrás.

Salió a la llovizna por la escalera de hierro y pudo atravesar el barro sin que lo viera ninguno de los habitantes de la casilla. Fue corriendo, como si viera todo por primera vez, como si lo hubiera presentido y lo encontrara ahora en un éxtasis de amor a primera vista, la casilla de Gálvez, la timonera ladeada, los yuyos y los charcos, el esqueleto herrumbrado del camión, la baja muralla de despojos, cadenas, anclas, mástiles. Reconoció ese tono exacto de gris que sólo los miserables pueden distinguir en un cielo de lluvia; la delgada línea purulenta que separa las nubes, la sardónica luz lejanísima filtrada con ruindad. Ahora la lluvia se acumulaba en su sombrero; él sonrió con bonhomía, sin cambiar el paso, tratando de recoger hasta la más distante voz del viento en el río y en los árboles. Erguido, contoneándose con exageración, esquivó hierros de formas y nombres perdidos que descansaban aprisionados en un torbellino de alambres, y penetró en la sombra, en el distante frío, en la reticencia del galpón. Pasó revista a los casilleros, a los hilos de lluvia, a los nidos de polvo y telarañas, a las maquinarias rojinegras que continuaban simulando dignidad. Caminó sin ruido hasta el fondo del hangar y buscó con las nalgas hasta sentarse en el borde de una balsa para naufragio. Mirando el ángulo del techo —y miraba también las carreras gozosas del viento colado, el matiz arcaico de la lluvia que había empezado a sonar con bufonesca intransigencia— se tanteó distraído para buscar cigarrillos y encendió uno. Podía enumerar lo que no le importaba: fumar, comer, abrigarse, el respeto ajeno, el futuro. Algo había encontrado aquel mediodía o tal vez hubiera dejado algo olvidado en la Gerencia General, después de la entrevista con Gálvez. Daba lo mismo.

Imaginó sonriendo un ruido de ratas que devoraban bulones, tuercas y llaves en los casilleros; imaginó sonriendo un protegido mediodía de invierno en la casa de Petrus, con una Josefina engordada y cómplice sirviendo la mesa, con una Angélica Inés de inconmovible sonrisa enajenada vigilando la altura del fuego en la chimenea, mimando a un número variable de niños, transportando su mirada servicial y su murmullo patético de la cara lustrosa de un Larsen dichoso al gran retrato en óvalo del padre y suegro muerto; a la cabeza de voluntad y arcano, severa, rodeándose con las patillas, a dos metros de altura, ejemplar, dominante, obedecida.

Se acercó a la puerta trasera del cobertizo, asistió al final veloz y acobardado de la lluvia, estuvo calculando las consecuencias que tendría para la navegación la cortina de niebla que se acercaba desde el río. Fue y vino, chapoteando el barro, complaciéndose con el ruido, considerando aplicadamente el miedo, la duda, la ignorancia, la pobreza, la decadencia y la muerte. Encendió otro cigarrillo y descubrió una oficina abandonada, sin puertas, con paredes de tablas; había un catre, un cajón con un libro, una palangana con el esmalte estrellado; ésa era la casa de Kunz.

«Otra cosa: nunca se me ocurrió preguntarme, tampoco, dónde vivía el alemán.» Entró y se sentó en el catre, encogido, la cabeza alzada y hacia la puerta, el cigarrillo cerca del vientre, en una actitud tan humilde y amistosa que Kunz no podría enojarse si entrara de repente. «Ésta es la desgracia —pensó—, no la mala suerte que llega, insiste, infiel y se va, sino la desgracia, vieja, fría, verdosa. No es que venga y se quede, es una cosa distinta, nada tiene que ver con los sucesos, aunque los use para mostrarse; la desgracia está, a veces. Y esta vez está, no sé desde cuándo; anduve dando vueltas para no enterarme, la ayudé a engordar con el sueño de la Gerencia General, de los treinta millones, de la boca que se rió sin sonido en la glorieta. Y ahora, cualquier cosa que haga serviría para que se me pegue con más fuerza. Lo único que queda para hacer es precisamente eso: cualquier cosa, hacer una cosa detrás de otra, sin interés, sin sentido, como si otro (o mejor otros, un amo para cada acto) le pagara a uno para hacerlas y uno se limitara a cumplir en la mejor forma posible, despreocupado del resultado final de lo que hace. Una cosa y otra y otra cosa, ajenas, sin que importe que salgan bien o mal, sin que no importe qué quieren decir. Siempre fue así; es mejor que tocar madera o hacerse bendecir; cuando la desgracia se entera de que es inútil, empieza a secarse, se desprende y cae.»

Salió bajo las últimas gotas de lluvia que caían de los plátanos ennegrecidos. Fue a golpear en la puerta de la casilla de Gálvez y cuando la mujer vino a abrirle teniendo a sus espaldas el repentino silencio —solamente, remotos, nulos, los ruidos quejosos de los perros, los del *fox* en la radio—, pasó junto a ella sin mirarla con un orgulloso «Permiso», se introdujo en el calor, se aceró a la bienvenida de los hombres, arrastró un banco y quedó sentado, el sombrero en la tierra seca, sosteniendo la sonrisa desmesurada de Gálvez con la suya, breve, fácil, persuasiva.

—¿Comió? —dijo la mujer—. No puede haber comido. ¿Quiere comer? No queda, pero voy a hacerle algo.

—Gracias. Si comieron puchero —dijo Larsen mirando los platos—, puede darme, a lo mejor, una taza de caldo o de sopa.

—Le puedo hacer un bife —dijo la mujer.

—Hay carne colgada —señaló Kunz.

—No, gracias —insistió Larsen—. Gracias, señora. Le agradecería mucho, de veras, una taza de caldo caliente. Me haría un favor muy grande.

Pensó que había exagerado la humildad; Gálvez lo miraba burlón y atento. La mujer retiró algo de la mesa, levantó del suelo el sombrero; la sentía próxima a su hombro, de espaldas, pensativa sobre la llama ruidosa, resuelta a no hablar.

—Nos quedamos sin vino, hasta la noche —dijo Kunz—. ¿Quiere caña? Hay unas cuantas botellas; es tan mala que nunca termina.

—Después de la sopa. O del caldo —contestó Larsen.

La mujer no habló.

Un golpe de viento rodeó insistente dos veces la casilla; la llama del calentador vibró aplastada. Kunz, cruzando los brazos, se puso las manos en los hombros.

—Bajo la lluvia —agregó Gálvez—. Que iba haciendo el camino hasta la quinta, para decirle al viejo que yo tengo uno de los títulos falsificados, y lo agarraba la lluvia.

—¿Por dónde andaba? —preguntó Kunz—. Se nos ocurrió que había ido a visitar a Petrus.

—Al señor Petrus, don Jeremías —dijo Gálvez.

Larsen alzó su sonrisa pero Gálvez estaba apagando el cigarrillo en un plato. Ahora el viento estaba encima de la casilla, circular y enfurecido; callaron, deprimidos por una sensación de distancia, de pesadez, de nubes removidas. La mujer puso en la mesa un plato de sopa, apartó los perros de las piernas de Larsen.

—Permiso —dijo Larsen, y empezó a tragar con la cuchara; enfrente, la pareja vigilante de los hombres; atrás los gemidos de los perros y la hostilidad de la mujer. Se interrumpió mirando el rincón de tablas, un reloj, un vaso con largas guías verdes—. Quiero darles las gracias. Pero tampoco tenía muchas ganas de comer. Un plato de cualquier cosa caliente me vendría bien, pensé. Y entonces se me ocurrió venir a golpear aquí.

—Estábamos diciendo que se había ido a la quinta de Petrus —dijo velozmente Kunz— y que al viejo, por lo menos, no lo iba a encontrar. Creo que no viene hasta la otra semana.

—Bueno, no nos importa —se rió Gálvez—. No me dejarán mentir. Yo dije que no nos importaba a quién iba usted a visitar en la quinta.

—Gálvez —advirtió la mujer, a espaldas de Larsen.

—Pensamos, es cierto, perdone —dijo Kunz—, que usted podía haber ido este mediodía a buscar al viejo para ponerlo en guardia.

—Gálvez —repitió la mujer, perentoria, detrás de los hombros de Larsen.

—Eso —dijo Gálvez—, que íba hasta la quinta para avisar al viejo Petrus o a la hija. Lo dije, todos dijimos que podía ser —alzó de entre sus piernas una botella panzona de caña y llenó tres vasos, sin tocarlos, haciendo sonar el chorro, sin mostrar los dientes pero con una perpetua hilaridad en la forma enrojecida de la boca; y los labios unidos sin sonrisa, parecían desnudos, como si acabara de afeitarlos.

—Que iba bajo la lluvia y avisaba, y que avisar no servía para nada. Porque el viejo Petrus lo sabe mejor que nosotros, lo sabe desde mucho antes que nosotros. Todos lo dijimos, primero uno, después otro, repitiéndolo. Y yo agregué que si eso sucedía, si usted hacía el camino hasta la quinta, empapándose para cumplir con su deber (al fin y al cabo son seis mil pesos los que le acredito cada día 25) y dar la voz de alarma, tal vez me hiciera un favor; y que tal vez yo esté desde tiempo deseando que alguien me haga un favor semejante.

Larsen apartó con suavidad el plato de sopa vacío, encendió un cigarrillo y fue inclinando el cuerpo hasta beber en el vaso que había llenado Gálvez.

—¿Quiere algo más? —preguntó la mujer.

—Gracias, ya le dije, señora. Vine a pedir algo caliente, una limosna.

—Se me ocurrió que debe haber pensado otra novedad para aumentar las ganancias del astillero —dijo Kunz, casi descubriendo la risa blanda de Gálvez—. Algo más que armar o remendar barcos.

—La piratería o la trata, por ejemplo —sugirió Gálvez. Kunz alzó su vaso, entornó los ojos e hizo caer la cabeza hacia atrás.

Las manos sucias y heridas de la mujer retiraron el plato de Larsen. Los perros estaban silenciosos, tal vez dormidos en la enorme cama. El viento silbó alejado, tartamudeante, y todos podían escucharlo ir y venir, obligado a tomar una decisión.

—El problema está en saber si contamos o no con un agente en El Rosario —dijo Gálvez—. Podríamos duplicar las operaciones, tener un equipo de pilotos que trajeran los barcos hasta Puerto Astillero. Podríamos comprarnos gorras con visera, podríamos discutir seriamente sobre bauprés, proa, trinquete, cangreja y mesana. Podríamos jugar a las batallas navales en la mesa de cedro de la Sala del Directorio.

Bebía abandonado en el sillón de mimbre que empezaba a deshacerse, los grandes dientes expuestos con indiferencia a las tablas ahumadas del techo.

—Teníamos ganas, desde que empezó la lluvia —dijo Kunz—, de no ir a trabajar esta tarde. En realidad, no hay nada urgente. El amigo tiene los libros al día y los presupuestos que debo calcular pueden demorarse. Me imagino que usted sabrá tolerar. Quedarnos aquí bebiendo, oír llover y conversar sobre Morgan y Drake.

—¿Qué le parece? —preguntó Gálvez.

Larsen terminó la caña y alargó la mano para servirse otro vaso; sentía que se le iba formando una sonrisa imbécil, que su voz sonaría insegura. La mujer pasó a su costado, al costado de la mesa y de Gálvez, se detuvo con la cara próxima al vidrio húmedo de la ventana; era ancha, propicia, se inclinaba con dulzura hacia el fin de la lluvia.

—Ahora estoy más contento —dijo Larsen; miraba sin vehemencia la nuca de la mujer, el pelo rizoso, crecido y descuidado—. Ahora. No por la sopa, que agradezco, ni por la caña. Tal vez un poco, porque me dejaron entrar aquí. Estoy contento porque hace un rato sentí la desgracia, y era como si fuese mía, como si sólo a mí me hubiera tocado y como si la llevara adentro y quién sabe hasta cuándo. Ahora la veo afuera, ocupando a otros; entonces todo se hace más fácil. Una cosa es la enfermedad y otra la peste —bebió la mitad del vaso y sonrió a la sonrisa que Gálvez había descendido hacia él, recelosa, expectante. La mujer continuaba de espaldas, cabizbaja, imprecisamente hostil.

—Tome caña —dijo Kunz—. Oír llover y tirarse a dormir la siesta. ¿Qué más?

—Sí —dijo Larsen—, ahora es mejor. Pero siempre hay cosas que hacer aunque uno no sepa por qué las hace. Puede ser, es cierto, que vaya esta tarde hasta la quinta y le hable al viejo del título falsificado. Puede ser.

—No importa que lo haga, ya le dije —repuso Gálvez. La mujer se apartó del mal tiempo en el vidrio grasiento; puso un brazo alrededor de Gálvez, del sillón desvencijado, e inclinó la cara blanca, casi risueña, hacia la mesa.

—Al viejo o a la hija —murmuró.

—Al viejo o a la hija —dijo Larsen.

EL ASTILLERO - IV

LA CASILLA – IV

Hubo, es indudable, aunque nadie puede saber hoy con certeza en qué momento de la historia debe ser colocada, la semana en que Gálvez se negó a ir al astillero.

La primera mañana de su ausencia debe de haber sido para Larsen el verdadero día de prueba de aquel invierno; los padecimientos y las dudas posteriores se hicieron más fáciles de soportar.

Aquella mañana Larsen llegó al astillero cerca de las diez, saludó al perfil de Kunz que examinaba un álbum de estampillas sobre la mesa de dibujo, y entró inquieto en su oficina. Cambió un montón de carpetas por otro y trató de leer hasta las once, mientras la repentina llovizna rebotaba en los filos de los vidrios rotos de la ventana. «Sólo debo preocuparme por mí, no hay otra cosa; yo, triste y aterido en este escritorio, acorralado por el mal tiempo, la mala suerte, la mugre. Y sin embargo me importa que esta lluvia caiga sobre otros, golpee desganada sus techos.»

Se levantó sin ruido y fue hasta la puerta para espiar en la gran sala. Gálvez no había llegado; Kunz tomaba mate mirando un ventanal. Larsen meditó sobre el peligro de que la ausencia de Gálvez fuera definitiva, que iniciara el final del delirio que él, Larsen, había recibido como una antorcha de desconocidos, anteriores Gerentes Generales y que se había comprometido a mantener hasta el momento en que se mostrara el desenlace imprevisible. Si Gálvez había decidido renunciar al juego, era posible que Kunz se contagiara. Uno y otro, y la mujer con su barriga y los perros, podrían no ver al mundo, el otro, el de los demás. Pero él ya no.

Esperó hasta cerca de mediodía, pero Kunz no se acercó a la puerta de la Gerencia General. La llovizna había terminado y una nube sucia se apoyaba en la ventana, pesada, entrando apenas, desdeñando entrar. Larsen apartó las carpetas y fue hasta la ventana para meter una mano y después la otra en la niebla. «No puede ser», se estuvo repitiendo. Hubiera preferido, para lo que estaba por pasar, una fecha antigua, joven; hubiera preferido otra clase de fe para hacerlo. «Pero nunca dejan elegir, sólo después se entera uno de que podía haber elegido.» Acarició el gatillo del revólver bajo el brazo mientras escuchaba la aspereza del silencio; Kunz empujó una silla y bostezó.

Sentía la contracción frecuente de la boca y la mejilla mientras volvía al escritorio y guardaba el revólver en el cajón entreabierto. «Si se burla, lo insulto; si pelea, lo mato.» Apretó el timbre para llamar al Gerente Técnico.

—Sí —grito Kunz, y entró abrochándose el saco.

—¿Estaba por irse? Me distraje estudiando estas carpetas. No tengo idea de la hora. ¿Usted sabe algo del pleito por el *Tampico*?

—¿El *Tampico*? No sé nada, tiene que ser una historia vieja —repuso Kunz, y volvió a bostezar.

—El *Tampico* —insistió Larsen. Sólo entonces alzó la vista para mirar a Kunz. Vio la cara redonda, con la barba crecida, el pelo endurecido, excesivo y negro, la mano también peluda que subía de los botones a la moña negra de la corbata—. Claro, no debe ser de su tiempo; pero es interesante como antecedente. Entró apurado, sin descargar, por un desperfecto en el árbol. Parece que traía algún inflamable y se incendió en el astillero, aquí mismo, un poco más al norte. Dice la carpeta que no había seguro o que no toda la mercadería estaba asegurada —había abierto cualquier carpeta y fingía leer; un gemido sobre el techo anunció más lluvia—. ¿Quién paga, entonces? ¿Quién es responsable?

Levantó una sonrisa benigna y retozona, como si mirara a un niño.

—Nunca oí nada de eso —contestó Kunz—. Además, no entiendo. Quién sabe cuánto hace de eso. Debe haber sido todo un espectáculo, ardiendo en el río. No sé. Pero el astillero no puede ser responsable.

—¿Está seguro?

—Me parece indiscutible.

—Siempre es bueno saber —Larsen se echó hacia atrás y rozó el borde del cajón con los dedos de uñas lustrosas; buscaba los ojos pequeños y oscuros de Kunz—. ¿No vino Gálvez esta mañana?

—No, no lo he visto. Anoche fuimos al Chamamé. Pero no estaba mal cuando lo dejé.

—¿Hizo llegar parte de enfermo?

—¿Si avisó? Está lloviendo. Ahora me voy a dar una vuelta por la casa —repentinamente Kunz se puso a mirar a Larsen con interés—. Si no vino, estará enfermo. Lo malo es que esta tarde esperamos a los rusos con el camión. Había prometido ayudarme a discutir —alzó la mano en despedida y al llegar a la puerta se volvió para examinar con deleitada lentitud la cara de Larsen.

—¿Sucede algo? —susurró.

—Nada —dijo Larsen, y suspiró cuando el otro se fue.

No almorzó en la casilla; comió un pedazo de carne en el Belgrano, silencioso, sin aceptar ninguno de los temas que proponía el patrón desde el mostrador. A las cinco de la tarde se puso en marcha esquivando los charcos para visitar a Gálvez; ahora iba lleno de tolerancia, magnánimo y paternal.

La mujer estaba sentada en los escalones de la entrada, envuelta en el sobretodo, con un perro en las rodillas y otro en el suelo, tocándole un zapatón con el hocico. La cara humedecida por la lluvia resplandecía apaciguada en la neblina. Larsen se arrepintió de su visita, empezó a sentirse oscuro y pesado, intruso. Saludó tocándose el sombrero y revisó todos sus cálculos acerca de la edad de la mujer. Estaban en el centro de una nube, concluidos e incrédulos, y ningún rumor llegaba para ayudarlos.

—Usted podría ser mi hija —aceptó Larsen y se sacó el sombrero.

Entonces el silencio se hizo un poco más grave, como si se hubiera liberado de los murmullos que le habían estado mordiendo los bordes. El perro del suelo se estiró estremecido y sacudió la cola. La mujer escarbaba en el pecho del perro que tenía sobre las piernas. Bajo la gruesa línea circundante del pañuelo rojo en el cuello un enorme alfiler de gancho sujetaba las solapas del sobretodo. La dulzura de la cara era incierta; la boca, engrosada, pálida, alzaba sin esfuerzo los extremos; los ojos, entornados, no simulaban mirar nada. Larsen observó los grandes zapatos de hombre, atados con cordones de luz eléctrica, cubiertos de barro y hojas.

—Señora —dijo, y ella acentuó la sonrisa; pero los ojos continuaban ciegos y ahora la neblina se cuajaba en gotitas sobre ellos—. Señora; las cosas se van a arreglar muy pronto.

—Vaya —contestó ella, y rió abriendo la boca—. Entre y rezónguelo o cuéntele una linda historia. Él mismo se puso en penitencia, metido en la cama, mirando la pared. Ni siquiera se hace el dormido. Tampoco está enfermo. Sería terrible, le estuve diciendo, que usted mandara al médico de la empresa y comprobara que no está enfermo. Que decidieran echarlo, le dije, y no tuviéramos más remedio que irnos a vivir a una casilla de madera, una timonera de barco, una casilla para perros. Entre, pruebe suerte; tal vez se haya muerto, tal vez con usted sí quisiera hablar. Además, hay una botella.

Molesto por el frío y la humedad, Larsen fue incapaz de encontrar una frase que explicara a la mujer cuánto la quería, de qué manera extraña y perseguida habían estado siendo hermanos durante años de separación y desconocimiento. Se puso el sombrero y caminó hacia la mujer, como si cumpliera una orden, un poco encorvado para hacerse perdonar.

Ella se apartó y Larsen fue pisando con cuidado los tres peldaños de aquella escalera de carromato, sujeta inútilmente a un costado de la casilla por una cadena de hierro. Entró en la penumbra gris y se orientó sin esfuerzo hacia el rincón de la cama.

El hombre estaba vuelto hacia la pared de tablas; se oía respirar, era seguro que sus ojos estaban abiertos.

—¿Cómo andan las cosas? —dijo Larsen después de un rato, equivocando el tono.

—¿Por qué no se va al diablo? —propuso Gálvez con dulzura.

Larsen dominó la intensidad de la indignación que consideraba apropiado sentir. Atrajo un banco con un pie y se doblaba para sentarse cuando descubrió la botella sobre la mesa. Estaba casi llena, tenía una etiqueta de uvas, espigas y plumas. Se sirvió un poco en un jarro de lata y se sentó mirando la espalda estrecha que ocultaba una sábana remendada y limpia.

—Puede echarme otra vez. No me voy a ir porque es necesario que hable con usted. Este coñac es muy malo; puedo convidarlo.

Volvió a beber y miró alrededor; pensó que la casilla formaba parte del juego, que la habían construido y habilitado con el solo propósito de albergar escenas que no podían ser representadas en el astillero.

—Estamos en la víspera; estoy autorizado para decírselo. Unos días más y nos pondremos nuevamente en marcha. No sólo tendremos el permiso legal sino también el dinero necesario. Millones de pesos. Tal vez sea necesario modificar el nombre de la empresa, agregar algún nombre al de Petrus, o sustituirlo por un nombre cualquiera que no sea un apellido. No vale la pena que le hable de los sueldos atrasados; el nuevo Directorio los reconoce y los paga. Ni Petrus ni yo hubiéramos aceptado otra solución. De modo que puede ir echando cuentas. Eso para arreglar las cosas y vivir con dignidad, como uno merece. Pero lo que realmente importa son los sueldos futuros. Y otra cosa: los bloques de casas que va a construir la empresa para el personal. Claro que no será obligatorio vivir en ellas, pero será sin duda muy conveniente. Pronto le voy a mostrar los planos. Respecto a todo esto tengo la palabra de Petrus.

No la tenía, claro; no tenía más que aquella tediosa manía, el embrujo que soportaba y cumplía, la necesidad de prolongarlo. En la casilla sucia y fría, bebiendo sin emborracharse frente a la indiferencia del Gerente Administrativo, Larsen sintió el espanto de la lucidez. Fuera de la farsa que había aceptado literalmente como un empleo, no había más que el invierno, la vejez, el no tener dónde ir, la misma posibilidad de la muerte. Hubiera pagado cualquier precio para que Gálvez se incorporara en la cama, mostrara los dientes y se pusiera a beber de la botella.

Sin aceptar la derrota, habló de sí mismo, plagió los monólogos recitados en la glorieta de la quinta de Petrus. Contaba, mintiendo, su encuentro con el comisario Vales, el revólver sobre la mesa, el displicente escupitajo, cuando Gálvez estiró las piernas y se volvió bostezando.

—¿Por qué no se va al diablo? —invitó nuevamente—. Mañana voy a ir a trabajar.

Se rieron juntos, sin burlarse demasiado; prefirieron los tonos graves. Después quedaron en silencio, inmóviles, mucho tiempo, pensando en la verdad. Los perros habían estado ladrando enfurecidos pero ya no se oían. Larsen no había perdido la tarde; ahora se quedaba por cortesía y disimulo. Tomó la botella y fue a dejarla sobre la mesa; no se despidió porque desconfiaba de las palabras.

En la oscuridad sorprendente repitió el tanteo en los tres escalones y cruzó contoneándose el baldío desierto. No había mujer ni perros. Un viento alegre limpiaba el cielo y era seguro que para medianoche se verían las estrellas.

SANTA MARÍA - II

La última lancha de la carrera pasaba hacia el sur por Puerto Astillero a las dieciséis y veinte y llegaba a Santa María cerca de las cinco.

Era lenta como la primera de la mañana; entoldada bajo la lluvia, iría arrimándose a cada desembarcadero para dejar huevos, damajuanas, cartas y saludos, algún mensaje confuso que se balancearía sobre el agua encrespada antes de intentar el arribo a la orilla. Pero a las cinco, a pesar del mal tiempo, aún habría luz en Santa María, curiosos en el muelle. Y él no deseaba —sobre todo sabiendo que iba para nada, que su viaje sólo era una pausa sin sentido, un acto vacío— tener que caminar sobre las piedras del puerto y las rectas rampas de las callejuelas con los ojos buscando miradas de asombro o burla o simple reconocimiento, con la boca apretada, lista, cargada de ordenados insultos, con la hipocresía de la mano escondida en la solapa, del dedo que rascaba el gatillo y lo seguiría rascando con fingida furia, pasara lo que pasara.

«Y tal vez, además, ni siquiera pueda encontrar a Díaz Grey; tal vez haya reventado o esté en la Colonia ayudándose con un farol a esperar que una vaca o una gringa bruta se resuelva a largar la placenta. Es así de imbécil. Si voy a buscarlo, justamente hoy, con este tiempo sucio, sin que nada me impida postergar el viaje a no ser la superstición de que un ciego movimiento perpetuo puede fatigar a la desgracia, es porque tiene más que nadie eso que por apresuramiento estoy llamando imbecilidad.»

Así que caminó por la calle enlodada, erguido en el viento, defendiendo el sombrero con dos dedos, de Puerto Astillero a la fonda de Belgrano. Subió a su habitación, se estuvo examinando en el espejo, decidió afeitarse y cambiar la corbata. «Eso que viene sin interrupción de aquella cara chica y tranquila, y vaya a saber cuál es la palabra. Las ganas de tenerle lástima, de palmearle el hombro, y decirle hermano, Díaz Grey.»

Bajó a tomar el vermut con el patrón y estuvo mirando desde el mostrador los grupos en la sala, llena de humo, de humedad y mal aire. Vio un hombre viejo y dos jóvenes, con sacos de cuero y capotes encerados; estaban cerca de una ventana, tomando vino blanco; uno de los muchachos separaba regularmente los labios y exhibía los dientes; limpiaba el vidrio de la ventana con el antebrazo, sonriendo a cada espasmo hacia los amigos y hacia el atardecer gris y arremolinado.

—¿Qué pueden pescar con este tiempo? —comentó Larsen compasivo.

—No crea —dijo el patrón—. Depende de las corrientes. A veces, cuando el agua se enturbia, se cansan de sacar pescado.

Cuando el reloj alto, con un borroneado aviso de aperitivo en la esfera, marcó las cuatro y media, Larsen se golpeó la frente y puso los dedos sobre el mostrador.

—*Gott* —se enderezó el patrón con una servilleta—. ¿Qué se olvidó?

Larsen sacudió un rato la cabeza, sonrió después con heroísmo.

—Casi nada. Tenía una cita muy importante esta noche en Santa María. Y la última lancha se fue hace rato. De veras, algo especialmente importante.

—Ah —dijo el patrón—. Entiendo. A mediodía vino la Josefina y me contó, confidencia, que don Jeremías llegaba esta noche a Santa María. A medianoche.

—Eso —confirmó Larsen—. Y ahora no hay nada que hacer. ¿Tomamos otro vasito?

—Dieciséis y veinte la última lancha. Uno se queja, pero había una por semana y después dos. Cuando tuvimos dos, acá mismo hicimos una fiesta —llenó los vasos, parsimonioso, con una contenida alegría—. Quién sabe. Perdone —alzó su vaso, tomó un trago y fue a sentarse con los pescadores.

Solitario en el mostrador, volviendo la cabeza hacia la tormenta y el río, hacia el origen impreciso del olor a podredumbre, a profundidades excavadas, a recuerdos muertos que se habían filtrado en el salón del Belgrano, Larsen pensó en la vida, en mujeres, en el ronquido del viento a través de las ramas peladas de los plátanos, sobre la casilla de perro gigante de los fondos del astillero. «Ahora, por ejemplo, cuando todo empieza a terminar; la loca de la risa en la glorieta y el bicho éste con un sobretodo de hombre sujeto por un gancho. Son una sola mujer, lo mismo da. No hubo nunca mujeres sino una sola mujer que se repetía, que se repetía siempre de la misma manera. Y las maneras posibles eran pocas y no pudieron agarrarme desprevenido. Así que todo, desde el primer baile en un salón de barrio y hasta el fin, se me hizo dulce, cuesta abajo, y yo no tuve que gastar otra cosa que tiempo y paciencia.»

Sonriente, enganchado en el pulgar el vaso vacío, el patrón regresó al mostrador.

—¿Sirvo otra?

—No, gracias —dijo Larsen—. Es mi medida.

—Como quiera —pasó inútilmente la sucia servilleta sobre la madera seca—. Algo hay. Si es tan importante, como yo creo, que lo vea esta noche al señor Petrus... No será muy cómodo, pero no hay otra cosa. Los amigos vienen de Míguez, más abajo de Enduro, donde entra la costa.

—Conozco —dijo Larsen, indolente, perfilado, el cigarrillo colgándole de un lado de la boca.

—Si se anima... Les hablé y, por ellos, lo llevan con gusto hasta Santa María. Van a bailar un poco y no tienen toldo impermeable. Vea si le conviene; es gratis.

Larsen sonrió sin volverse, sin contestar a las miradas y los tímidos cabeceos de los tres hombres.

—¿Lancha de vela?

—Tienen motor —dijo el patrón—. La *Laura*, la tiene que haber visto. Pero claro que si no hay necesidad no van a gastar combustible.

—Gracias —murmuró Larsen—. ¿A qué hora salen?

—En seguida, estaban por irse.

—Perfecto. Présteme cincuenta, si puede y quiere, hasta el lunes. El lunes arreglamos.

El patrón abrió la caja y golpeó suavemente contra el mostrador el billete verde. Larsen asintió con la cabeza y lo fue envolviendo en dos dedos. Sin prisa, disimulando el taconeo, rebajando su importancia, con las manos en los bolsillos del abrigo y el cigarrillo casi convertido en ceniza colgando de su boca benévola y fraternal, se acercó a los pescadores, que se pusieron de pie, sonrientes, cabeceando. Así empezó el viaje de Larsen a Santa María.

* * *

Hagen, el del surtidor de nafta en la esquina de la plaza, creyó reconocerlo; debe haber sido aquella misma noche; era lluviosa y ningún testimonio indica que Larsen haya hecho más visitas a Santa María, desde que se instaló en Puerto Astillero, que la última y esta otra, más confusa y ofrecida a las conjeturas.

«Me pareció que era él por la manera de caminar. Casi no había luz y la lluvia molestaba. Y tampoco lo hubiera visto, o creído verlo, si no es porque en el momento, casi las diez, le da por atracar al camión de *Alpargatas* que debió haber pasado a la tarde. Empezó a los bocinazos hasta que me hizo salir de *Nueva Italia*, y nos estábamos insultando con el chofer, cuando le dije "Pare un momento", y me quedé con el caño en el aire, mirando hacia la esquina por donde me pareció que lo veía venir. Ya le digo que había vuelto a caer agua y allí el farol alumbra más nada que poco. Venía empapado y más viejo, si es que era él, ayudándose al caminar más que antes con los brazos, la cabeza con el gacho negro doblado hacia adelante; con lo que ya se hacía imposible entenderle la cara, porque la lluvia le golpeaba de frente. Suponiendo que fuera. Decían que estaba en la Capital, y le puedo asegurar que no vino en la balsa del mediodía ni en la de la tarde; y si vino por tren a las cinco y siete, difícil que no me haya enterado. Fue menos de media cuadra, entonces, con luz y lluvia en contra, desde la esquina donde están rompiendo la ochava para poner, dicen, una vidriera de gomería como si no hubiera bastantes, hasta que me lo escondió el automóvil del doctor y es forzoso que se haya metido en un zaguán. No me puedo confundir porque lo que había de farol brillaba en la chapa de bronce, aunque parece que no la hizo limpiar desde que le dieron el título. Si dobló en aquella esquina no venía del muelle ni de la estación. Sólo media cuadra, menos; y lo estuve viendo con las desventajas que dije. Pero, sin jurarlo, me pareció que era él, que reconocía sobre todo aquel trote retobado, menos saltarín ahora, y algo que no puede explicarse en el braceo y la cuarta de puños que le sobraba de las mangas. Pensando después, pero sólo como capricho, me convencí casi porque cualquier otro, lloviendo y con frío, andaría con las manos metidas en los bolsillos. Él, no; si era él.»

* * *

La hora en que Hagen tuvo su dudosa visión de Larsen coincidía con el momento en que normalmente el doctor Díaz Grey, luego de la indiferente lectura en la cena, prolongada en la sobremesa solitaria, mientras la sirvienta recogía los platos, alisaba la carpeta y le aproximaba el mazo de naipes, comenzaba a pensar qué convendría intentar para dormirse, qué combinaciones de drogas, ritmos respiratorios, trampas de la imaginación. Tal vez no fuera él mismo quien pensara sino una puntual memoria, dentro de él pero independiente desde años atrás. Siempre, con un corto desafío sin objeto que lo rejuvenecía, planeaba no hacer nada, esperar inmóvil e indiferente el alba, la mañana, otra noche que encajara en ésta.

Si ningún enfermo lo hacía llamar, si no lo obligaban a traquetear con una cómica velocidad en el automóvil de segunda o tercera mano que había terminado por comprar, aquélla era la hora en que cargaba de discos sacros el fonógrafo y se ponía a combinar solitarios con los naipes, concediendo a la música, invariable ya hasta en su orden, sabida de memoria, no más de la cuarta parte de un oído, mientras dudaba, con leve excitación, entre reyes y ases, entre seconal y bromural.

Cada uno de los discos del inmodificado programa nocturno, cada uno de sus ambiciosos crescendos, de los fracasos finales, tenía un sentido claro, expuesto con mayor precisión que todo lo que pudiera incorporársele por la palabra o el pensamiento. Pero él, Díaz Grey, este médico de Santa María, solterón, de casi cincuenta años de edad, casi calvo, pobre, acostumbrado ya al aburrimiento y a la vergüenza de ser feliz, no podía prestar a la música —a esa música, justamente, elegida un poco por bravata y por el deseo perverso de saberse cada noche, pero protegido, al borde de la verdad y de un inevitable aniquilamiento—, más que la cuarta parte de un oído. A veces, con una deliberada picardía sin gracia, silbaba entre dientes la música que estaba escuchando, mientras cambiaba de columna, con orgullo y decisión, un siete o una sota.

Aquella noche, la de Hagen o cualquier otra, a las diez, Díaz Grey oyó el timbre de la calle. Mezcló los naipes sobre la carpeta como si quisiera embarullar pistas e interrumpió el disco que estaba sonando. «Cuando no usan el teléfono, a esta hora, es el caso grave, la desesperación, la necesidad de atrapar al médico, el supersticioso alivio de mirarlo y hablarle en seguida. Tal vez Freitas, no le queda más de una semana; y entonces, digitalina porque está prescripto, y hablar del lino con las bestias de los hijos y de un caballo de carrera, puro, con el menor. Si muere de madrugada, les voy a mostrar mi fatiga y mi insomnio y mi paciencia hasta que salga el sol.» Pasó del comedor al consultorio y cuando estuvo en el vestíbulo gritó a la mujer que empezaba a taconear en la escalera del altillo:

—Deje, que yo atiendo.

Dos metros abajo, en la puerta cancel que no se cerraba nunca con llave, Larsen se quitó el sombrero para sacudir la lluvia y saludó sonriendo y disculpándose.

—Suba —dijo Díaz Grey. Entró al consultorio y dejó la puerta abierta; esperó apoyado en el escritorio, oyendo el chapoteo del agua en los zapatos del hombre que subía, tratando de animar los recuerdos que rodeaban aquella voz ronca, aquella sonrisa torcida.

—Salud —dijo Larsen en la puerta, quitándose el sombrero que había vuelto a ponerse—. Le voy a dejar el piso a la miseria —dio unos pasos y volvió a sonreír, de manera distinta ahora, ya sin humildad ni cortesía, la cabeza hacia un hombro, los ojos hundidos entre arrugas escasas y profundas, esféricos y calculadores—. ¿Se acuerda?

Díaz Grey se acordó de todo; inmóvil contra el escritorio, mordiéndose suavemente los labios, sintió que iba llenándose de entusiasmo por el recuerdo y de una absurda lástima por el hombre que chorreaba lluvia en silencio sobre el linóleo. Le apretó la mano y puso otra sobre el hombro empapado y frío.

—¿Por qué no se saca el sobretodo y se sienta? Tengo una estufa eléctrica. ¿Quiere que la traiga? —se sentía protector, más fuerte que Larsen, desinteresado, y no le importaba mostrarlo.

Larsen dijo que no. Con una mano blanda se quitó el sobretodo y fue a dejarlo, junto con el sombrero, encima de la camilla.

«Pero él nunca estuvo aquí, nunca me trajo alguna de las mujeres para que la abriera innecesariamente con el espéculo. O podía haber llegado alguna tarde, en una era anterior a los antibióticos, para pedirme con un retorcido orgullo, de amigo a amigo, que le aplicara la sonda. Y sin embargo, se mueve como si conociera de memoria el consultorio, como si esta visita fuera un calco de muchas noches anteriores.»

—Doctor —rezongó Larsen con una mentirosa solemnidad, buscándole los ojos.

Díaz Grey le acercó una silla cromada y fue a sentarse detrás del escritorio. «El rincón del biombo más allá de su hombro izquierdo, la camilla donde estiró el sobretodo como a un muerto —el sombrero encima de una plana cara invisible—, los estantes de la biblioteca, las ventanas donde vuelve a golpear la lluvia.»

—Tiempo sin verlo —dijo.

—Años —asintió Larsen—. ¿Fuma? Es cierto, casi nunca fumaba —encendió el cigarrillo, en un principio de rabia, porque algo se le estaba escapando, porque se sentía aislado y expuesto en la incómoda silla de metal y cuero en el centro del consultorio—. Primero, entienda, quiero pedirle disculpas por todas las molestias de aquel tiempo. Usted se portó muy bien, y sin obligación, sin que le fuera nada en el asunto. Le vuelvo a dar las gracias.

—No —dijo Díaz Grey, lentamente, resuelto a explotar la noche y el encuentro hasta donde fuera posible—, hice lo que entonces me pareció bien hacer, también lo que me gustaba hacer. ¿Sabe que el padre Bergner murió?

—Lo leí hace tiempo. ¿Lo habían ascendido, no? Creo que le dieron otro puesto en la capital de la provincia.

—No, nunca salió de aquí. No quiso irse. Yo lo atendí en la enfermedad.

—No me lo va a creer. Pero después que pasaron las cosas, me convencí de que el cura era un gran tipo. Él en su lado, yo en el mío.

—Espere —dijo el médico, levantándose—. Le va a venir bien después de la mojadura.

Fue hasta el comedor y volvió con una botella de caña y dos vasos. Mientras servía escuchaba la delgada cortina de lluvia en la ventana, el silencio campesino detrás; sintió un escalofrío y ganas de sonreír como si le estuvieran contando un cuento en la infancia.

—De contrabando —ponderó Larsen, alzando la botella.

—Sí, debe ser, la traen en la balsa —volvió a sentarse detrás del escritorio, nuevamente seguro y capaz de protegerse con la indiferencia, como si Larsen fuera un enfermo—. Espere —volvió a decir, mientras el otro bebía. Fue hasta el rincón de la vitrina de instrumentos, desconectó el teléfono y regresó a la silla del escritorio.

—Muy buena. Seca —dijo Larsen.

—Sírvase usted mismo. Usted pensó eso, del padre. Yo pensé, y lo sigo creyendo, que él y usted se parecían mucho. Claro que es un parecido largo de explicar. Además, todo eso es historia vieja. Y usted habrá venido a visitarme por algo. No supe que estaba en Santa María.

—No, doctor —dijo Larsen llenando los vasos—, afortunadamente la salud anda bien. No estoy en Santa María. Y créame, no la hubiera vuelto a pisar si no fuera porque quería verlo. Ya le voy a explicar —alzó los ojos y remedó, gravemente, la mueca que hacía con la boca al sonreír—. Estoy en Puerto Astillero, en lo de Petrus. Me ofreció la Gerencia y allí estoy.

—Sí —asintió Díaz Grey con cautela, temeroso de que el otro dejara de hablar, agradecido a lo que la noche había querido traerle, incrédulo. Bebió un trago y sonrió como si comprendiera y aprobara todo—. Sí, conozco al viejo Petrus, a la hija. Tengo clientes y amigos en Puerto Astillero.

Volvió a beber para esconder su alegría y hasta pidió un cigarrillo a Larsen aunque tenía una caja llena encima del escritorio. Pero no deseaba burlarse de nadie, nadie en particular le parecía risible; estaba de pronto alegre, estremecido por un sentimiento desacostumbrado y cálido, humilde, feliz y reconocido porque la vida de los hombres continuaba siendo absurda e inútil y de alguna manera u otra continuaba también enviándole emisarios, gratuitamente, para confirmar su absurdo y su inutilidad.

—Un puesto de gran responsabilidad —dijo sin énfasis—. Sobre todo en estos momentos de dificultad para la empresa. ¿Y Petrus lo conocía a usted desde hace tiempo?

—No, no sabe nada de la historia. Nadie sabe en Puerto Astillero. Más bien un encuentro fortuito, doctor. Me permití dar su nombre como referencia.

—Nunca me preguntaron —volvió a beber y escuchó la lluvia; se sentía ocupado por una curiosidad sin ansias, confiada. Dejó de mirar a Larsen, dejó de hablar y contempló los lomos de los libros en los estantes. En la mitad del silencio, Larsen carraspeó.

—A propósito. Dos cosas. Quería preguntarle, doctor. Yo sé que con usted se puede hablar.

«Este hombre envejecido, *Juntacadáveres,* hipertenso, con un resplandor bondadoso en la piel del cráneo que se le va quedando desnuda, despatarrado, con una barriga redonda que le avanza sobre los muslos».

—En cuanto a Petrus —dijo Díaz Grey— está durmiendo en la esquina, en el hotel Plaza. Hablé con él, apenas, esta tarde.

—Lo sabía, doctor —sonrió Larsen—, y quién le dice que no es por eso que estoy aquí.

«Este hombre que vivió los últimos treinta años del dinero sucio que le daban con gusto mujeres sucias, que atinó a defenderse de la vida sustituyéndola por una traición, sin origen, de dureza y coraje; que creyó de una manera y ahora sigue creyendo de otra, que no nació para morir sino para ganar e imponerse, que en este mismo momento se está imaginando la vida como un territorio infinito y sin tiempo en el que es forzoso avanzar y sacar ventajas.»

—Pregunte lo que quiera. Espere un momento —fue hasta el comedor e hizo funcionar el aparato de los discos; había dejado la puerta entornada, de modo que la música no llegaba más fuerte que la lluvia.

—Primero la empresa, doctor. ¿Qué cree? Usted tiene que saber. Digo, si hay probabilidades de que Petrus salga a flote.

—Hace más de cinco años que se discute eso en Santa María, en el hotel y en el club, a la hora del aperitivo. Yo tengo mis datos. Pero usted está allá, es el Gerente.

Larsen volvió a torcer la boca y se miró las uñas. Los dos se buscaron los ojos; ya no se oía la lluvia y el coro empezaba a llenar el consultorio. Breve y perezosa sonó una bocina en el río.

—Como en la iglesia —dijo Larsen con dulzura y respeto, cabeceando—. Le voy a ser franco. No me ocupo de la parte administrativa. Lo que hago por ahora es un estudio general, para empaparme del asunto, y examino los costos —alzó los hombros para disculparse—. Pero aquello es una ruina.

«Y justamente este hombre, que debía estar hasta su muerte por lo menos a cien kilómetros de aquí, tuvo que volver para enredarse las patas endurecidas en lo que queda de la telaraña del viejo Petrus.»

—Por lo que yo sé —dijo Díaz Grey— no hay la menor esperanza. No liquidaron todavía la sociedad porque a nadie puede beneficiar la liquidación. Los accionistas principales dieron el asunto por perdido hace tiempo y se olvidaron.

—¿Seguro? Petrus habla de treinta millones.

—Sí, ya lo sé, lo oí también esta tarde. Petrus está loco, o trata de seguir creyendo para no volverse loco. Si liquidan cobrará cien mil pesos y yo sé que debe, él, personalmente, más de un millón. Pero mientras, puede seguir presentando escritos y visitando ministerios. Está muy viejo, además. ¿Usted cobra sueldo?

—No de manera efectiva, por ahora.

—Sí —dijo Díaz Grey, dulcemente—: he conocido otros gerentes de Petrus; muchos se despidieron en Santa María mientras esperaban la balsa. Una lista larga. Y no había dos parecidos. Como si el viejo Petrus los eligiera o los encargara siempre distintos, con la esperanza de encontrar algún día alguno diferente a todos los hombres, alguno que hasta engorde con el desencanto y el hambre y no se vaya nunca.

—Tal vez sea así, doctor.

—Los vi.

(Podrían haber sido cinco o seis, en tres años, los gerentes generales, o administrativos o técnicos de Jeremías Petrus, S. A.; que pasaron por Santa María, de regreso de un exilio que ellos no podían sentir como un mero alejamiento de lugares familiares o, por lo menos, susceptibles de ser entendidos y ubicados. No tan distintos, después de todo; emparentados por la pobreza o la miseria agresiva de sus ropas, fantásticas, dispares. Pero con un algo de vigilada decadencia, un aire común que parecía el uniforme del pequeño ejército formado por la locura infecciosa del viejo Petrus. Muchos otros, tal vez el doble, no habían sido vistos estableciendo en Santa María un nuevo contacto con el mundo hostil, adverso, pero que podía ser creído y desafiado. Algunos subieron a una lancha en Puerto Astillero y dispararon en cualquier dirección; otros pasaron por la ciudad cubiertos aún por un miedo que podía confundirse con el orgullo y los hacía incógnitos e invisibles. No tan distintos: hermanados, además, por una mirada, no vacía, sino vaciada de lo que había tenido y confesado antes, de lo que continuaban teniendo los ojos de los habitantes de aquel primer pedazo de tierra firme que pisaban al huir.

Regresaban, en realidad, como sabían todos los que hablaron con ellos y como ellos mismos admitían, de Puerto Astillero, un sitio cualquiera de la costa, con colonos alemanes y rancheríos de mestizos rodeando, junto con el río, el edificio Petrus, S. A., un cubo gris de cemento desconchado, un abandono que ocupaban formas de hierro herrumbroso. Llegaban de un punto que sólo separaban de Santa María algunos minutos de lancha, poco más de dos horas para el hombre resuelto o desesperado que se forzara, andando, un camino entre alumbrados de quintas y montes de sauces. Sus ojos, apartándose de los amables escuchadores de sus cuitas imprecisas y enardecidas por el regreso, los unía, los soldaba para siempre a otros gerentes de jerarquía diversa que habían cruzado en retirada la ciudad y los que habrían de llegar en el futuro. Eran ojos, miradas, con un destello sorprendentemente duro pero jubiloso. Estaban, los gerentes, de vuelta; agradecían las maderas, las manos, los vidrios que palpaban, las bocas que les hacían preguntas, las sonrisas, las lástimas y los asombros.

Pero este júbilo de sus ojos no era el de retorno de un destierro, o no sólo eso. Miraban como si acabaran de resucitar y como seguros de que el recuerdo de la muerte recién dejada —un recuerdo intransferible, indócil a las palabras y al silencio— era ya para siempre una cualidad de sus almas. No volvían de un lugar determinado, según sus ojos; volvían de haber estado en ninguna parte, en una soledad absoluta y engañosamente poblada por símbolos: la ambición, la seguridad, el tiempo, el poder. Volvían, nunca del todo lúcidos, nunca verdaderamente liberados, de un particular infierno creado con ignorancia por el viejo Petrus.)

La música se refería a la fraternidad y al consuelo. Larsen escuchaba con la cabeza ladeada, la copa sujeta por las manos que colgaban entre las rodillas, tolerante, sin fe en ningún sentido o resultado imaginable de la entrevista, seguro de que bastaba durar para vencer.

—Pero no crea, doctor. No nos moriremos de hambre. Organicé a la gente, el personal superior que queda, y no hay motivo de queja. Y tampoco pienso irme.

—Sí, tal vez sea usted el hombre que necesitaba Petrus, el hombre justo para aquello. No tiene nada de cómico, de increíble, aunque es seguro que me hubiera reído si viniera otro a contármelo. Es raro que aquí nadie supiese nada.

—Puerto Astillero está muerto, doctor. Apenas si atracan las lanchas, nadie llega ni se embarca. Hoy mismo, para venir, tuve que alquilar una lancha de pescadores —sonrió con desdén y excusa; el nuevo disco ensalzaba convincente la esperanza absurda.

—Así que usted está allí —dijo Díaz Grey, con repentina alegría—. Todo está bien, todo está en orden. Déjeme hablar; casi nunca bebo, aparte de la cuota de las siete de la tarde en el bar del hotel. Y siempre, casi siempre, la misma gente, las mismas cosas. Usted y Petrus. Tendría que haberlo profetizado; me doy cuenta y me avergüenzo. No hay sorpresas en la vida, usted sabe. Todo lo que nos sorprende es justamente aquello que confirma el sentido de la vida. Pero nos educaron mal, exigimos ser mal educados. Tal vez usted no, tampoco Petrus —sonrió cariñosamente y llenó la copa que había dejado Larsen sobre el escritorio; después la suya, lentamente, sosteniendo con velada piedad la sonrisa. Oyó el chasquido de la máquina en el silencio: sólo quedaba una cara de disco, no había lluvia ni viento.

—La última, doctor —pidió Larsen—. Me quedan algunas cosas que hacer esta noche y muy importantes. No se imagina el gusto de verlo y estar así con usted. Siempre pensé y dije que el doctor Díaz Grey era lo mejor del pueblo. Salud. No hay sorpresas en la vida, tiene razón; por lo menos para los hombres de veras. La sabemos de memoria, permítame, como a una mujer. Y en cuanto al sentido de la vida, no se piense que hablo en vano. Algo entiendo. Uno hace cosas, pero no puede hacer más que lo que hace. O, distinto, no siempre se elige. Pero los demás...

—Los demás también, créame —dijo el médico con paciencia, con la costumbre de ser claro y obvio que le habían inculcado en la Facultad para beneficio de los enfermos pobres—. Usted y ellos. Todos sabiendo que nuestra manera de vivir es una farsa, capaces de admitirlo, pero no haciéndolo porque cada uno necesita, además, proteger una farsa personal. También yo, claro. Petrus es un farsante cuando ofrece la Gerencia General y usted otro cuando acepta. Es un juego, y usted y él saben que el otro está jugando. Pero se callan y disimulan. Petrus necesita un gerente para poder chicanear probando que no se interrumpió el funcionamiento del astillero. Usted quiere ir acumulando sueldos por si algún día viene el milagro y el asunto se arregla y se puede exigir el pago. Supongo.

Era la última cara de disco y abogaba por la adopción de una enajenada forma del consentimiento que nunca podría crecer espontáneamente en un hombre. «No tengo que preocuparme de que entienda. Se me ocurre que no lo volveré a ver. Puedo hablarle, no a él, no a lo que él sabe, sino a lo que él significa para mí.»

—Usted gana, doctor. En cuanto a eso. Pero hay algo más —sonrió como si agregara una felicitación pública y para esconder la parte más valiosa de algo más: su locura, los cálculos sobre metalización, los presupuestos por reparaciones de cascos de barcos que tal vez yacieran ahora tumbados en un fondo submarino, los delirios solitarios en el cobertizo en ruinas; su esclavizado, viril amor por todos los objetos, los recuerdos no vividos y las almas en pena que habitaban el astillero.

—Habrá; ya estaría en el hotel con Petrus si no hubiera. Usted dice, Larsen, que uno no es siempre lo que hace. Puede ser. Pienso en lo de antes, en el sentido de la vida. El error está en que pensamos lo mismo de la vida; que no es lo que hace. Pero es mentira; no es más que eso, lo que todos vemos y sabemos —pero no pudo animarse y sólo pensó: «Y esto tiene un sentido claro, un sentido que ella, la vida, nunca trató de ocultar y contra el cual estúpidamente luchan los hombres desde el principio con palabras y ansiedades. Y la prueba de la impotencia de los hombres para aceptar su sentido está en que la más increíble de todas las posibilidades, la de nuestra propia muerte, es para ella cosa tan de rutina; un suceso, en todo momento, ya cumplido.»

La púa rascó unas vueltas en silencio, hubo otro chasquido, el anuncio del sosiego. Díaz Grey se sintió vacío y aburrido, examinó un confuso remordimiento.

—De tener razón, doctor. Pero yo, por mí, nunca busqué complicaciones. Hay otra cosa, como bien dice —se miró los zapatos opacos por la humedad y se estiró los calcetines.

—¿Usted conoce a la hija de Petrus? Angélica Inés. Estamos comprometidos.

Incapaz de reírse, jugando con la idea de que la entrevista era un sueño o por lo menos una comedia organizada por alguien inimaginable para hacerlo feliz durante unas horas de una noche, Díaz Grey retrocedió en el asiento arrastrando un cigarrillo sobre el escritorio.

—Angélica Inés Petrus —murmuró—. Y yo dije hace un rato, humildemente, con poca fe: usted y Petrus. Me parece perfecto, todo es perfecto en el segundo momento.

—Gracias, doctor. Ahora, que hay algo. Usted ya lo comprende —sin esperanzas ni intención de ser creído, como un simple homenaje amistoso, Larsen dejó de mirarse los pies y alzó hacia el médico la mejor expresión de inocencia, de honrada inquietud y sinceridad que le era posible componer a los cincuenta años. Díaz Grey asintió como si la repugnante y desinteresada intención de conmover que mostraba la cara de Larsen hubiera sido una frase. Esperó estremecido—. Nos queremos, claro. Todo empezó en casi nada, como siempre sucede. Pero es un paso serio. Lo más importante de mi viaje, con esta lluvia y en una lancha de pescadores, era hablar con usted del problema. Puede haber hijos, puede ser que el matrimonio la perjudique.

—¿Cuándo se casan? —preguntó Díaz Grey con fervor.

—Eso. Comprenda que no puedo estar haciéndola perder el tiempo. Yo quisiera saber, respetando el secreto profesional...

—Bueno —dijo Díaz Grey, acercando el cuerpo al escritorio, bostezando y sonriendo después plácidamente con los ojos llenos de lágrimas—. Es rara. Es anormal. Está loca pero es muy posible que no llegue nunca a estar más loca que ahora. Hijos, no. La madre murió idiota aunque la causa concreta fue un derrame. Y el viejo Petrus, ya le dije, simula la locura para no quedarse loco del todo. Es duro de decir, pero sería mejor que no tengan hijos. En cuanto a vivir con ella, usted la conoce, me imagino; sabrá si puede soportarla.

Se levantó y volvió a bostezar. Larsen destruyó velozmente su cara de preocupada inocencia y fue a recoger de la camilla, con un crujido de rótula, el sobretodo y el sombrero.

Ahora, en la incompleta reconstrucción de aquella noche, en el capricho de darle una importancia o sentido históricos, en el juego inofensivo de acortar una velada de invierno manejando, mezclando, haciendo trampas con todas estas cosas que a nadie interesan y que no son imprescindibles, llega el testimonio del *barman* del Plaza.

Acepta que una noche de lluvia, durante aquel invierno, un hombre coincidente con la descripción de Larsen que le fue proporcionada, abundante, contradictoria en ciertos puntos porque los entusiasmos variaban, se acercó al mostrador y preguntó si el señor Jeremías Petrus «paraba» en el hotel.

«Era una palabra vieja y por eso dejé de pensar en el *Simmons Fizz* y lo miré dos veces. Ya casi todos dicen "alojarse" o "encontrarse"; y algunos de la Colonia, hombres hechos, que tal vez no hayan nacido aquí, "estar de paso". Éste decía "parar" sin sacarse las manos de los bolsillos del sobretodo, ni tampoco el sombrero; no había dado las buenas noches o no se las oí. Esa palabra vieja, es posible que ayudada por la voz, me hizo pensar en tiempos de juventud, en café de esquinas de barrios. Cosas. Cuando el tipo habló yo estaba sin nada que hacer, la sala casi vacía y nadie en el mostrador, limpiando algún vaso con una servilleta aunque no me corresponde, y los vasos están siempre limpios. Yo estaba pensando en el negro Charlie Simmons y en el *fizz* que había hecho y bautizado y en la evidencia de que la receta que me transmitió era falsa. Porque me la dijo en cuanto se la pedí, porque la bebida que sale, de un color muy lindo, es sinceramente maléfica y porque nunca, en realidad, lo vi preparando. Él estaba entonces, duró poco, en el Ricky, que después se llamó Noneim, y después no sé. Pensaba distraído en eso y en otra cosa anterior. Entonces vino el hombre, que tal vez sea quien usted dice, aunque nunca lo vi antes, cuando vivió en Santa María. Más bien bajo, seguro, engordando, yendo para viejo pero todavía con cuerda y con aire de no enterarse del almanaque. Tendría que haberle dicho que se dirigiera al conserje, Tobías, el que anota y anda con las llaves. Pero la frase ésa, si "para" en el hotel, la palabra más bien, me ganó y le contesté. Le dije que sí y en qué habitación. Todos sabíamos y comentamos el asunto: el viejo Petrus enfermo o haciéndose el enfermo, metido desde la mañana en el 25, que tiene *living* y se reserva para novios, sin haber pedido durante todo el día otra cosa que una botella de agua mineral, sin que nadie supiera, por más que dijeron, si el francés se atrevería a presentarle la cuenta, ésta y las atrasadas, sólidos miles de pesos. Y no para verlo firmar arriba de la cuenta sino en un cheque con fondos, contra algún banco que no puedo imaginarme pero que, por qué no, tendría que llamarse Petrus y Compañía o alguna cosa como Petrus y Petrus. Sólo así. Cabeceó para darme las gracias y se puso a caminar en dirección al ascensor. Quería chistarle y decirle que llamara antes por el interno; me dejé estar y siguió caminando. Era como me dice: naturalmente pesado pero exagerándolo, negro de ropas, taconeando mientras pudo en el silencio del bar vacío, sin ruido después sobre la alfombra del corredor, la espalda arqueada como si estuviera llevando con el pecho alguna cosa por delante. El pobre. La otra cosa anterior en que yo pensaba se le ocurre a cualquiera. Pensaba en el negro Charles Simmons, el hombre mejor vestido que vi nunca; en la vez, que alguna vez tuvo que ser, en que se distrajo revolviendo un *gin fizz* con una cuchara larga y se le ocurrió que lo que hacía podía mejorarse o que era posible hacerse famoso con cualquier cambio de medidas o ingredientes sin dar nada nuevo o mejor. Que es lo que no sé y me sigo preguntando.»

La puerta no tenía llave; de modo que después de algunos pasos sinuosos en la penumbra de la salita, Larsen se introdujo en la luz del dormitorio y vio al viejo Petrus boca arriba, acurrucado en la cuarta parte de una cama matrimonial, con una lapicera en la mano y una libreta negra, con ganchos cromados, apoyada en las rodillas. Vuelta hacia él la cara reducida, sin asombro ni miedo, sin otra cosa que una suave inquisición profesional.

—Buenas noches y perdone —dijo Larsen. Sacó las manos de los bolsillos y puso cuidadosamente el sombrero en la repisa de la chimenea falsa.

—Es usted, señor —comentó el viejo; sin desviar la cara, guardó la lapicera y la libreta debajo de la almohada.

—Aquí estamos, señor, a pesar de todo. Y mucho me temo... —avanzó velozmente y ofreció su mano hasta que Petrus colocó la suya, muy pequeña y seca.

—Sí —dijo Petrus—. Siéntese, señor. Arrime una silla —lo miró calculando, estuvo moviendo la cabeza como si aprobara.

—Espero que todo marche bien en el astillero. Estamos al borde del triunfo, cuestión de días. En esta época, es triste, hay que llamar triunfo a un acto de justicia. Tengo la palabra de un ministro. ¿Alguna dificultad con el personal?

Larsen se sentó en la cama, sonrió para congraciarse con los ángeles, pensó en el batallón de espectros del personal, en huellas que tal vez hubieran dejado y que en todo caso no constituían evidencia; pensó en Gálvez y Kunz, en la pareja de perros saltando hacia la barriga de la mujer con abrigo de hombre. También en algún charco, un agujero en forma de ventana, alguna bisagra destornillada y colgante.

—Ninguna, señor. Hubo cierta resistencia, absurda, al principio. Pero ahora, le puedo asegurar, todo marcha como una máquina.

Petrus sonrió y dijo que era justamente lo que había esperado y que estaba seguro de no equivocarse al elegir hombres y asignarles tareas. «Soy un conductor; ésa es la primera virtud de un conductor.» La noche estaba afuera, enmudecida, y la vastedad del mundo podía ser puesta en duda.

Aquí no había más que el cuerpo raquítico bajo las mantas, la cabeza de cadáver amarillenta y sonriendo sobre las gruesas almohadas verticales, el viejo y su juego.

—Me alegro —dijo Larsen, crédulo, sin énfasis—. Siempre he pensado, mientras me ocupaba de los problemas del astillero y vigilaba el rendimiento del personal, que yo estaba a cargo de la retaguardia mientras usted... —suspiró, casi satisfecho, y tuvo un escalofrío dentro del sobretodo empapado.

—En la línea de fuego, señor. Justamente —celebró el viejo, con una sonrisa—. Más riesgo y más gloria. Pero si la retaguardia llega a fallar...

—Ésa es la idea que me da ánimos.

—Todo esto es obra mía —dijo Petrus deslizando una mano para tocar durante un segundo la libreta bajo la almohada—. Y no me voy a morir antes de ver que todo vuelve a ponerse en marcha. Es imposible. Pero su tarea, señor, es tan importante como la mía. Si el astillero se paraliza una sola hora, ¿qué cosa podré estar defendiendo en las antesalas de esos covachuelistas, esos piojos resucitados? Le estoy muy reconocido.

Larsen cabeceó con una mueca alegre, tímida, agradecida. El viejo Petrus recogió con rapidez su sonrisa y la cara flaca, entre patillas, se puso a exhibir con deliberación la espera, cortés pero exigente.

Una mujer y un hombre pasaron frente a la puerta conversando en voz alta; despectivo, hundido en la paciencia, el hombre iba negando alguna cosa.

—Aquello está listo, le aseguro, para el momento en que usted dé la orden —se esforzó Larsen.

Pero ni las voces de afuera ni esta que había sonado a los pies de la cama pudieron distraer de su resolución de pregunta a la cabeza de momia de mono que se apoyaba sin peso en las almohadas.

«No es una sonrisa esa arruga bien repartida que hace. No le importa nada de nadie, y yo no soy yo, ni siquiera el cuerpo número 30 o 40 que está ocupando esta noche el invariable Gerente General del astillero. Yo soy, apenas, una desconfianza. Y ni siquiera me tiene miedo. Entré sin llamar, es tarde, él no me avisó que estaría esta noche en Santa María. Le gustaría saber por qué miento, qué planes y esperanzas tengo. Está impaciente por saber; entretanto se divierte. Nació para este juego y lo practica desde el día en que nací yo, unos veinte años de ventaja. No soy una persona, así que no es una sonrisa la complicación esa que le impone a la cara; es una pantalla y una orden, una manera de ganar tiempo, de pasar mientras espera cartas y apuestas. El doctor estaba un poquito loco, como siempre, pero tenía razón; somos unos cuantos los que jugamos al mismo juego. Ahora, todo está en la manera de jugar. El viejo y yo queremos dinero, y mucho, y también nos parecemos en la falla de quererlo, en el fondo, porque sí, porque ésa es la medida con que se mide un hombre. Pero él juega distinto y no sólo por el tamaño y el montón de las fichas. Con menos desesperación que yo, para empezar, aunque le queda tan poco tiempo y lo sabe; y para seguir, me lleva la otra ventaja de que, sinceramente, lo único que le importa es el juego y no lo que pueda ganar. También yo; es mi hermano mayor, mi padre, y lo saludo. Pero yo a veces me asusto y hago sin querer balance.»

La mujer y el hombre que habían pasado por el corredor ahuecaron allá lejos el silencio con un suave, inhumano murmullo. Hicieron sonar después definitivamente el pestillo de una puerta y la noche de lluvia se transformó en ventosa, placentera y gimiente, no más real que un recuerdo, más allá de las persianas corridas sobre la plaza.

El estupor de la cabeza falsamente apoyada en la almohada, casi vertical, consciente de los límites que imponían las patillas blancas y agresivas, y fortalecida por ellos, empezaba a teñirse de impaciencia. Escaso de fe, Larsen organizó el gran gesto de la cara que cae y se acerca con una demorada expresión de confidencia. «Abajo de estas ventanas pasé tantas noches con una mano en el revólver o cerca, pisando fuerte, a la vez ajeno y desdeñoso y provocando siempre inútilmente.»

Oyó, ronco y débil, inconvincente, un bocinazo en el río repetido tres veces. Se palpó de cigarrillos y no tuvo fuerzas para desprender el sobretodo húmedo que lo rodeaba, seduciéndolo, con un olor triste y cobarde, un perfume de resaca y de antiquísimas lociones que le habían resegado en el pelo en salones de peluquerías que series de espejos hacían infinitos, tal vez demolidos años atrás, increíbles ya, en todo caso. Sospechó, de golpe, lo que todos llegan a comprender, más tarde o más temprano: que era el único hombre vivo en un mundo ocupado por fantasmas, que la comunicación era imposible y ni siquiera deseable, que tanto daba la lástima como el odio, que un tolerante hastío, una participación dividida entre el respeto y la sensualidad eran lo único que podía ser exigido y convenía dar.

—Sí, señor —dijo calmoso Petrus o sólo la voz de Petrus. Entonces Larsen pidió perdón y explicó en pocas palabras que sólo actuaba impulsado por la lealtad y por una incontrolable, total identificación con Jeremías Petrus y sus ambiciones. No enumeró, sino que ofreció en síntesis —y con la modestia del profano que más presiente que sabe— los peligros agazapados en el título falso, marcado por los dobleces de la meditación y el miedo, que Gálvez le había mostrado en una absurda embriaguez de desafío y con el cual, sin duda, continuaría jugando, sin prudencia, con una desesperada irresponsabilidad que amenaza imponer el fin del mundo en cualquier momento caprichoso.

Tal vez ya fuera tarde. Claro que podía ser empleada la violencia y él, Larsen, garantizaba, era obvio, su buen éxito. Pero acaso aquel papel verdoso, con dibujos circulares en los márgenes, con un número lleno de coincidencias, con la innegable, rápida, encogida firma de Petrus en su parte inferior derecha, no fuera el único título falsificado que andaba rodando por donde no debía. En este caso la violencia sería inútil y contraproducente, señor.

Jeremías Petrus había escuchado con los ojos cerrados o había cerrado los ojos en algún momento preciso del relato, un momento que Larsen lamentaba desconocer. Seguía inmóvil contra la almohada, no era nada más que aquella cabeza disminuida, que se exhibía impúdica. El tórax de niño, las piernas raquíticas, y hasta las mismas manos hechas de alambre y papeles viejos, se aplanaban sin bulto bajo las mantas. Nada más que la cabeza ciega e indiferente, la máscara preparada para un susto sobre la almohada. El viento no quería acercarse; limpiaba el cielo encima del río, se estiraba y volvía con un tesón maniático, con un rumor explicativo, con la voluntad de prescindir de los árboles y sus hojas.

—Eso es lo que hay —dijo al fin Larsen, irritado—. A lo mejor no tiene importancia, me equivoqué. Pero Gálvez asegura que el título es falsificado y que puede meterlo en la cárcel cualquier día que se despierte con dolor al hígado. Véalo. Yo trabajando en la Gerencia, en un problema de metalización, y el tipo ese mostrándome como un perdonavidas aquella cartulina verde ajada. No le di importancia, le mostré no creerle. Pero tuve que alquilar una lancha de pescadores para verlo a usted en seguida y avisarle.

Petrus parpadeó y repitió «sí, señor» con los ojos cerrados. Después miró a Larsen, demostrando comprender, informándole que era innecesario descubrir los dientes y arrugar trabajosa y metódicamente la cara para formar una sonrisa. Pero Larsen supo que la cabeza impasible estaba sonriendo y que aquella invisible pero indudable sonrisa era ávida, burlona, y lo estaba incluyendo a él mismo junto con Gálvez, el título, el peligro, la Sociedad Anónima, y el destino de los hombres.

Ahora tenía los ojos abiertos, dos estrechas y acuosas claridades bajo las cejas retintas. Explicó sin entusiasmo que uno de los títulos había sido robado desde el principio mismo de aquella pequeña aventura de falsificación, tan sin importancia y tan necesaria si se la relacionaba con la aventura que él prefería llamar empresa y titular Jeremías Petrus, S. A. La presentación del título falso al juzgado, concedió con fatiga, podría significar un entorpecimiento, más lamentable ahora, cuando sólo días o semanas los separaban de la victoria o del acto justiciero. Sólo faltaba un título, sólo ése significaba un peligro. Larsen cubría fielmente la retaguardia y aquella urgencia, aquel viaje en una lancha de pescadores a través de la tormenta que llenaba el río, evidenciaban con exceso su compenetración con los problemas y riesgos de la empresa. Era necesario que el título no llegara al juzgado de Santa María y todo medio sería bueno y recompensado.

Había vuelto a cerrar los ojos y era evidente que lo estaba echando y que no le importaba de veras que el título falso llegara o no al juzgado. Se divertía ahora de esta manera y continuaría divirtiéndose de la otra. Desde muchos años atrás había dejado de creer en las ganancias del juego; creería, hasta la muerte, violento y jubiloso, en el juego, en la mentira acordada, en el olvido.

Un poco rabioso por la envidia, apocado por una confusa admiración, Larsen caminó en puntas de pie hasta rescatar de la chimenea de estuco el sombrero deformado por la lluvia. Con dos dedos lo encajó en el ángulo habitual y, siempre de puntillas, fue de regreso a la cama y miró bien, de arriba abajo, erguido, las manos en los bolsillos.

Casi perpendicular a las mantas, la máscara blanca y amarilla, calva, cejinegra, parecía dormir; la boca fina y vencida estaba apretada sin esfuerzo. «Quedan pocos como éste. Quiere que lo liquide a Gálvez, a la mujer preñada, a los perros mellizos. Y él sabe que para nada. Voy a despedirme; si despierta y mira, lo escupo.»

Sin doblar las rodillas, se inclinó hasta besar la frente de Petrus. La cara siguió quieta, entregada y a salvo, recóndita, amarilla. Larsen se enderezó y estuvo moviendo un dedo contra el ala del sombrero. Balanceándose y sin ruidos cruzó la salita oscura, llegó a la puerta y la abrió; en la habitación del fondo del corredor, el hombre y la mujer que habían pasado conservando un rato antes discutían ahora furiosos, con la sordina del viento, de las maderas y la distancia.

SANTA MARÍA - III

Si tomamos en cuenta las opiniones y pronósticos de quienes conocieron personalmente a Larsen y creen saber de él, todo indica que después de la entrevista con Petrus buscó y obtuvo el medio más rápido para volver al astillero.

Necesitaba ahora —o simplemente había elegido aceptar esta necesidad con todo el escaso, intermitente entusiasmo que le quedaba— conseguir el título falso y ofrecerlo con sencillez, vagamente ambicioso y lleno de curiosidad, como si cumpliera un sacrificio que no tuviese como fin el logro de ninguna ventaja, sino, complicadamente, la obtención de algunas revelaciones.

Pero aunque la razón y los testimonios nos convenzan de que la única preocupación de Larsen aquella noche fue la de llegar lo antes posible al astillero para impedir cualquier maniobra del enemigo que acababa de inventarse y planear sobre el terreno la operación de rescate que le habían encomendado, también es cierto que ahora, en este momento de la historia, nadie tiene prisa o no importa la que se tenga.

En consecuencia, Larsen tuvo que entrepararse bajo la llovizna y el viento, después de cruzar en diagonal la plaza, para descubrir, con asombro, con fastidio y una indomable excitación, que el hecho de que el astillero hubiera llegado a convertirse en un mundo completo, infinitamente aislado e independiente, no excluía la existencia del otro mundo, este que pisaba ahora y donde él mismo había residido alguna vez. Dobló a la izquierda y se puso a caminar velozmente, paralelo al río, suponiendo que reconocía esquinas y fachadas húmedas y la luz peculiar de cada espaciado farol balanceándose en la llovizna decreciente.

Había bajado hacia el río después de dejar atrás el cubo sombrío y brillante de la Aduana y andaba por el camino de Enduro; ya no llovía y el viento empezaba a entrar en la ciudad a saltos, conquistando una línea de manzanas tras otra. «Si tenía que volver, por qué en una noche como ésta y por qué me corro hacia la parte más sucia y miserable.» Iba con una mano metida entre las solapas del sobretodo, la cabeza torcida para que el viento no le robara el sombrero, sintiendo el agua en los calcetines a cada paso sonoro.

Ya se olía pescado muerto cuando descubrió la luz amarilla del cafetín, y, media cuadra después, la música, el balanceo rápido del vals en la guitarra. Abrió la puerta y manoteó para cerrarla, a sus espaldas, mientras miraba el humo, las cabezas oscuras, la pobreza, el fugaz consuelo, el rencor indolente, la cara siempre asombrosa del pasado. Caminó hacia el mostrador con un medido aire de desafío, escondiendo su emoción hasta que lograra entenderla.

—¿No se saluda a los amigos? Barreiro, ¿se acuerda?

Al otro lado del estaño el hombre joven sonreía, cerrada hasta el cuello la sucia chaqueta blanca, sin afeitar, cansado y animoso.

—Barreiro, como no —dijo Larsen, sin saber con quién hablaba, tendiendo la mano, golpeando la del otro antes de apretarla. Hablaron del tiempo y pidió una caña. Falsamente apoyado en el mostrador, vuelto a medias hacia el salón, Larsen filió con calma, incurioso, fácil de complacer, a quienes habían sido, en este otro mundo, durante un tiempo muerto y sepultado, sus padres. El de la guitarra abría las piernas en el centro del salón, sonriendo incansable bajo el bigote escaso, afinando ahora en el silencio expectante y sin respeto que le armaban los demás, acurrucados por el peso, las alharacas del viento. Reconoció la expresión adormecida y gatillada de los mestizos, peones de quintas o estanzuelas atraídos a Enduro por cualquier otra fantasía industrial del viejo Petrus. Las mujeres eran pocas, raídas, chillonas y baratas. El de la guitarra blanqueó los ojos y empezó otro vals. En el rincón que formaban la cortina metálica y unos carteles de madera y latas puestos de espaldas, un interminable gancho de hierro, y una salivadera repleta de materias secas e indefinibles y un gato negro dormido, un hombre y una mujer se apretaban las manos encima de la mesa.

—Ahora otra vez vuelven a decir que la fábrica cierra —dijo Barreiro—. Pero nunca se sabe por qué. Pesca hay y sobra. Son esos líos que uno no entiende; y menos los desgraciados que se hicieron la ilusión de que iban a enriquecerse con salarios de veinte y treinta pesos. El que sabe es el que está arriba; cuando cierra gana y cuando abre también. Aunque no parezca. ¿Volvió para quedarse? No es por curiosear.

—Está bien. De paso, nada más. Tengo algunos negocios por el norte de la provincia.

—Negocios —repitió Barreiro, sin animarse a sonreír.

Larsen miraba las mesas e iba repasando letras de tango, despreocupado de los que maltrataban la guitarra y alargaban el gesto, los silencios y lo que había de humano en los rostros agolpados sobre los vasos. Se estremeció de frío y aceptó otra caña. El hombre de la mesa del rincón inclinaba la cabeza, los anchos hombros, la blusa a cuadros, el pañuelo negro al cuello con el nudo ladeado y visible. La mujer tenía el pelo grasiento peinado sobre los ojos y la mueca repetida de la negativa era ya una segunda cara, una máscara móvil permanente de la que sólo se despojaba, tal vez, en el sueño. Y todo lo que podía desenterrar y reconstruir la experiencia de Larsen, ayudada por antiguas intuiciones que habían demostrado ser ciertas, no bastaba a convencerlo de que abajo de los torpes signos de ternura, rechazo, modestia y patético narcisismo, rezumados como un brillo por los temblores de la piel, estaba, realmente, la cara primera de la mujer, la que le habían dado, no hecho y ayudado a hacer.

«Nunca nadie la vio, esa cara, si es que la tiene. Porque puede usarla y mostrarla desnuda sólo en la soledad y si no hay por los alrededores un espejo o un vidrio sucio que pueda alcanzar de reojo o bizqueando. Y lo más malo es que ella —y no pienso sólo en ella—, si por un milagro o una sorpresa o una traición se pudiera mirar la cara que se dedicó a cubrir desde los trece años, no podría quererla y ni siquiera reconocerla. Pero ésta, por lo menos, va a tener el privilegio de morir más o menos joven, antes en todo caso de que las arrugas le formen otra máscara definitiva, más difícil de apartar que ésta. Entonces, sosegada la cara, limpia de la triste, movediza preocupación de vivir, tal vez tenga la suerte de que dos viejas la desnuden, la comenten, la laven y la vistan. Y no será imposible que alguno de los que entren a tomar caña en el rancho le sacuda envarado y por compromiso una ramita mojada encima de la frente y observe la extraña forma de cristal que van revelando las gotitas, por no más de un minuto, con la ayuda caprichosa de las velas. Entonces, si sucede, alguno le habrá visto por fin la cara y ella no habrá vivido inútilmente, puede decirse.»

El hombre de la camiseta a cuadros hacía avanzar la persuasión y el ruego hacia la máscara ondulante. Afuera y arriba el viento golpeaba, ajeno a los hombres escondidos en sus cubículos, apretándose estentóreo contra los plantíos, los árboles, las lustrosas ancas nocturnas de las reses. El de la guitarra volvió a preludiar y se alzó a medias para agradecer una copa que le habían hecho servir. Barreiro vio la mirada de Larsen.

—Quién la imagina —dijo, con un poco de orgullo y otro de fastidio—. Es capaz de pasarse regateando hasta la mañana. *Norteña*, le dicen; tal vez venga de por donde anda usted ahora. Es dura en el oficio. Pero aparte, no crea, gran amiga.

El viento giraba arremolinado y por juego sobre el techo del cafetín, las rectas calles de barro, el edificio de la fábrica de conservas; pero ya enroscaba su mayor violencia encima de la Colonia, de los trigales de invierno, del tren lechero que corría tartamudeante por la planicie negra al otro lado de la ciudad.

—¿Cuándo tengo lancha para arriba? —preguntó Larsen, volviéndose hacia el mostrador, buscando en los bolsillos como si tuviera ganas de pagar.

—No es nada, hágame el favor —dijo Barreiro—. Las de la carrera no empiezan hasta las seis. Pero a lo mejor sale alguna de carga y lo quieren llevar.

El hombre había apoyado en el respaldo de la silla la poderosa espalda cuadriculada; ajustado el precio, la mujer dejó de agitar la cara y se limitó a cubrirla con una sonrisa de malicioso reproche, de saboreo de secretos felices, que podría mantener sin esfuerzo durante el camino y hasta el alba. Para festejar, el hombre pidió dos copas.

Así que el mundo, éste, el que continuaba siendo el mundo de los demás, no había cambiado, no sufría de su deserción. Irresponsable, tranquilizado, Larsen saludó al hombre que decía llamarse Barreiro y cruzó el salón, imitando por delicadeza el balanceo, el aburrido desdén con que había pisoteado tantos pisos mugrientos de cafetines durante su larga, remotísima residencia en este otro planeta.

El primer aviso creíble lo tuvo Larsen acurrucado en la lancha, cabizbajo, alargando el puño que sujetaba el boleto hacia indecisas olas que alzaban y mantenían vibrante la proa. Un sol recién nacido ensayaba su apática, rasante claridad. «Una mañanita; linda, fresca mañanita de invierno», pensó para esquivarse. Después, porque no hay coraje sin olvido: «Esta luz de invierno en un día sin viento y metido en ella, mientras ella desinteresada y fría me está rodeando y me mira. Yo haré porque sí, tan indiferente como el resplandor blanco que me está alumbrando, el acto número uno, el número dos y el tres, y así hasta que tenga que detenerme, por conformidad o cansancio, y admitir que algo incomprensible, tal vez útil para otro ha sido cumplido por mi mediación.»

Una milla después bostezó y fue alzando voluntarioso el sombrero negro y protector; inspeccionó los cuerpos soñolientos y estremecidos que lo acompañaban en el banco en forma de herradura de la lancha, parpadeó y puso el ardor de sus ojos al día que acababa de empezar, ciego, incontenible, el mismo día que había resbalado su luz sobre el estupor de lomos gigantes y escamosos, y volvería a deslizarla, con la misma imprevista precisión, encima de rebaños de otras bestias nacidas de una nueva ausencia del hombre.

Entonces —la lancha viró para acercarse cabeceando al atracadero carcomido que llamaban «del Portugués»— Larsen se revolvió, como quien prueba palpando un dolor, a dar entrada a la vanguardia del miedo, a la apostasía, a la parte más próxima del terror, debilitada, soportable, porque se embotó en el asedio, porque estuvo contagiándose de la calidad humana. Entonces pensó: «Este cuerpo; las piernas, los brazos, el sexo, las tripas, lo que me permite la amistad con la gente y las cosas; la cabeza que soy yo y por eso no existe para mí; pero está el hueco del tórax, que ya no es un hueco, relleno con restos, virutas, limaduras, polvo, el desecho de todo lo que me importó, todo lo que en el otro mundo permití que me hiciera feliz o desgraciado. Y tan a gusto, y siempre listo para empezar, si me hubiera dejado quedar allí o hubiese podido.»

SANTA MARÍA - IV

El sol, apenas enrojecido ahora, estaba ya muy arriba del río. Era la hora en que se despertaba el doctor Díaz Grey y tanteaba buscando el primer cigarrillo, con los ojos cerrados para salvar lo que fuera posible de las imágenes del sueño recién muerto y fortalecer sin imposiciones lo que tuvieran de nostalgia y dulzura. Una madre, una amiga desvanecida, una sonrisa que se había inclinado sobre su almohada —o la blancura efímera de cualquier adiós— sobre la cara más suya, más pura, un poco más joven que imaginaba tener dormido.

Encendió el cigarrillo y entornó los ojos en la penumbra; trataba de adivinar el calor y la temperatura del día en que acababa de ser depositado. Pensó en visitas a enfermos, en visitas de enfermo, en lo bueno y en lo malo de la soledad, en la conversación de anoche con Larsen, en la hija de Petrus. Sólo la había visto, de cerca, dos veces.

Durante años los Petrus estuvieron viviendo en Santa María, en Puerto Astillero y en cualquier ciudad de Europa, sin quedarse más que algunos meses en ningún lugar. Aunque las ausencias del viejo Petrus fueron siempre más cortas que las del resto de cada grupo familiar transportado. Y, en realidad, él no hacía otra cosa que acompañar a la esposa y a la hija, una gobernanta, una cuñada o hermana, instalarlas en la seguridad y la comodidad, dejar minuciosamente planeadas sus vidas por un tiempo a fin de poder olvidarlas sin remordimiento y con una gozosa, pregustada resolución. Pudo ser visto: pequeño y seco, rápido y preciso, con las duras patillas entonces negras y los sombreros redondos y los trajes cerrados y rabones de aquella posguerra, de una moda que parecía inventada para su tipo de complicada y austera dignidad. De aquella moda todavía se encontraban sorprendentes rémoras en las ropas que se encargaba ahora. Más que como marido y padre, como un empleado, un mayordomo, un consejero de la familia que sólo buscara como recompensa la sensación armoniosa de su propia eficiencia, indiferente a que se lo agradecieran o no, despreocupado de que la mujer (la hija no había nacido o no contaba) y la infaltable pariente renovada en cada viaje, pero siempre la misma, coincidieran con él en conceptos de confort, prestigio, salud y belleza panorámica.

Empeñado en obtener aquellos pequeños triunfos de organización no tanto para satisfacer su vanidad, que tal vez nunca necesitó ser alimentada desde el exterior, sino porque debía considerar su logro como un suave, desenmohecedor ejercicio de sus potencias en los períodos en que, forzosamente, los negocios no podían ser otra cosa que aprensiones y fantasías. Aquellos pequeños, útiles, desdeñables triunfos obtenidos con y contra horarios de trenes, folletos de turismo, mapas carreteros, cicerones y consejos amistosos.

Por fin, cuando la crisis del 30, la familia se aquietó en Puerto Astillero, definitivamente para la señora Petrus que terminó enterrada en el cementerio de la Colonia, después de un pleito verbal de veinticuatro horas: Petrus ambicionaba tener el cadáver, la gusanería, el esqueleto y las cenizas en su propio jardín, en una construcción de ladrillo mármol y hierro, pequeña, de techo a dos aguas, que Ferrari, el constructor, planeó con la celeridad requerida y hasta cobró en parte. Y después de un juramento ante dolientes, un sacerdote y los enterradores, una promesa cuyos hiperbólicos dramatismo y violencia provenían, casi sin dudas, de la derrota sufrida al enfrentar funcionarios y ordenanzas municipales, aceptó el entierro en el cementerio de la Colonia. Hubo, además, un telegrama enviado al gobernador, tres líneas tan imperiosas que merecían ser firmadas «Yo, Petrus», y que no obtuvo más respuesta que una carta de pésame donde las lamentaciones trataban de restar valor a la negativa, y que, por otra parte, llegó cuando la lluvia había caído durante una semana sobre la tumba de la señora Petrus en la Colonia. (Murió en invierno; Angélica Inés fue capaz de no olvidarlo.)

Después de un juramento pronunciado en alemán que excluía, en la hora de la prueba, a los escasos indígenas que engrosaban el cortejo de enlutados y embarrados: «Prometo ante Dios que tu Cuerpo descansará en la Patria.» Las mayúsculas corresponden a los énfasis. Un gesto difícil de entender. Porque todos los testimonios hacen de Petrus un hombre ajeno al melodramático, erguido, descubierto que alzó un brazo encima del agujero fangoso e hizo sonar las voces bárbaras y guturales que componían el juramento nunca cumplido. Nuevamente encogido, aceptó el puñado de tierra que le ofrecieron y lo dejó caer exactamente sobre las tres letras enlazadas de la cinta violeta que envolvía el ataúd.

Antes, en la casa del duelo, no más de una hora después de la muerte, Ferrari, el constructor, moviendo obsequioso los lápices sobre la cartulina blanca, desesperado por el afán de entender y ser fiel, calculó la ganancia, los precios del mármol y del hierro forjado, los salarios de albañiles y marmolistas, el costo del acarreo. Pero, también, un poco estremecido por aquel gozo y aquella angustia del artista que lucha por hacer e interpretar. El otro, Petrus, el viudo, yendo y viniendo detrás de las espaldas de Ferrari, empecinado, repetidor, detallista inconformable.

Y tal vez también haya sido definitiva para Petrus y la hija la resolución de quedarse a vivir en la casa de Puerto Astillero. Le agregaron habitaciones, trajeron estatuas para el jardín y durante semanas las lanchas estuvieron ganando fletes con cajones de muebles, de vajilla y de adornos.

Pero hubo, antes de que afincaran en la casa elevada sobre pilares de mampostería, destinados a defenderla de una creciente del río que hasta hoy no se produjo con la intensidad temida, la tentativa de Petrus de comprar el palacio de Latorre, hoy en una isla, próxima al puerto de Santa María. Deben ser dignas de recordación y deformaciones las entrevistas del viejo Petrus con los descendientes del héroe, gordos, blandos, degenerados. Aduló, intrigó, soportó y, según parece, llegó a ofrecer el dinero suficiente como para lograr un principio de acuerdo. Habría tenido entonces como residencia —en la isla que deben respetar, rodeándola a distancia, las embarcaciones que entran y salen de la bahía— el palacio de paredes rosadas y eternamente húmedas, con cien ventanas enrejadas, con su torre circular que es seguro fue algún día audaz y difícil de creer.

Tal vez esto, Petrus en la isla, hubiera modificado su historia y la nuestra; tal vez el destino, impresionable como las multitudes por formas y grandezas, hubiera decidido ayudarlo, hubiera aceptado la necesidad estética o armónica de asegurar el futuro de la leyenda: Jeremías Petrus, emperador de Santa María, Enduro y Astillero, nuestro amo, velando por nosotros, nuestras necesidades y nuestra paga desde el cilindro de la torre del palacio. Es posible que Petrus ordenara rematarla con un faro; o nos habría bastado, para embellecer y avivar nuestra sumisión, contemplar desde el paseo de la rambla, en las noches de buen tiempo, las ventanas iluminadas, confundibles con las estrellas, detrás de las cuales Jeremías Petrus velaba gobernándonos. Pero justamente cuando los nietos del prócer, después de conocer, divertidos o asqueados, la capacidad de Petrus para desear, envolver, olvidar desprecios, regatear y exponer al final de cada entrevista, con su voz pastosa y suave, con su cara de otro siglo, la síntesis implacable de lo que había sido discutido y despreocupadamente aceptado, sacudieron lánguidos las cabezas para decir que sí, se resolvió, a espaldas del destino, declarar monumento histórico el palacio de Latorre, comprarlo para la nación y dar un sueldo a un profesor suplente de historia nacional para que lo habitara e hiciera informes regulares sobre goteras, yuyos amenazantes y la relación entre las mareas y la solidez de los cimientos. El profesor se llamaba, aunque por ahora no importa, Aránzuru. Decían que fue abogado y ya no lo era.

Díaz Grey sólo había visto de cerca dos veces a la hija de Petrus. La primera cuando, después que se instalaron en la casa de Puerto Astillero y antes de que muriera la madre, la chica —tendría entonces cinco años— se clavó un anzuelo en una pierna. Es seguro que de encontrarse Petrus en la casa la hubiera llevado en su automóvil hasta la Clínica Médica de la Colonia, atravesando Santa María, prefiriendo que la criatura perdiera sangre, olvidado de que había una chapa de médico frente a la plaza nueva y sordo a toda tentativa de recordárselo. Pero el viejo, es decir, el Petrus de entonces, el mismo de ahora pero con las patillas negras y más rígidas, debía estar haciendo cálculos en la Capital, entre reuniones de futuros y probables accionistas, o andaría por Europa comprando máquinas y contratando técnicos. De modo que fue la madre o la tía de turno la que tuvo que afrontar la situación y cada una de las posibilidades que ésta prometía: la muerte, la renguera, la furia vindicativa de Petrus. «Y pensar, doctor, que el padre prohibió siempre que pisara el muelle de los pescadores.» El viejo llamaba muelle a lo que sólo era entonces un tinglado encima de una pared de barro (aunque ya habían empezado a remontar el río los grandes cubos de piedra). Y lo más probable es que haya escrito muelle cuando garrapateó con lápiz el primer boceto de plano; o pensado muelle cuando se acercó a la orilla con cara de desprecio para examinar el lugar y luego comprarlo. Y en cuanto a los pescadores, no había entonces más que Poetters, que después fue dueño del Belgrano y que en aquel tiempo vivía solitario en un rancho cerca de la costa, por una apuesta o una pelea con su padre o por las dos cosas usadas como pretexto.

La chica, la sirvientita y el perro no tenían mejor distracción en la siesta que rodear la inmovilidad de Poetters y fortalecer sus esperanzas de pesca con distintas ansiedades. Poetters hizo girar la plomada, oyó el extraño grito que tenía más de aviso que de dolor y apenas se inclinó —sabiendo que no se animaría a hacerlo— sobre la pierna de la niña. Mandó a la sirvientita a avisar a la casa, cortó la línea junto al anzuelo y desapareció con la caña, la lata de cebos y toda la primitiva complicación de ramas en caballete, plomos, alambres y corchos.

La encontraron sin llanto, inmóvil, consolada por la temerosa lengua del perro. Ni la madre ni la tía de turno, ni ningún miembro del regimiento de sirvientas, jardineros y seres de oficios confusos que surgieron de la casa en construcción (terminada hacía dos años, mejorándose siempre), ni ningún soldado del otro regimiento, de más débil *esprit de corps,* formado por los albañiles, o tal vez ya también carpinteros, que estaban levantando el edificio del astillero y almorzaban en aquel momento entre formas geométricas y vagas, hechas de vigas y de ladrillos, se animó a tironear del anzuelo clavado en el muslo, hacia atrás y cerca de la nalga.

Cuando superó el terror del círculo de caras que aproximaron alternativamente su miedo y su consejo, Angélica Inés volvió a sonreír, descansó, nuevamente en su misterio, robusta y quemada por el sol, parpadeando con los grandes, claros ojos incuriosos, balanceando en la tarde sin viento las trenzas duras y firmes como sogas. Un resto de agua de los primeros auxilios secándose y luminosa en la luz de la siesta, imaginó Díaz Grey; el fino garabato de la sangre interminable y rojísima; invulnerable e invulnerada en realidad; hecha suya, cosa de su cuerpo y de su paz, la semiancla plateada del anzuelo.

Entre exhortaciones y profecías, consciente de su responsabilidad, ensayando el temblor que habría de sacudir ante las cejas retintas y unidas de Petrus, ante su explosión de maldiciones o su silencio, la madre o la tía confió en Dios y eligió. Ligaron la pierna con un pañuelo de seda y la madre y la tía, con el capataz de la obra del astillero al volante, llevaron a la chica en auto hasta Santa María, por el largo, indeciso camino de tierra.

Díaz Grey, recién instalado, insensible al prestigio creciente del nombre Petrus que le repitieron como un don, como un sésamo y una amenaza, soportó aquella forma extranjera de la histeria con que le llenaron el consultorio y que algunos pocos meses futuros de práctica en la Colonia transformarían para él en la histeria normal, infaltable y previsible.

La niña en la camilla, abierta con franqueza su cara redonda hacia el techo, plácida, digiriendo el anzuelo. La una y la otra, mal vestidas, con grandes zapatos sin tacos, con grandes pechos y cabelleras hermosas y fuertes, como animales de raza, ignorantes de sí mismas y aceptando del mundo sólo la minúscula porción que les importaba, alternaban las graves voces de tragedia, las explicaciones y las notas asordadas del llanto dominado, con los silenciosos retrocesos que las apartaban de la camilla hasta golpear las paredes con las anchas espaldas, las grupas redondas. Allí jadeaban, prescindentes, juzgadoras, para volver a la carga un momento después. Y el gringo capataz que se había negado con una corta sacudida de cabeza a quedarse en la salita de espera, apoyado contra la puerta, sin hablar, sudando exaltado su lealtad.

Díaz Grey anestesió, hizo un tajo, ofreció a la madre, o a la tía, la ese del anzuelo como recuerdo. Con los grises ojos de vidrio dirigidos al suave resplandor en el tedugo, sin pausas, sin detención posible, porque mucho dejó pinchar, cortar y envolver con gasas. No dijo una palabra; y la redonda cara rubia oscurecida sólo expresaba, encima de las apretadas trenzas curvas en la camilla, la costumbre, nunca decepcionante, de esperar el acto ajeno o la propia sensación que habría de suceder fatalmente a las anteriores, una hija de la otra y su verdugo sin pausas, sin detención posible, porque mucho antes de yacer por primera vez en la camilla ella había ignorado, y para siempre, la muerte.

La segunda vez —ya entonces estaba Díaz Grey enterado sin intimidación de lo que significaba el apellido Petrus— no era ahora precisamente un recuerdo. O era que el momento vivido estaba olvidado, irrecuperable, y lo sustituía —inmóvil, puntual, caprichosamente coloreado— el recuerdo de una lámina que el médico no había visto nunca y que nadie nunca había pintado. La inverosimilitud, la sensación de que la escena había ocurrido, o fue registrada, cien años atrás, provenía, inseguramente, de la suavidad y los ocres de la luz que la alumbraba.

El viejo Petrus estaba de pie en el centro, erguido, dejando que sus patillas pasaran del gris al blanco, no sonriente, pero mostrando ex profeso y con paciencia que era capaz de sonreír, llenos de fría atención y de juventud intacta los ojos, sosteniendo con la mano izquierda y contra el chaleco el habano que acababa de encender y cuyo aroma era tan inseparable de la lámina como los planos geométricos, de amarillos variables, que la iluminaban.

Un niño hubiera podido recortar la figura del viejo Petrus y pegarla en un cuaderno: todos creerían entonces que el viejo había estado posando para un retrato, solo, sin otros elementos que el respaldo curvado del sillón de madera en que fingía apoyarse con la mano derecha y el fondo de platos verticales en las paredes y jarros para cerveza en la chimenea. A la derecha de Petrus, sentada y tejiendo, introduciendo apenas en la luz una punta de cofia, la redondez de una mejilla, y las grandes rodillas vigorosas, estaba la madre o una tía. Díaz Grey había olvidado la fecha en que Petrus enviudó. A la izquierda de Petrus y al fondo, dos mujeres oscuras, con caras hipócritas y excitadas, rodeaban el sillón enorme e incómodo donde Angélica Inés, sin esperar nada, sonreía sudorosa con las piernas envueltas en un quillango, alzada sin desafío y vacilante la excesiva mandíbula cuadrada. A espaldas de Petrus lamía en silencio el fuego de la chimenea. Era una tarde inmóvil y tibia de otoño, también en la lámina.

La muchacha, andaría por los quince años, se había desmayado durante el almuerzo porque descubrió un gusano en una pera. Ahora se hamacaba hacia los costados en el sillón, alzada y misteriosa la ancha cara apacible, babeando un poco, con un bigote de sudor, más gruesas en este año las trenzas, incapaces ya de alzar sus puntas.

Petrus le dijo de pronto a Díaz Grey que el mismo auto que

había ido a buscarlo a Santa María estaba a sus órdenes para llevarlo. En la escalinata, tomándolo de un brazo —sin amistad ni presión, por encima del jardín dormido, de simetría un poco confusa, de verdes retintos y abundantes, que empezaban entonces a poblarse de estatuas blancas—, Petrus se detuvo para mirar la tarde y el edificio del astillero, con orgullo imparcial, como si él hubiera hecho ambas cosas.

—Le haré llegar sus honorarios, doctor —y Díaz Grey supo que no le pagaba en aquel momento por delicadeza hacia él y por separar de una idea de dinero la salud de su hija; y que la promesa también se hacía para que Díaz Grey no olvidara que su tiempo y su inteligencia eran cosas que Petrus podía contratar—. La hija, doctor, es perfectamente normal. Podría mostrarle diagnósticos que firman los primeros médicos de Europa. Profesores.

—No es necesario —dijo Díaz Grey, apartándose suavemente de la mano en su brazo—. Vine a examinarla por ese pequeño accidente. Y ese pequeño accidente nada tiene de anormal.

—Así es —asintió Petrus—. Normal, perfectamente normal, para usted, doctor y para toda la ciudad. Para todo el mundo.

Díaz Grey acarició al perro que le olía los zapatos y bajó un escalón.

—Claro —dijo, volviéndose—. No sólo en Europa los médicos cumplen una ceremonia de juramento cuando se reciben. Y no sólo los profesores.

Apartando de su pecho el habano, Petrus se inclinó con gravedad. Las piernas unidas.

—Le haré llegar sus honorarios, doctor —repitió.

Éstas fueron las dos veces. Hubo otras en que la vio de lejos, a la salida de misa en Santa María o cuando la muchacha, grande como una mujer madura a partir de la tarde del gusano y el desmayo, caminaba algunas cuadras por la ciudad, haciendo compras, acompañada al principio por una tía y después por Josefina, la sirvienta, puesta a su servicio desde la instalación definitiva en Puerto Astillero.

Vista así, de lejos, la muchacha parecía confirmar todos los diagnósticos coleccionados por el viejo Petrus. Era alta, redonda, pechuda, con grandes nalgas que las amplias polleras acampanadas y oscuras, usadas durante años, no lograban disimular a satisfacción de la parienta solterona que había cortado e impuesto los moldes. Tenía la piel muy blanca y los brillantes ojos grises no parecían capaces de mirar hacia los lados sin la ayuda del cuello lento y grueso; siempre usaba trenzas, levantadas alrededor de la cabeza en los últimos tiempos.

Alguno contó que la muchacha tenía ataques de risa sin motivo y difíciles de cortar. Pero Díaz Grey nunca la había oído reír. De manera que, de todo lo que podía mostrarle o confesarle el pesado cuerpo de la muchacha atravesando reducidos paisajes de la ciudad a remolque de parientes, de alguna rara amiga o de la sirvienta, lo único que atraía su adormecida curiosidad profesional era la marcha lenta, esforzada, falsamente ostentosa.

Nunca pudo saber con certeza qué recuerdo removía Angélica Inés andando. Los pies avanzaban con prudencia, sin levantarse del suelo antes de haberse afirmado por completo, un poco torcidas sus puntas hacia delante o sólo dando la impresión de que se torcían. El cuerpo estaba siempre erguido, inclinado en dirección a la huella del paso anterior, aumentando así la redondez de los pechos y del vientre. Como si anduviera siempre pisando calles cuesta abajo y acomodara el cuerpo para descender con dignidad, sin carreras, había pensado Díaz Grey en un principio. Pero no era exactamente esto o había algo más. Hasta que un mediodía descubrió la palabra procesional y creyó que lo acercaba a la verdad. Era un paso procesional o lo fue desde entonces; era como si la muchacha fuese avanzando su apenas mecida pesadez, estorbada doblemente por la impuesta lentitud de un desfile religioso y por kilos de un símbolo invisible que transportara, cruz, cirio o el asta de un palio.

EL ASTILLERO - V

Desde el embarcadero, rabioso contra el frío, resuelto a no pensar en otra cosa, Larsen fue directamente al edificio.

La mañana estaba limpia, gris y azul, y su luz aplacada miraba inmóvil, atenta, libre de impaciencia. Los charcos horadados en el barro eran todavía transparentes y espejeaban cubiertos por la helada; al fondo, lejanos y escasos, los árboles de las quintas negreaban humedecidos. Larsen se detuvo, trató de comprender el sentido del paisaje, escuchó el silencio. «Es el miedo.» Pero ya no le preocupaba; era como el dolor suave, conocido y compañero de una enfermedad crónica, de la que uno en realidad no va a morir, porque ya sólo es posible morir con ella.

Volvió la cabeza para mirar el río sucio y quieto y después hizo sonar con exceso las llaves, el llavero que le deformaba el bolsillo de la cadera, la ridícula, infantil abundancia de llaves que simbolizaban importancia, dominio y posesión. Fue abriendo las puertas, eligiendo la llave justa con sólo una mirada, torciendo la muñeca con el movimiento preciso; la puerta de entrada, de hierro, difícil de mover, casi convincente, la puerta de la escalera que llevaba a las oficinas de las distintas gerencias y después, ya arriba, en la desolación mugrienta y helada, la puerta de su despacho. Las puertas sin vidrios o sin maderas, de cerraduras falseadas, que no resistían un golpe indolente o la presión de un viento repentino, y que Gálvez, regocijado y tenaz, mostrando a la nada los dientes, lograba cerrar cada anochecer y abría cada mañana.

Estaba ahora en la Gerencia General, sentado frente a su escritorio, apoyando en la pared los hombros y el respaldo del sillón de espinazo flexible, descansando, no de la mala noche ni de lo que había hecho en ella, sino de las cosas, de los actos aún desconocidos que empezaría a cometer, uno tras otro, sin pasión, como sólo prestando el cuerpo. Con las manos en la nuca y el sombrero negro caído sobre un ojo, enumeraba las pequeñas tareas que había cumplido durante aquel invierno, como para convencer a un indiferente testigo, de que la desguarnecida habitación podía confundirse con el despacho de un Gerente General de una empresa millonaria y viva. Las bisagras y las letras en la puerta, los cartones en las ventanas, los remiendos de linóleo, el orden alfabético en el archivo, la desnudez desempolvada del escritorio, los infalibles timbres para llamar al personal. Y, aparte de lo visible y demostrable, aunque no menos necesarias, las horas de trabajo y ávida meditación que había pasado en la oficina, su mantenida voluntad de suponer un centenar fantasma de obreros y empleados.

Y también podría usar, pensaba, en aquella justificación ociosa, sin destino, lo que en apariencia la desmentía: los atardeceres en que un camión atracaba en los fondos, la lenta, profesionalmente apática y desconfiada pareja de hombres que se acercaba al centro del baldío, entre el edificio de la oficina y el hangar, frente a la casilla de los Gálvez, hasta reunirse con éste y Kunz que los esperaba, y a veces también con él mismo que asistía a la entrevista y presenciaba el metódico regateo con una emperrada expresión de censura y desprecio, como si fuera un juez y no un cómplice.

Se saludaban, cuatro o cinco manos alzadas hasta la sien, y el grupo se movía sobre el fango del terreno hasta llegar a la puerta del hangar y hundirse silencioso en su sombra. Los visitantes elegían sin entusiasmo y sin que nadie los incitara. Kunz arrastraba hasta la luz cenital que caía del techo roto la cosa que no había sido pedida sino apenas nombrada con un tono interrogante y despectivo. Los hombres del camión daban uno o dos pasos para mirarla, fruncían la cara y se mostraban, uno al otro, casi enternecidos, ahorrando palabras, los estragos de la herrumbre, los detalles anacrónicos, las diferencias existentes entre lo que andaban buscando y lo que les era ofrecido.

Sentado en cualquier montón de ferretería, Gálvez los escuchaba con los dientes al aire y cabeceando. Cuando los hombres simulaban agotar su infinita lista de reparos, Kunz se apoyaba con una mano en la cosa y explicaba sus virtudes, la calidad de su acero, sus ventajas técnicas y por qué convenía a las necesidades de los visitantes y a cualquier necesidad o interés de este mundo. Siempre en segundo plano, un metro fuera del círculo que tenía a la cosa como centro, Larsen miraba la cara impasible de Kunz, que iba haciendo sonar su voz extranjera y monótona, que iba extendiendo las mentiras en el aire estático y grisado del galpón, como si mencionara aburrido características obvias, como si dictara una clase en una escuela industrial, sin otro interés, otra esperanza que hacerse entender. Terminada su exposición, cerraba en despedida la mano con que había estado apoyándose en la cosa y se apartaba de ella, del círculo y del negocio. Había en seguida un silencio que a veces turbaban los perros o el viento; los hombres del camión se miraban sin hablar, cambiaban sonrisas apiadadas y movían las cabezas negando.

Llegaba entonces el momento de Gálvez y todos lo sabían aunque no quisieran mirarlo. Gálvez aceptaba ser dueño del silencio y lo dejaba extenderse. Los dos hombres en *overall* a un metro de la cosa, tan inmóviles como ella, tan rígidos; Kunz apoyado en una de las estanterías de las paredes, invisible, separado de la escena por años y kilómetros; tal vez Larsen, indolente y ensombrerado, con el grueso sobretodo negro, con el tic de la boca convertido en desdén y paciencia. Sin que nadie hiciera un movimiento, la cosa dejaba de ser el centro del círculo y era sustituida por la calva y la sonrisa de Gálvez. Hablaba por fin, agazapado:

—Digan primero si les interesa o no. Así como está, tan inservible como estuvieron diciendo. Pidieron una perforadora y ahí la tienen. No es una virgen, pero tampoco muerde. En el inventario, con depreciación y todo, se llama cinco mil seiscientos. Digan sí o no, que tenemos mucho que hacer. Digan cuánto. Aunque sea para divertirnos.

Alguno de los hombres hablaba y el otro asentía. Desnudos los largos dientes, como si fueran su cara o por lo menos la única parte de ella que expresaba algo y podía entenderse, Gálvez esperaba la cifra que revoloteaba siempre al final de una frase tartamuda y caía con pesadez, con tono definitivo. Hacía entonces la concesión de dejar oír su risa, daba su último precio aumentado en el veinte por ciento de lo que estaba resuelto a cobrar, y esperaba indiferente que los monólogos de los compradores elevaran entre quejas y pálidos insultos la oferta inicial hasta el límite pensado. En esta etapa los visitantes hablaban sin mirarse ni mirar nada más que la cosa, como si el regateo se hiciera entre ellos.

Cuando llegaban por fin al precio, Gálvez se incorporaba con un talonario de recibos y una lapicera y se acercaba bostezando a los brillos sucios de la cosa bajo la luz del agujero en el techo.

—Nunca discuto. Plata en mano. El acarreo por cuenta del comprador.

Repartían después los billetes entre los tres y no volvían a hablar del asunto. Esto sucedía una o dos veces por mes. Pero él, Larsen, no se había complicado nunca en los robos a Petrus o a la Sociedad Anónima; sólo había recibido su parte, había observado silencioso y con odio a la pareja de compradores mientras se cumplía el invariable rito de chalaneo, negándose siempre a dar una mano para que cargaran en el camión lo que acababan de comprar.

Cuando oyó que llegaban, a las nueve, en la fría mañana de buen tiempo, se quitó el sombrero y el sobretodo, esperó a que hicieran ruidos y se sosegaran, y los llamó con los timbrazos inconfundibles. Primero a nadie y después a nadie; primero al Gerente Técnico y después al Gerente Administrativo. Les explicó, sin invitarlos a sentarse, con premeditada lentitud, exagerando las miradas, los entusiasmos y los silencios, que Petrus estaba en Santa María, que el juez había levantado la intervención en el astillero y que los anunciados o presentidos días de poderío y triunfo acababan de empezar. Supo que no le creían y no le importó, o tal vez buscara eso. Cerca del mediodía bajó hasta el galpón con una visible carpeta en las manos y robó un amperímetro. Saludó al volver a la mujer de Gálvez que juntaba ramas para el fuego alrededor de la casilla y que se irguió para sonreírle, con su abrigo de hombre, con su barriga que amenazaba reventar en el aire tenso y azul del final de la mañana. Poetters, el patrón del Belgrano, tenía un amigo interesado en amperímetros. Larsen cobró cuatrocientos pesos y dejó doscientos para saldar deudas. Almorzó allí y estuvo proyectando sobre el pocillo de café una visita a la quinta de Petrus, una entrevista al anochecer con Angélica Inés, primero en la glorieta y después en la casa que no había pisado nunca, una incursión que terminaría en compromiso de casamiento, bendecido por el viejo Petrus, que ya habría llegado, antes de la noche, por lancha o en automóvil.

Pero ella, Angélica Inés, no le dio tiempo; porque cuando Larsen, a las cuatro o a las cinco, examinaba en la Gerencia un informe manchado de humedad y escrito a máquina, firmado por un anterior, no identificable Gerente General que proponía la venta de todos los bienes de la S. A. para armar con lo que sobrara una flotilla de lanchas pesqueras, el Gerente Técnico, Kunz, golpeó suavemente la puerta y fue entrando con una sonrisa de aprensión y anticipada nostalgia, apenas, lo inevitable, burlona.

—Perdone. Hay una señorita que quiere verlo. Y no importa que usted diga que sí o que no, porque lo va a encontrar de todos modos. Gálvez trata de demorarla, pero no creo. ¿La hago pasar o la dejo que atropelle?

Kunz estaba de pie junto al escritorio, con la sonrisa ahora solamente nostálgica rodeada por los puntos plateados de la barba, cuando la puerta se abrió de un golpe y la mujer se detuvo, ya dentro de la oficina, para respirar, y dejar oír su risa, que recién empezaba y terminó en seguida.

Esta parte de la historia se escribe por lealtad a un fantasma. No hay pruebas de que sea cierta y todo lo que podemos pensar indica que es improbable. Pero Kunz aseguró haber visto y oído. La sirvienta sólo admitió, muchos meses después, que «la señorita estaba un poco desarreglada». Kunz volvió a su mesa de trabajo después de cerrar la puerta de la Gerencia General, dejando a la muchacha encerrada con Larsen. Guiñó un ojo a Gálvez que estaba apoyado con los codos en dos o tres libracos de contabilidad que había acarreado desde el mueble metálico hasta el escritorio, sin abrirlos, y miraba por algún agujero el cielo azul. Kunz se sentó y se puso a examinar su álbum de estampillas.

No tuvieron tiempo de hacer muchas cosas, contaba. Antes de los gritos se oyó la voz de Larsen, ensayando a la defensiva un monólogo persuasivo y dolido; aunque hablaba en un tono bajo y era evidente que trataba de imponerlo, no parecía estar conversando sólo con la muchacha: era fácil imaginárselo de pie, con cinco puntas de dedos tocando el escritorio, con una expresión sufrida, con una inagotable capacidad de tolerancia, enumerando a una docena de Gálvez y de Kunz los beneficios que distribuye la paciencia, las compensaciones que han sido reservadas a quienes saben confiar y esperar. El viejo Petrus en alguna de las asambleas de tenedores de acciones, reunidos con engaño, bostezantes, dispuestos a pagar cualquier precio en firmas si los dejaban en libertad, pensó Kunz.

Pero Larsen necesitó respirar o elegir argumentos que la muchacha fuera capaz de comprender. Entonces llegó un silencio de la Gerencia General y dentro de él no hubo más que el ruidito, o Kunz imaginó oírlo, de Gálvez comiéndose las uñas, y el ruido que no era más que una remota, atemperada y aguda vibración del atardecer de invierno sobre el río y los campos. Después empezaron los gritos, de uno y de otro, de ella que estuvo gritando como si cantara, con una voz extrañamente pura, de Larsen que repetía:

—Le juro por lo más sagrado.

De ella, reapareciendo como un motivo en el griterío, como un plateado pez que saltara para dar una voltereta en el aire, Kunz oyó, o ha jurado oír:

—Con esa sucia. Esa mujer sucia.

Después ella gritó, ya contra la puerta y abriéndola.

—No me toque. Mire.

Y es seguro que Larsen sólo había querido retenerla o ganar por ternura la escaramuza. O cubrirla. Porque en seguida, en la versión incomparable de Kunz y que eliminaba a Gálvez como testigo porque éste, absurdamente, «estuvo todo el tiempo mirando la rotura de la ventana y mordiéndose las uñas, sin mostrar que oyera y se enterara», la muchacha, Angélica Inés, salió de la Gerencia General, a buen paso pero sin correr, y fue atravesando, erguida y echada hacia atrás, golpeando con un hombro el muro descascarado, la infinita extensión de la sala que poblaban muebles escasos y dos hombres encogidos, que jalonaban las líneas rectas de menos mugre donde se habían apoyado metros de tabiques hoy convertidos en humo.

«Cruzó toda la ruina, sin verla, como no la había mirado al llegar. Siempre la disfrazaban de chiquilina, la madre, la tía, la costumbre; esa tarde estaba disfrazada de mujer, con un largo vestido negro que transparentaba la ropa interior, enagua o lo que fuere, con zapatos de taco altísimos, que tal vez le prestaron o acababa de estrenar y que es seguro que terminaron de torcerse en el camino de vuelta. Porque vino, vinieron a pie desde la quinta al astillero. Unos zapatos que, para cualquiera que no la hubiera visto caminar sin tacones, imponían aquella extraña manera de andar, de gorda, de mujer encinta que busca equilibrarse. Pero lo que importa, lo que estuve demorando y demoraría un poquito más si supiera hacerlo sin aburrir, es que llevaba caída, no arrancada pero colgando, la pechera del vestido. Déjeme. Taconeando insegura sobre un parquet podrido, sobre manchas, planos azules, cartas comerciales, manchas de lluvia y tiempo. Cruzando el corrompido aire de invierno con la clara cabeza trenzada que se alzaba sin desafío, nada más que ignorante, con el brillo suave y deslumbrado de una sonrisa, sin vernos, sin oler el olor de ratas y fracaso. Y detrás de ella, manoteando un poco en la puerta de su oficina pero sin coraje para mostrarse, mudo por el miedo de que el gallego y yo lo oyéramos, un truhán, un hombre sucio, viejo, gordo y enloquecido. Todo esto, entienda, y tantas otras cosas que sería largo. Por eso demoraba. Pero es inútil o casi, explicar al que no estuvo y no vio y no sabe quiénes eran ella y él, qué era el astillero y hasta quién soy yo, hijo del país pero con títulos europeos revalidados, viviendo entonces allí y de aquella manera. Imagine si puede, entonces, y esto es fácil, una mujer joven y fuerte que pasa rápida pero no corriendo por el costado de una oficina interminable y casi vacía, metiendo en el aire el más estupendo par de pechos que hubo nunca. Y la pechera del vestido no se la había arrancado el pobre diablo de Larsen, sino que ella misma la desprendió sin descoser un botón ni romper el tul. Y cuando terminé de mover la cabeza porque ella había llegado al hueco de la escalera, ahí estaba la sirvienta esperándola con un abrigo que le puso, empinándose, sobre los hombros; y creo que la chaqueteó como si la sirvienta la hubiera incitado, la hubiera vestido y traído y ahora, maternal y enemiga del escándalo, se la llevara del brazo apaciguada. Y la mujer, la sucia mujer de la que hablaba a gritos la muchacha, no podría ser otra, por todo lo que sé, ahora no importa decirlo, que la mujer de Gálvez, que andaría entonces por los nueve meses de embarazo, como en seguida se comprobó.»

Ésta es, por lo menos en lo esencial, la versión de Kunz, repetida por él, sin alteraciones sospechosas, al Padre Favieri y al doctor Díaz Grey. Pero no cree en ella; esta incredulidad sólo está basada en su reconocimiento de Angélica Inés, alcanzado algunos años después. Tampoco cree que Kunz —que tal vez esté vivo y tal vez lea este libro— haya mentido voluntariamente. Es posible que Kunz haya interpretado la visita de Angélica Inés al astillero como un acto de pura raíz sexual; es posible que su vida solitaria, la frecuentación cotidiana de la por entonces inaccesible mujer de Gálvez lo hayan predispuesto a este tipo de visiones; y es también posible que haya sido engañado, retrospectivamente, al ver a la sirvienta cubrir con el abrigo a la muchacha: que haya pensado entonces que la protegía de la vergüenza y no simplemente del frío.

LA CASILLA - V

Pero la indiscutida decadencia de Larsen era, a fin de cuentas, la decadencia de sus cualidades y no un cambio de éstas. Años atrás habría asediado con mayores energías, con mejor astucia, a las dos mujeres que nombraba, pensando, «la loquita» y «la preñada». Pero no hubiera hecho otra cosa. Tampoco un Larsen joven habría tratado de llegar hasta el viejo Petrus mientras le fuera imposible depositar en su escritorio o en sus manos el título falso que se había comprometido a rescatar. Y es seguro que el joven Larsen, que nadie podía ya suponer con exactitud, se habría limitado, como éste de ahora, a reconquistar y conservar tortuosamente un prestigio romántico e incorrecto en el jardín blanqueado de estatuas, en la glorieta que atravesaban despiadados el frío y los ladridos, en los silencios inquebrantables a que había regresado definitivamente. Y el mismo Larsen joven estaría, con más brillo y más espontáneo, con menos falsedad, e infinitamente menos repugnante, ayudando a la mujer del sobretodo, la mujer de Gálvez, la mujer de los redondos perros lanudos, a cargar agua, hacer fuego, limpiar la carne y pelar las papas.

Despejado por fin del ajustado sobretodo y del sombrero, no tan calvo si se considera, con un mechón gris arrastrado sobre la frente inclinada hacia el humo de las ollas, deslizando el cuchillo con lenta habilidad. Idénticos, en lo que importa, este Larsen que podría haber sido su hijo. Sólo que el Larsen joven aventajaba a éste en impaciencia, y el Larsen que se acuclillaba anecdótico en el rincón de la casilla que llamaban cocina superaba al otro en disimulo.

No fueron muchos los días. Ayudaba a cocinar, jugaba con los perros, partía leña, iba mostrando que sus grandes nalgas redondas habían elegido para siempre aquel sitio, el rincón de aire ahumado y tibio. Pelaba papas con tenacidad y daba consejos sobre condimentos. Miraba la barriga de la mujer para asegurarse de que el asco lo protegería de toda forma de entrega y debilidad. Nunca le decía a solas un piropo que no hubiera oído antes el marido. En aquella época se hizo alegre y conversador, amigo de la estupidez, blando y sentimental; se exhibió concluido, exagerador de su vejez.

No esperó mucho, como se dijo, aunque él, Larsen, estaba dispuesto a esperar un siglo, o, por lo menos, a no pensar que estaba esperando. Gordo pero ágil, servicial, destinado a enternecer; gastando sin avaricia, porque ya nunca volvería a necesitarla, toda la falsa, nauseabunda bondad de que se había ido impregnando sin dificultades, sin resistencia, a través de años de explotar y sufrir mujeres.

Esto era por el fin de julio, cuando uno ya se encuentra acostumbrado al invierno y sabe disfrutar de su suave excitación, de la manera misteriosa en que aísla y acrece las cosas y las personas. Todavía falta mucho para odiarlo, para que los primeros brotes invisibles nos llenen de impaciencia y vayan convirtiéndose en enemigos de la escarcha y las pesadas nubes corpóreas, en hijos desterrados y nostálgicos de una primavera interminable.

Casi siempre estaban solos por la noche, la mujer y Larsen, porque Gálvez, que ahora apenas sonreía, se iba de la casilla en seguida de comer o no comía allí. Sin la sonrisa, la cara parecía ajena y muerta, insoportable de desvergüenza; libre del reflejo de su máscara blanca, confesaba y lucía la soledad, el ensimismamiento, la obscena indiferencia. Algunas pocas noches, Kunz se quedaba hasta tarde y molestaba el sueño de los perros tratando de enseñarles a caminar en dos patas; pero él era un cómplice ofrecido para cualquier cosa, de la que triunfara, de todos los actos aún no nacidos. El frío le escamaba la piel rojiza, y acentuaba su pronunciación extranjera.

Ya habían llegado, Larsen y la mujer, a conversar del título falso.

—A Gálvez no puedo pedírselo. Usted sabe, señora, y no lo digo por mal, no escucha razones. Es así. Cualquier día hace una locura y va y lo presenta. Entonces tal vez se haga el gusto, aunque no es seguro. Pero lo que me tiene nervioso es estar corriendo el riesgo. Lo presenta, un suponer, y al viejo Petrus lo meten preso. ¿Usted sabe lo que es la Junta de Acreedores? Un conglomerado, para decirlo en una palabra. No son quince o veinte personas; nada más que un conglomerado que por ahora nos deja vivir porque ya se olvidó de nosotros, del astillero, del mal negocio y la plata enterrada. Pero en cuanto el juez firme la orden de detención van a empezar a acordarse. No se van a conformar con decir: «Petrus nos metió en un mal asunto, paciencia, también él lo creía bueno y la verdad es que se jugó y mucho más que nosotros porque hoy está fundido.» Van a decir: «Ese viejo ladrón y estafador. Nos estuvo robando todo el tiempo y ahora tiene unos cuantos millones en algún banco de Europa.» Así es la naturaleza humana; se lo dice uno que algo conoce. ¿Y ahora qué pasa? Como si lo estuviera viendo, y también usted lo comprenderá y el amigo Kunz, se nos vienen arriba como perros y liquidan y tratan de sacar por lo menos un centavo de cada cien pesos que invirtieron. Y el que tenga menos que hacer de todos ellos, algún pariente desocupado, o cualquiera al que el médico le recomendó una invernada en el campo, baja una linda mañana de la lancha, nos refriega unos papeles por la cara, si es que quiere molestarse, y se acabó. Y van a ser muchas cosas las que se acaban. Y va a ser ese tipo el que caminará de tardecita hasta el hangar acompañando a los rusos para discutir precios, cobrar y verlos vaciar las estanterías en dos semanas. Porque entonces las ventas quincenales se van a transformar en la gran liquidación de fines de invierno. Y ahora piense: si Gálvez hace eso, todos nosotros nos tendremos que poner a juntar papeles. No estamos como grandes señores, pero vivimos. Hemos conocido tiempos mejores, sin comparación, claro. No hablemos de mí; pero a usted se le conoce a la primera mirada. Pero acá tiene un techo y dos veces por día comemos. Y en su estado. No permita Dios que le empiecen los dolores sin una casa, sin esta casilla miserable para perros, como usted con razón la llama. Y ésta va a ser la primera parte de la desgracia, la más importante si quiere, no discuto. Pero piense además que estamos justo en el momento en que la taba va a darse vuelta, en que el viejo Petrus va a conseguir los capitales para poner de nuevo en marcha el astillero. Y no sólo eso sino la ayuda del gobierno, debentures avaladas por la Nación para el astillero, el ferrocarril y todas las otras cosas que no tiene Petrus en la cabeza. Se lo puedo asegurar. En todo caso, considerando su estado, y mientras Gálvez siga con el título en el bolsillo, propongo aumentar el ritmo de las ventas y darle plata a usted para que vaya guardando. Al fin y al cabo la criatura es un inocente.

Ella decía que sí, pero no le importaba. La ferocidad de la desaparecida sonrisa de Gálvez parecía haberse refugiado en sus ojos, en la dulzura de las mejillas, en la avidez meditativa con que chupaba el cigarrillo mirando el brasero, las cabezas de los perros o el vacío.

—Usted no entiende —dijo una noche sonriendo a Larsen con una extraña lástima. Estaban solos, ella había tratado de arreglar un cable de la radio, se negó a que Larsen la ayudara—. Usted puede quererlo a Dios o maldecirlo, un ejemplo. Pero la voluntad de Dios se cumple y usted mira de qué manera: se va a enterar por lo que le pase de cuál era la voluntad de Dios. Lo mismo, ¿entiende?, es con él. Desde hace años, desde el principio. Puede mandar a la cárcel a Petrus, puede quemar el título. Lo importante es que yo no sé qué piensa hacer, qué cosa va a elegir. Nunca quise preguntarle y menos ahora, cuando hemos llegado a esto, a estar peor que nunca antes en la vida. Pero no lo digo por la pobreza sino porque estamos acorralados. Cuando él decide algo yo me entero y entonces conozco lo que me va a pasar. Es así; yo sé además que tiene que ser así. Lo mismo sucedió con el hijo. Y hay otra cosa que usted no entiende: no lo entiende a él. Estoy segura de que no va a usar nunca ese título para meter en la cárcel a Petrus. Él creyó en Petrus, creyó que era su amigo y en todos los cuentos de riqueza que le hizo. Petrus le adelantó dinero, nos pagó los pasajes y nos invitó a comer, sin necesidad, cuando el viaje ya estaba decidido, y no a él sólo sino a mí con él. Y cuando llegamos, también nosotros fuimos a vivir al Belgrano, esa cueva sucia que era un «hotel moderno donde viven muchos de los altos empleados de mi astillero». Y al día siguiente Gálvez fue a hacerse cargo de su puesto, la Gerencia Administrativa, usted sabe, que sigue ocupando hasta la fecha por sus propios méritos. Escuche: aquella mañana en el Belgrano estuvo consultándome qué corbata y camisa se pondría. Traje no, porque le quedaban dos y no había más remedio que elegir el liviano. Fue, mucho antes de la hora de entrada, y se encontró con esa pocilga, aunque no tan miserable como ahora, se encontró con que el personal, los cientos, o miles o millones de obreros y empleados que disfrutaban de ventajas aún no reconocidas por las leyes más avanzadas, se componían de ratas, chinches, pulgas, tal vez algún murciélago, y un gringo que se llamaba Kunz y había quedado por olvido en un rincón dibujando planos o jugando con sellos de correo. Y cuando volvió a mediodía al Belgrano sólo me dijo que la contabilidad estaba muy atrasada y que tendría que trabajar fuera de las horas de oficina. Pensé entonces, no que estaba loco, sino que su voluntad era suicidarse, o empezar a hacerlo, tan lentamente que hasta hoy dura. Así no va a llevarle nunca el título al juez. No lo guarda para vengarse de Petrus; sólo para creer que algún día, cuando quiera, le será posible vengarse, para sentirse poderoso, capaz de más infamia que el otro.

Pero esto sucedía al principio del asedio, durante un corto tiempo después de la noche en que Larsen se entrevistó en Santa María con Díaz Grey, Petrus y Barreiro, y pisó el mundo perdido. Porque Gálvez continuaba pasando las noches lejos de la casilla y la insistencia de Larsen en convencer a la mujer de que robara el título y se lo diera, para la felicidad de todos, alcanzó muy pronto un tono erótico. Acodado en la mesa, ofreciendo una mano distraída a la lengua de los perros, la cabeza defendida del frío por el sombrero negro requintado, tragando con moderación un vino retinto y espeso, Larsen remedaba paciente e implacable, y hasta creía superar, antiguos y exitosos monólogos de seducción, renuncias generosas pero no definitivas, ofertas totales e inconcretas, ciertas amenazas que espantan a quien las formula.

La mujer se había hecho más silenciosa y enconada. No miraba a Gálvez cuando éste se levantaba después de la cena y se ponía sobre el *pullover* una tricota azul de marinero que su cuerpo no llegaba a estirar; no contestaba a su saludo ronco ni parecía oír los pasos que se alejaban sobre el barro aterido. Lavaba los platos guiñando los ojos al humo del cigarrillo que le colgaba de la boca y los iba pasando a Larsen para que los secara.

«Tan hermosa y tan concluida —pensaba Larsen—. Si se lavara, si le diera por peinarse. Pero con todo, aunque se pasara las tardes en un salón de belleza y la vistieran en París y yo tuviera diez o veinte años menos, no se puede calcular la necesidad, y a ella le diera por meterse conmigo, sería inútil. Está lista, quemada y seca como un campo después de un incendio de verano, más muerta que mi abuela y es imposible, apuesto, que no esté muerto también lo que lleva en la barriga.»

Después la mujer arrastraba la damajuana de vino y se sentaban apoyados en la mesa, sin mirarse; bebían sin prisa y fumaban; el viento chillaba alrededor de la casilla y entraba enfriándola, o la paz coagulada de la noche les permitía imaginar perros con el cuerpo tendido hacia la blancura quieta, lanchas que bordeaban por capricho resbalando en el río liso. También imaginaban las distancias que nacían y terminaban en la madera de la casilla, y esto aunque hubiera viento. Pero nunca, Larsen hubiera apostado, la mujer se inmovilizaba para recordar. Fumaba entre las solapas, la cabeza de pelo grasiento y colgante perfilada hacia la puerta. Estaba allí, simplemente, sin un pasado, con un feto avanzando contra las piernas que ya no podía cruzar. Hablaba poco, y era raro que contestara con algo más que una mueca, con algo más que un corto movimiento de la cabeza que quitaba sentido a las preguntas:

—Me parieron y aquí estoy.

Pero el encono, y aun el silencio, no parecían provocados por la miseria, por el parto inminente, por el hecho de que Gálvez pasara las noches en El Chamamé. No tenía motivos concretos. Tal vez ella no fuera ya una persona sino el recipiente de una curiosidad, de una espera. Tarareaba tangos y no podía asegurarse que escuchara siempre, no podía saberse si la sonrisa, o por lo menos la punta arqueada de la boca, se vinculaba con los lentos, dramáticos discursos de Larsen o con suposiciones sobre hechos futuros. «Como si una vieja costumbre de abandono e imbecilidad le hiciera creer que todo es posible, que todo puede suceder y ahora mismo, lo razonable y sus mil incalculables opuestos», improvisaba Larsen.

Pero tampoco esto era cierto, por lo menos no lo era del todo y no servía para definir y comprender, admitía Larsen. Entonces bebía un trago, con gran ímpetu al principio, al acercar el vaso a la boca, pero deteniendo en seguida el vino con la lengua que se agitaba remojándose, tomando al fin nada más que eso, un trago pequeño. Y volvía a la carga, con su voz más dolorida y urgente, pero con un tono agregado que subyacía para indicar que estaba resuelto a seguir esperando una noche y otra, hasta que ella llegara a comprender y cediera.

Ya no nombraba el título; inventaba ahora alusiones sutiles, se refería al objeto de su deseo como si se tratara de una libidinosamente adorada porción del cuerpo de la mujer, como si la suplicada entrega del título significara, y no sólo en símbolo, la entrega de todo lo que ella había sido capacitada para dar.

Una noche y otra, temeroso siempre al empezar, tranquilizándose después porque ella hacía ostensible su paciencia, porque ella le permitía creer que su silencio, que su oreja cubierta, pero no del todo por el pelo, y el discutible extremo de sonrisa, no eran otra cosa que los elementos con que armaba una turbia, apaciguada coquetería. Y alguna noche Larsen estuvo seguro de que la palabra título —o el documento o el papel ese—, pronunciada por error, había hecho que se ruborizara suavemente la mejilla que la mujer le presentaba, siempre la misma, la izquierda.

—Usted quiere que le robe el papel y se lo dé. Así se arregla todo, seguimos vendiendo máquinas y viviendo. Pero él, si se encontrara ahora sin el documento ese, se va a sentir más solo, más perdido que si yo me muriera. En el fondo, no me quiere a mí, quiere a esa cartulina verde que acomoda cada noche en el pecho antes de dormirse. No digo querer de veras. Pero en este tiempo la necesita más que a mí. Y yo no tengo celos de una cartulina ni del amor de él por la venganza.

Pero estaba, además, El Chamamé, aunque Larsen no utilizó nunca la existencia del antro para fortalecer la persuasión de sus monólogos.

Podría haber sido destinado, cuando lo construyeron, a guardar herramientas, aperos y bolsas, a proteger de la disipación ese olor a humo de leña, a gallinero y grasa envejecida, mucho más campesino que el de los árboles, las frutas y las bestias. Uno de esos galponcitos con una o dos paredes de ladrillos que parecen no haber sido nunca nuevas, alzadas por albañiles aficionados como un remedo de ruina. El resto, vigas, chapas y tablas acomodadas sin otra noción arquitectónica que la del prisma, sin otra ayuda que la paciencia. Como la tapera se encontraba aislada, haciendo esquina en un lote de barro, resultaba evidente que no era la construcción complementaria de ninguna vivienda.

El Chamamé estaba a unas cinco o seis cuadras del astillero, sobre el camino ancho por donde subían antes las tropas y que ahora, desde que trasladaron Puerto Tablada, se encontraba abandonado, sin un solo agujero de pezuña en el barro, sólo recorrido por algún jinete solitario o algún *sulky* bamboleante y quejumbroso viajando entre la costa y las chacras miserables. Alguno, casi siempre, que tenía que tomar la lancha hacia Santa María, por razones de salud, por alguna enfermedad sin misterio situada más allá del poder de don Alves, el curandero. Nadie que fuera a comprar o a vender, nadie con dinero, nadie, siquiera, con ganas de gastarlo.

En el tiempo de los reseros, El Chamamé, todavía sin nombre y no necesitándolo, se componía de dos faroles, uno colgado sobre la puerta de entrada, que era la única y se cerraba con una cortina de arpillera, otro de una viga; de un mostrador hecho de tablones cóncavos soportados por caballetes; de una botella de caña y dos de ginebra, de un viejo aindiado y conversador, con un cabo de cuchillo —y tal vez no más que un cabo— asomado en la cintura, siempre en camisa y bombachas, con un talero molestándolo en la zurda, aunque era seguro que se había quedado de a pie muchos años atrás. Una pila de cueros en un rincón que apenas rozaba la luz.

Eso era todo, y alcanzaba. Cuando tuvo nombre —El Chamamé, y el subtítulo: «Grandes mejoras por cambio de dueño»— escrito en una tabla que clavaron torcida en un plátano enano que señalaba la esquina y pretendía establecer el límite entre vereda y camino, no hubo que agregarle mucho: algunas mesas, sillas y botellas, otro farol en el rincón donde el espacio de los cueros lo ocupaba ahora una tarima para los músicos. Y en un tirante vertical, otro cartel: «Prohibido el uso y porte de armas», grandilocuente, innecesario, expuesto allí como congraciadora adhesión a la autoridad, que era un milico con jinetas de cabo que ataba cada noche el caballo al arbolito de la esquina.

Ni siquiera hubo necesidad de disponer del viejo del mango de cuchillo en la cintura; éste no hizo más que trasladarse del mostrador a cualquier punta de mesa donde lo toleraran. Y ahí se estaba, móvil y charlatán, pero sin mayor significado que los objetos que él mismo había manejado antes del bautizo: los tablones, los faroles, las botellas. Astuto e insomne, desde la caída de la tarde hasta la madrugada, esperando, y sin equivocarse nunca, el momento oportuno para colocar el «esto me recuerda» y algunas de sus sobadas historias mentirosas. Compartiendo con el cabo el privilegio de emborracharse sin pagar, por lo menos no con dinero, y el de arrastrar contra el piso de tierra —prepotente y seguro uno, casi caricioso el otro— una lonja de rebenque.

No hubo que agregar nada más y en realidad lo único que en una discusión podría haber sido defendido como una mejora, aparte de la mayor riqueza en velocidades para emborracharse que ofrecía el estante, eran los músicos, la guitarra y el acordeón, y su natural consecuencia: las mesas contra dos paredes y los metros de polvo regado, libres para bailar.

No hubo que agregar nada más, porque el resto —es decir, El Chamamé mismo— lo traían cada noche los clientes. Iban llegando para armar El Chamamé, cargando, siendo cada uno, varón o hembra, una pieza del rompecabezas; hasta sus accidentales ausencias contribuían a formarlo; y hasta pagaban por el derecho de hacerlo.

Nunca pudo saberse de dónde sacaban el dinero; la Petrus, S. A. había interrumpido el trabajo años antes y las chacras de la zona eran demasiado pobres para tener peones permanentes. Tal vez alguno de los hombres trabajara en el lanchaje, pero no podían ser más de dos o tres; Puerto Astillero era ahora sólo un lugar de escala, y de los de menor movimiento, en los recorridos de las lanchas. Las fábricas más próximas —las de conservas de pescado— estaban bastante al sur, entre Santa María y Enduro. Uno de los clientes era el mozo del Belgrano; otro, Machín, decía que era dueño de una lancha y la tenía alquilada en Enduro. Pero estaba todo el resto anónimo, doce o quince, dos docenas en las noches de sábado, y sus mujeres con ropas y pinturas increíbles, un hembraje indiferenciado, un conjunto movedizo de colores, perfumes y agujeros, con tacones altísimos o con alpargatas, con vestidos de baile o con batas manchadas por vómitos y orina de bebés.

Era absurdo hacer cálculos a cerca de dónde sacaban el dinero —un peso el vaso chico y dos el grande de cualquier cosa aguada que les sirvieran—, porque tampoco podía nadie saber de dónde salían ellos mismos, los clientes, en qué cueva o qué árbol, o debajo de qué piedra iban a refugiarse desde el momento en que los músicos negaban otros bises y enfundaban, y hasta la hora de la noche próxima en que el viejo del cuchillo en la cintura se trepaba inseguro en una silla para encender el farol exterior que anunciaba sin alharacas al mundo la resurrección puntual de El Chamamé.

Larsen entró un sábado con Kunz y no pasó del mostrador. Estuvo examinando a las mujeres con una especie de aterrorizada fascinación y acaso pensó que un Dios probable tendría que sustituir el imaginado infierno general y llameante por pequeños infiernos individuales. A cada uno el suyo, según una divina justicia y los méritos hechos. Y acaso pensó que un Chamamé siempre en medianoche de sábado, sin pausa, sin músicos mortales que callaban en la madrugada para reclamar el bife a caballo, era el infierno que le tenían destinado desde el principio del tiempo, o que él se había ido ganando, según se mire.

De todos modos, no pudo aguantarlo, no aceptó la segunda copa y la prolongación de la visita que ofrecía Kunz, y se abstuvo de escupir sobre la ya polvorienta pista de baile —el viejo del cuchillo estaba de pie, torcido por el peso de la regadera llena de agua, haciendo señas a los músicos para que no repitieran el vals—, se guardó y fue engrosando el escupitajo hasta que estuvieron al aire libre, para que nadie tomara por provocación lo que no era más que asco y un poco de miedo indefinible.

* * *

Pero Gálvez iba, últimamente, todas las noches. Se tuteaba con el hombre flaco y melenudo que había ocupado detrás del mostrador el puesto del viejo y que atendía las mesas casi sin hablar, con una gran precisión de movimientos, mascando siempre una hoja de planta, arrastrando impasible a través del humo, los ruidos y los olores, una mirada clara y ausente, de odio adormecido.

Gálvez discutía, conservador y moderadamente cínico, acerca del porvenir inmediato del mundo, con el cabo de policía, que proclamaba haber conocido lugares mejores y se mostraba muchos más audaz en cuanto a sistema para reprimir la decadencia y la creciente confusión de valores. Acariciaba metódico a cualquier mujer sin dueño o con dueño amigo y se iba en cuanto concluía la música, casi siempre borracho. A veces, las raras madrugadas en que el cabo no se inventaba un servicio extraordinario y confidencial, volvían juntos hacia el astillero, gastando hasta la trama los temas favoritos, repitiendo frases viejas con renovada energía, mal montado el cabo en el caballo al paso, prendido Gálvez al cuero de un estribo para ayudarse.

Sólo en El Chamamé podía verse la enorme sonrisa brillante e inexpresiva, inmóvil, los anchos dientes que exponía como usándolos para respirar. Sin que ninguno de los dos lo supiera, la sonrisa se parecía a la mirada del patrón joven y melenudo, mascador de hojas de coca —«así no fumo ni tomo»— que le había confesado su resolución —pero no el objetivo— de extraer diez mil pesos, uno a uno y sin aceptar la existencia del tiempo, de aquellos fantasmas, aquella reducida población de cementerio que formaba la clientela de El Chamamé.

Por alguna razón ignorada, Larsen nunca hizo referencia a las veladas de Gálvez en El Chamamé durante todo el tiempo en que insinuó a la mujer —sin éxito— que robara el título falso o le dijera comó podía ser robado.

LA GLORIETA - IV
LA CASILLA - VI

Entretanto, desde el día del escándalo, Larsen visitó todas las tardes de seis a siete, y de cinco a siete los sábados y domingos, la glorieta de la quinta de Petrus.

No sabía si Petrus estaba o no en la casa, si ignoraba, por su parte, las entrevistas en la glorieta. De todos modos, la alta casa, las luces amarilleando calmosas y remotas en los tempranos anocheceres, significaban la presencia de Petrus. Y aunque a veces dudaba de la realidad del encuentro en el hotel de Santa María, nada era capaz de alterar su seguridad de que le había sido confiada la misión de rescatar el título, de que existían un pacto y una recompensa. No quería hacer preguntas sobre los viajes de Petrus, temeroso de que cada palabra aludiera a su fracaso o, por lo menos, a su demora. Y también, más oscuramente, averiguar hubiera significado dudar: de Petrus, de su propia capacidad para cumplir la promesa. Pero, sobre todo habría significado, abstractamente, la duda, lo único que en aquellos días le era imposible permitirse.

Josefina, la sirvienta, le abría sin demoras el portón, no contestaba a sus frases equilibradas entre la amistad y la galantería, y se adelantaba para guiarlo, sola o con el perro. Era, cada vez, y cada vez más descorazonador, como soñar un viejo sueño. Y ya, al final, como escuchar cada tarde el relato de un mismo sueño, dicho con idénticas palabras, por una voz interminable y obcecada.

La caminata por la larga calle arbolada, que no era ahora otra cosa que un esfuerzo físico y durante el cual se cuidaba de pensar, como de meter un zapato en el agua parda de los baches; la campana, el portón y la breve espera en el crepúsculo desanimado; la mujer oscura y hostil; a veces el perro, pero, en todo caso, los ladridos imbéciles y metálicos; el jardín descuidado, el trío húmedo verdinegro, la blancura impenetrable de las estatuas; la lenta, lentísima peregrinación, como impedida por un endurecimiento del aire, hasta la glorieta, hasta la bienvenida nerviosa de la risa de la mujer; altas, elevándose poco a poco en el cielo, las luces amarillas, tan increíblemente apacibles, del piso superior de la casa. Después ella, el fatigoso, perpetuo misterio, la ineludible incitación de un sacramento.

Una tarde y otra; la última mirada de examen en el espejo del armario de la habitación de lo de Belgrano, la glorieta como un barco que lo llevara aguas abajo durante una hora, el doble los días de fiesta. Porque ella no hacía otra cosa que preguntar y oír, y sólo daba, en pago de las respuestas, su risa y su abstracción.

Era una mujer, sin duda, y era hermosa y arisca, y en algún lugar se estaba perfeccionando, detalle por detalle, un porvenir que le daría a él, Larsen, el privilegio de protegerla y pervertirla. Pero éste no era el tiempo de la esperanza sino el de la simple espera.

Arrugado de frío, evitando con un codo derrumbarse en la mesa de piedra, casi indiferente a que hubiera o no un Petrus gozando de su gloria en el piso alto de la casa, y envuelto por la luz cobriza y la presumible felicidad del aire caldeado, Larsen se imponía una voz grave y hablada. Al principio contaba respetuoso del orden, aceptando las reglas evidentes de la lógica y la comunicación. Comenzó por los amigos, los dieciocho años, alguna mujer, una tediosa estampa con esquina, billar, madreselvas y algunos toques genealógicos distribuidos con destreza.

Y como ella era nadie, como sólo podía dar en respuesta un sonido ronco y la boca entreabierta, embellecida por el resplandor de la salida, Larsen prescindió pronto del auditorio y se fue contando, tarde tras tarde, recuerdos que aún lograban interesarle. Se recitó con vehemencia episodios indudables y que conservaban una inmortal frescura porque ni siquiera ahora podía descubrir el móvil que le obligó a entreverarse en ellos.

Así que, en la sombra helada de las tardes, para nadie, para una espaciada, ronca risa histérica, para los insinuados pechos como lunas, fue diciendo su historia sin propósito, se contó para ganar tiempo. Con algunos cambios dictados por el pudor y la vanidad, le fue posible hablar y mentir acerca de todo; ella no entendía.

Entonces, inmediatamente, llegó el veintidós de agosto, una fecha que nada prometía ni amenazaba y que supo guardar su secreto hasta el final. El día empezó con algunas nubes pero antes de mediodía recuperó la claridad, la fijeza que lo emparentaba con los días anteriores, regidos por una luna redonda y tardía. Se extendió, inflexible, frío, sin viento, sobre el agua, el astillero y las siembras de invierno.

Un día como todos, aunque después Larsen estuvo recordando presentimientos que no había tenido, signos indudables que le fueron mostrados con insistencia y él no supo ver.

Dejó la Gerencia a las seis, fue a lo de Belgrano para hacerse la segunda afeitada y llegó puntualmente a los portones de Petrus a las siete de la tarde. La muchacha había soñado con caballos, o fraguó un sueño con caballos. En los últimos tiempos los sueños de Angélica Inés, las síntesis, las frases que ella murmuraba de improviso con su voz blanda y deslumbrada, eran recogidas por Larsen como desafíos, como temas impuestos. Seguro de su riqueza, sin otra preocupación que la de elegir la historia adecuada, oía sonriendo y paciente las pistas confusas que daba la muchacha.

Esta vez era «y ese caballo que me lamía para despertarme y anunciarme un peligro antes de morir». Él esperó el silencio y quiso hablar después de su cariño por el caballo y por muchas otras cosas que habían existido en el mundo pasado y muerto. Por primera vez sintió que fracasaba. Era una historia de amor y tuvo que ceder su papel de héroe; quiso desvanecerse en la sombra de la glorieta y forzar a vivir, ni para él ni para ella, una tarde soleada hecha con minutos de muchas. Habló de su amor desinteresado por un caballo que cambiaba de pelo y de nombre, un animal invencible aunque la traición lo venciera, unas patas, un encuentro, una cabeza, un coraje que habían sido una sola vez y para siempre, el más alto orgullo de una raza extinguida. Siempre es difícil hablar del amor y es imposible explicarlo; y más si se trata de un amor que nunca conoció el que escucha o lee, y mucho más si sólo queda, en el narrador, la memoria de los simples hechos que lo formaron.

Una tarde con sol de invierno, un circo, una multitud, un frenesí de tres minutos. Acaso él haya podido ver algo; los caballos corriendo como para toda la eternidad, sin apariencia de esfuerzo, diminutos y remotos; la muchedumbre que pasaba de la profecía a la exigencia; los amigos afónicos, la patente de lealtad del montón de boletos en el bolsillo que valían ahora lo que habían costado. No supo si ella pudo distinguir y comprender; no quiso rebajarse a traducir ciertas palabras; tribuna, *placé*, recta, encierro, cincuenta y nueve, dividendo, acción contenida. Pero supo, en todo caso, que no había hecho más que aludir tortuosamente a su amor por un caballo, o dos o tres, a su amor por la vida, a su amor por el recuerdo de haber amado la vida. Terminó de hablar a las ocho, dobló la cabeza en la puerta de la glorieta para dar y recibir el beso seco y cerrado.

Volvió a tener conciencia del invierno y la vejez, de la necesidad de una compensación de dureza y locura. Rehízo el camino al astillero, fue esquivando a pasitos las depresiones fangosas del baldío, se dejó guiar al fin por el resplandor amarillento de la casilla. Subió las tres tablas y entró en el abrigo sin ver a la mujer. Los perros se acercaron a olerle el frío; los apartó a patadas, tratando de golpearles los hocicos, y fue a colocar la cara junto a la hoja del almanaque en la pared. Así despreocupado, supo que el sol se había puesto a las 18.26 y que la luna era llena y que estaba, él y todos los demás, en el día del Corazón Inmaculado de María.

La mujer vino desde la intemperie y no hizo sonar los zapatones hasta llegar a la mitad del piso. Él se volvió para mirarla y descubrirse. Tal vez el nombre de María, que estaba terminando de comprender, lo cambió todo; tal vez la transformación haya sido impuesta por la cara de la mujer, los ojos y la sonrisa bajo la polvorienta corona dentada del pelo rígido.

—Buenas noches —dijo Larsen con una lenta inclinación de cabeza—. Señora —sintió el miedo como un frío agregado, como una manera distinta de sufrirlo—. Pasaba por acá y vine a verla. A enterarme. Puedo ir hasta lo de Belgrano y traer algo para la comida. O mucho mejor, me haría feliz que se animara, vamos al restaurante y comemos allí. La acompaño de vuelta, claro. Y por si viene Gálvez, podemos dejarle un mensaje, dos líneas. Habrá visto la luna; parece de día. Podemos caminar despacio para que no se canse. Póngase algo en la cabeza por el rocío.

La mujer no había cerrado la puerta y por encima de su peinado opaco, de los ojos y la sonrisa, Larsen hablaba cortésmente con la blancura; ganaba minutos que no habrían de servirle para nada.

No se trataba de un miedo que él hubiera podido explicar de buena fe a cualquier amigo recuperado, a cualquier hombre abatido y reconocible que surgiese de la muerte o del olvido. «Llega el momento en que algo sin importancia, sin sentido, nos obliga a despertar, y mirar las cosas tal como son.» Era el miedo de la farsa, ahora emancipada, el miedo ante el primer aviso cierto de que el juego se había hecho independiente de él, de Petrus, de todos los que habían estado jugando seguros de que lo hacían por gusto y de que bastaba decir que no para que el juego cesara.

Ella estaba apoyada en la mesa, el cuerpo un poco agobiado, la cabeza alta. Los perros la rodeaban, saltaban sin entusiasmo hacia el sobretodo inflado por el vientre.

Larsen se veía a sí mismo, empequeñecido y enlutado, retrocediendo hacia la pared de tablas y el número negro del almanaque, sostenido el sombrero con las dos manos, conservando una cara bondadosa y distraída. Pensó que el único consuelo posible sólo podía ser extraído de la entrega y del ridículo.

—Una noche como ésta, señora. Muy fría y mañana todo afuera va a estar blanco de escarcha. Pero todos estábamos avisados de que íbamos a tener una noche de luna.

Suspiró moviendo la cabeza y rozó con la muñeca el bulto del revólver bajo el brazo antes de sacar el pañuelo y pasárselo por la frente.

—Una noche de luna.

Los perros estaban ahora echados y sólo alzaban los hocicos expectantes hacia el cuerpo de la mujer. Larsen volvió a mirarla, ella estaba como al principio, como si no lo hubiera oído ni visto. La sonrisa continuaba inmóvil, vacía y dolorosa, pero no podía ser soportada; los ojos habían perdido toda capacidad de burla, de acusación y de curiosidad. O sólo miraban con una curiosidad doble e impersonal: ella no era una persona sino el acto, la facultad de mirar; y lo mirado, Larsen, la habitación, la luz amarilla, el tenue vapor de los alimentos, no eran más que puntos de referencia, confirmaciones de una certidumbre.

«Ahora empieza», había estado pensando Larsen. Se inclinó nuevamente y dijo con una sonrisa casi triste:

—Ahora empieza.

Entonces ella contestó que sí con la cabeza y alzó una mano para pedirle que esperara. Hizo gemir la mesa al inclinarse y luego le escondió la cara con una sacudida.

Alguna música muy lejana llegaba en hilachas; atorado y forastero, un motor se acercaba por el Camino de las Tropas. Después ella se volvió lentamente, menos temible, con una mueca de niño y los ojos disminuidos por las lágrimas.

—Júreme que no me deja sola esta noche y le digo lo que quiere saber. Júreme que no me deja sola hasta que yo se lo pida.

—Sí —dijo Larsen y alzó los dedos.

Ella vaciló mirándolo con desaliento.

—Está bien. Si se lo pedí fue porque quería creerle.

Encorvada, buscó un banco y fue a sentarse. Desde el almanaque, Larsen la veía de perfil, sudorosa en el frío, como escuchando y con miedo de oír, como concentrada en el sabor del labio que sujetaba con los dientes. Estaba fea, despeinada y amarilla; pero Larsen la sentía más temible que nunca, secreta, intangible.

«Lo que se la está comiendo esta noche —sea lo que fuere, la barriga o los celos o lo que esta luz de luna la hizo ver de repente— lo está haciendo con su permiso, con su aprobación. Y mientras la come la alimenta. Tal vez esa luz de afuera le hizo recordar que es una persona, y, más a mi favor, una mujer. Se dio cuenta de que está viviendo en una casilla de perro, ni siquiera sola, sino vista y estorbada por un hombre, un extraño, cualquiera, porque ya no la quiere. No, al revés, porque se trata de una mujer aunque no parezca; un hombre que es un extraño porque ella ya no lo quiere. A lo mejor salió afuera por una necesidad y miró sin querer hacia aquí, hacia las tablas y las chapas, hacia los tres peldaños sujetos con cadena. Todo nuevo y desconocido bajo la luna. Tuvo que medir su miseria y su edad, el tiempo perdido, el poco que le quedaba para malgastar.»

—Cuando yo le diga que se vaya —dijo la mujer— usted se va y no dice nada a nadie. Si se encuentra con Gálvez no le dice que estuvo conmigo.

Se limpió la cara con una manga y la alzó repentinamente tranquilizada. El brillo de sudor parecía rejuvenecerla. Los ojos y la sonrisa no contenían nada más que una oferta de complicidad.

—Todavía no —murmuró—. Ahora estoy segura. Pero no importa, igual voy a cumplir. Todavía debe quedar de aquel coñac. Gálvez llega simpre borracho pero aquí no toma nunca. Me respeta. Me respeta —la segunda vez silabeó con lentitud, buscando el sentido de las dos palabras. Después hizo una risita y miró hacia la noche—. Sería bueno cerrar la puerta. Déme un cigarrillo. El título ya no está aquí y creo que tampoco lo tiene Gálvez. La verdad, yo ya había resuelto robarlo para dárselo a usted; pero él, de golpe, enloqueció y se puso a querer el papel ese como si fuera una persona. Lo estuve viendo no querer otra cosa en el mundo. Una cartulina verde. Estoy segura de que no hubiera podido seguir viviendo sin ella.

Larsen le encendió el cigarrillo, taconeó trazando un laberinto para cerrar la puerta y buscar la botella; estaba debajo de la cama, destapada. Encontró un jarro de lata y lo trajo a la mesa; arrastró un cajón y fue doblando el cuerpo hasta quedar sentado. Puso el sombrero sobre las rodillas y encendió también un cigarrillo para él; no quería fumarlo sino verlo consumirse entre sus dedos, velando el brillo de las uñas limpias y engrasadas; no quería mirar a la mujer.

—Usted no toma, claro —se sirvió un chorro y compuso una expresión pensativa—. Así que el título no está. Y tampoco lo tiene Gálvez. ¿Kunz?

—¿Qué le puede importar al alemán? —continuaba agazapada pero su cara era divertida y serena—. Sucedió esta tarde y yo no pude hacer nada, suponiendo que hubiera algo que quisiera haber hecho. Gálvez vino a eso de las tres del astillero y estuvo un rato sentado, sin hablar, mirándome a escondidas. Le pregunté si necesitaba algo y me dijo que no con la cabeza. Estaba ahí en la cama, sentado. Me asusté porque era la primera vez en mucho tiempo que tenía aire de sentirse feliz. Me estaba mirando como un muchacho. Me cansé de preguntarle y salí afuera para lavar; estaba tendiendo cuando vino de atrás y me acarició la cara. Acababa de afeitarse y se había puesto una camisa limpia sin pedírmela. «Ahora todo se va a arreglar», dijo; pero yo supe que sólo pensaba en él. «¿Cómo?», le pregunté. No hizo más que reír y tocarme; parecía, de veras, que todo se hubiera arreglado para él. Me emocionó verlo contento; no volví a preguntarle nada, lo dejé acariciarme y besarme todo el tiempo que quiso. Tal vez se estuviera despidiendo, pero tampoco eso le pregunté. Al rato se fue, no para el astillero sino por el camino de atrás de los hangares. Me quedé mirándolo porque parecía mucho más joven. Por la velocidad y el entusiasmo con que caminaba. Y justo cuando estaba por desaparecer se detuvo y volvió. Lo esperé sin moverme y a medida que se acercaba fui sabiendo que no se había arrepentido. Me dijo que se iba a Santa María para entregar el título al juzgado, creo, y hacer la denuncia. Me lo dijo como si a mí me importara mucho, como si lo hiciera por mí, como si aquéllas fueran las frases más hermosas que pudiera decirme y yo estuviera deseando oírlas. Después se fue de veras y yo continué tendiendo la ropa sin mirarlo caminar esta vez.

Larsen jugó a indignarse, a fingir interés.

—Raro que no lo haya visto o haya sabido. No debe haber tomado la lancha en Puerto Astillero. Si vino aquí a las tres y se estuvo demorando, no debe haber llegado a tiempo para hacer la denuncia. El juzgado cierra a las cinco. Y calculando una hora de viaje...

—Después de tender la ropa sentí dolores y entré para quedarme quieta en la cama y esperar. Pero antes de que dejara de dolerme me olvidé del dolor, porque se me ocurrió algo, de golpe, como si alguno lo hubiera dicho en voz alta aquí adentro. Salté de la cama y estuve buscando en el armario. Ya casi ni ropa queda sino pilas de recortes de diarios que él iba guardando porque hablan del astillero y del pleito. Encontré el porrón de melaza que usábamos para ir escondiendo algún dinero para cuando llegara el momento. Tiene el cuello muy largo y la boca muy chica. Era difícil sacar el dinero, pensábamos que uno de los dos tendría que romperlo cuando naciera el chico. Escarbé con una aguja de tejer; pero él había hecho lo mismo antes de irse. Ni siquiera tengo idea de cuánto habíamos llegado a juntar. Entonces comprendí que se había ido de verdad. No tenía ganas de llorar, no estaba furiosa ni triste, sólo sentía asombro. Ya le dije que cuando lo miraba irse me parecía mucho más joven. Después pensé que era mucho más joven que el día que lo conocí. Un Gálvez recién salido de la conscripción, anterior a mí, caminando, sacudiéndose por el caminito entre las ortigas. No vuelve más, es otro, no tiene nada que ver conmigo ni con usted. ¿Y qué piensa hacer ahora? Pero no puede hacer nada, tiene que esperar a que le dé permiso para irse.

Sonrió como si la prohibición y todo lo que había contado no fueran más que bromas, gracias inventadas sobre la marcha, buenas para retener a Larsen y coquetear con él.

—Es así, entonces —dijo Larsen—. Bueno, tengo que decirle que lo que hizo Gálvez significa el fin para todos nosotros. Y se le ocurre hacer esta locura cuando todo está a punto de arreglarse. Una verdadera lástima para todos, señora.

Pero ella estaba desinteresada y sorda en el banco, mirando con altivez la forma cuadrada de la noche blanca en el ventanuco.

«Tal vez no haya ido a Santa María; si se llevó el dinero es posible que lo encuentre borracho en El Chamamé. Voy y lo converso.» Pero tampoco ahora podía sentir indignación o interés. De modo que se quedaron en silencio, quietos, Larsen bebiendo a traguitos del jarro de lata y mirando con disimulo a la mujer; y la mujer ahora con una cara burlona y maravillada, como si evocara el absurdo de un sueño reciente. Estuvieron así un largo tiempo, helándose, infinitamente separados. Ella tembló e hizo sonar los dientes.

—Ahora puede irse —dijo, mirando la ventana—. No lo echo; pero es inútil que se quede.

Larsen esperó a que ella se levantara. Entonces se puso de pie y depositó el sombrero sobre la mesa. Miraba al avanzar la gran comba del sobretodo, los ojales tirantes, el alfiler de gancho que cerraba el cuello. No tenía ganas de hacerlo; no podía descubrir un propósito que reemplazara las ganas. Miró la cara amarillenta y brillante, los ojos impávidos que ya lo habían juzgado. Apretó delicadamente su vientre contra el de la mujer y la besó sujetándola apenas por los hombros, rozando la tela áspera con las yemas de los dedos. Ella se dejó besar y abrió la boca; se mantuvo inmóvil y jadeante todo el tiempo que Larsen quiso. Después retrocedió hasta tocar la mesa y lentamente, ostensiblemente, alzó una mano y golpeó la mejilla y la oreja de Larsen. El golpe lo hizo más feliz que el beso, más capaz de esperanza y salvación.

—Señora —murmuró, y quedaron mirándose fatigados, con una leve alegría, con un pequeño odio cálido, como si fueran de veras un hombre y una mujer.

—Váyase —dijo ella. Había escondido las manos en los bolsillos del abrigo. Estaba tranquila, soñolienta, con mansedumbre y contento en los rincones de la boca.

Larsen recogió el sombrero y caminó hasta la puerta tratando de no hacer ruido.

—Usted y yo... —empezó ella.

Larsen la oyó reír con suavidad, escuchó los sonidos graves y perezosos. Aguardó el silencio y fue volviéndose, no para mirarla, sino para exhibir su propia cara nostálgica, una mueca que no reclamaba comprensión sino respeto.

—También hubo para nosotros un tiempo en que pudimos habernos conocido —dijo—. Y, siempre, como usted decía, un tiempo anterior a ése.

—Váyase —repitió la mujer.

Antes de pisar los tres escalones, antes de la luna y de una soledad más soportable, Larsen murmuró como una excusa:

—A todo el mundo le pasa.

EL ASTILLERO - VI

Ni en aquella noche ni en varias siguientes pudo Larsen encontrar a Gálvez. Se comprobó que no había hecho ninguna denuncia en el Tribunal de Santa María. No volvió a la casilla ni al astillero. En la gran sala aterida, sólo recibía a Larsen un Kunz monosilábico y apático, que tomaba mate mientras iba estirando con descuido antiguos planos azules de obras y maquinarias que nunca fueron construidas, o cambiaba de lugar las estampillas del álbum.

Kunz no se acercaba ya a la Gerencia General y Larsen no conseguía interesarse en el contenido de las carpetas. Sabía que se acercaba el fin, como puede saberlo un enfermo; reconocía todos los síntomas exteriores pero confiaba mucho más en el aviso que le daba su propio cuerpo, en el significado del aburrimiento y la abulia.

Aprovechaba con escepticismo las pocas energías matinales y lograba casi siempre distraerse unas horas, sin entender del todo, sin que esto le importara, con alguna historia de salvamento, de reparaciones, de deudas y pleitos. La luz gris y fría de la ventana iluminaba su resolución de mantenerse inclinado sobre aquellas historias de difuntos. Formaba las sílabas moviendo los labios, escuchaba el ruidito de la saliva en las comisuras.

Una o dos horas hasta el mediodía. Le era posible aún palmear la espalda de Kunz y seguirlo en el descenso por la escalera de hierro, disimulando, erguido y ancho, con una expresión pensativa pero en modo alguno derrotado.

Ahora cocinaba Kunz. Sin anunciarlo, sin haberse puesto de acuerdo con la mujer, una mañana Kunz hizo el fuego y le quitó de las manos la verdura que ella estaba limpiando. Hablaban, los tres, del tiempo, de los perros, de las raras novedades, de lo que el tiempo hacía en favor y en contra de la pesca y las siembras.

Pero por las tardes le era imposible a Larsen doblarse encima de las carpetas y modular en silencio las palabras muertas. Por las tardes la soledad y el fracaso se hacían sólidos en el aire helado y Larsen se abandonaba al estupor. Había tenido una esperanza de interés, de salvación y ya la había perdido: odiar a Gálvez, encontrar un fin en el odio, en la resolución de venganza, en el cumplimiento de la serie de actos necesarios para el desquite.

Por las tardes, los cielos de invierno, cargados o desoladamente limpios, que entraban por la ventana rota podían mirar y envolver a un hombre viejo que había desistido de sí mismo, que prestaba indiferente su cabeza para que la habitaran y recorrieran recuerdos mezclados, rudimentos de ideas, imágenes de origen impersonal. De dos a seis el aire mordía una cara de viejo, malsana, colgante, boquiabierta, con el labio inferior estremecido por la respiración; se apoyaba grisáceo sobre el cráneo redondo, casi calvo, ensombrecía el mechón solitario aplastado en la ceja; exaltaba la nariz delgada y curva, triunfante de la decrepitud y la grasa de la cara. Isócrona, exangüe, la boca se estiraba hacia la base de la mejilla y volvía a empequeñecerse. Un viejo atónito, apenas babeante, con un pulgar enganchado en el chaleco, hamacando el cuerpo entre el asiento y el escritorio, como sacudido por un vehículo que lo arrastrara en fuga por caminos desparejos.

Y como todo tiene que cumplirse, algunos notaron que las lanchas que bajaban se iban despojando de los pequeños soles de las naranjas cosechadas al norte y en las islas; y otros, que la luz del mediodía entibiaba ahora las aguas de los bebederos y atraía a perros y gatos y a minúsculas moscas indecisas. Y otros notaron que algunos árboles persistían en hinchar yemas que la helada quemaría cada noche. Es posible que la carta haya tenido vinculación con aquellos misterios.

Era un jueves. Una lancha dejó la carta a la hora del almuerzo y Poetters, el patrón del Belgrano, la mandó al astillero con el mucamo. El muchacho estuvo apretando el timbre sin resultado y después subió hasta la gran sala del personal donde Kunz se aplicaba en copiar, en una vitela cuarteada, perfeccionándolo, un plano desvaído. Era el diseño, hecho diez años atrás, de una máquina perforadora que podía dar cien golpes por minuto. Kunz sabía que en el mundo remoto se vendían máquinas capaces de descargar quinientos golpes por minuto. Trabajaba siete horas diarias porque estaba seguro de que era capaz de mejorar el viejo proyecto que había descubierto mientras limpiaba un caño atascado. Estaba convencido de que, con algunas modificaciones, la perforadora podría teóricamente, descargar ciento cincuenta golpes en sesenta segundos.

Recibió con hostilidad al mucamo y el sobre de la carta lo conmovió.

—Es para el señor Larsen —advirtió el muchacho.

—Ya leí —repuso Kunz—. Si estás esperando propina será mejor que vuelvas a fin de año. Si estás esperando otra cosa, yo no te la voy a dar.

El muchacho murmuró un suave insulto con su voz chillona y se fue. Kunz quedó inmóvil, en el centro de la enorme sala, saliendo lentamente del asombro y la incredulidad, mirando con respeto, con superstición, con remordimiento, el sobre ordinario escrito a máquina, la estampilla vinosa y torcida *Señor Gerente General de Petrus, Sociedad Anónima. Puerto Astillero.*

Aturdido, sin animarse a creer, sintiéndose indigno de esta creencia, arrimando el sobre a los ojos. Porque al principio, cuando Petrus lo autorizó a llamarse Gerente Técnico, aún llegaban algunas cartas, circulares y catálogos de distraídos fabricantes o importadores de maquinarias, oficios de bancos y oficinas de réditos que se mandaban de vuelta a la Capital, a la Junta de Acreedores. Pero aquellas últimas pruebas de que el astillero existía para el mundo, para alguien más que los fantasmas de gerentes que aún albergaba, cesaron a los pocos meses. Y así, arrastrado por el escepticismo universal, Kunz fue perdiendo la fe primera, y el gran edificio carcomido se transformó en el templo desertado de una religión extinta. Y las espaciadas profecías de resurrección recitadas por el viejo Petrus y las que distribuía regularmente Larsen, no lograron devolverle la gracia.

Ahora ahí estaba, después de tantos años, indudable y en su mano, una carta que el mundo exterior enviaba al astillero, como una prueba irrebatible que pusiera fin a una disputa teológica. Un milagro que anunciaba la presencia y la verdad de un Dios del que él, Kunz, había blasfemado.

Deseoso de encender la fe ajena y calentar junto a ella la propia, entró en la Gerencia General sin golpear la puerta. Vio al viejo, estupefacto balanceándose detrás del escritorio, las manos inútiles sobre el desorden de las carpetas, los ojos protuberantes y sin preguntas. Pero Kunz no reparó en nada; puso el sobre en el escritorio, al alcance de la mano de Larsen, y sólo dijo, seguro de expresarlo todo:

—Fíjese. Una carta.

Larsen pasó de la nada a la soledad que ya no podía ser disminuida por los hombres ni por los hechos. Después sonrió y se puso a examinar el sobre. Hizo, en seguida, lo que Kunz había descuidado: examinó las letras del matasellos, fue leyendo en semicírculo el nombre de Santa María. Pensó con despego en Petrus mientras cortaba cuidadoso el sobre. Kunz se había acercado por discreción al viento de la ventana y cargaba su pipa. La primera palabrota le hizo volverse. De pie, resucitado y furioso, Larsen le ofrecía la carta. Kunz leyó, cada vez más lentamente, avergonzándose de haber creído.

«Señor Gerente General de Jeremías Petrus, Sociedad Anónima: De mi consideración. Me tomo la libertad de distraerlo de sus preocupaciones para hacerle llegar mi renuncia al cargo de Gerente Administrativo que he desempeñado en esa empresa durante no sé cuanto tiempo con el general beneplácito de las fuerzas vivas del país. Hago también renuncia de los devengados sueldos atrasados que por distracción no cobré. Renuncio además a la alícuota tercera parte del fruto de todos los robos que usted ordene hacer en los depósitos. Me permito agregar que esta mañana no tuvieron más remedio que meter en la cárcel a don Jeremías Petrus, apenas bajó de la balsa, porque hace unos días hice la denuncia de la falsificación de títulos de que respetuosamente le informé en oportunidad. Yo estaba en el muelle con el funcionario policial y el señor Petrus fingió no verme. No podía aceptar, supongo, la existencia de tan negra ingratitud. Me dicen en Santa María que usted no es persona grata para esta ciudad. Lo lamento porque tenía la esperanza de que viniera a convencerme de que cometí un error y explicarme en detalle el maravilloso porvenir que disfrutaremos desde mañana o pasado. Nos hubiéramos divertido. *A. Gálvez.*»

—Qué maldito hijo de puta —murmuró Larsen con asombro, pensativo.

Kunz dejó caer la carta, se agachó para recoger el sobre con estampilla que Larsen había tirado al suelo, y regresó paso a paso a la sala, a la vitela celeste donde había estado dibujando.

Larsen supo en seguida qué debía hacer. Tal vez lo hubiera estado sabiendo antes de que llegara la carta o, por lo menos, estuvo conteniendo como semillas los actos que ahora podía prever y estaba condenado a cumplir. Como si fuera cierto que todo acto humano nace antes de ser cometido, preexiste a su encuentro con un ejecutor variable. Sabía qué era necesario e inevitable hacer. Pero no le importaba descubrir el porqué. Y sabía, además, que era igualmente peligroso hacerlo o negarse. Porque si se negaba, después de haber vislumbrado el acto, éste, privado del espacio y de la vida que exigía, iba a crecer en su interior, enconado y monstruoso, hasta destruirlo. Y si aceptaba cumplirlo —y no sólo lo estaba aceptando sino que ya había empezado a cumplirlo—, el acto se alimentaría vorazmente de sus últimas fuerzas.

Estaba acostumbrado a buscar el apoyo en la farsa. Estaba tan desesperado que no necesitaba testigos. Sonrió desafiante y piadoso, se quitó el sobretodo y el saco, admiró un instante la blancura hinchada de la sobaquera de hilo sobre la camisa deslucida. Después puso el revólver encima del escritorio y lo vació.

Sentado, meditativo, fingiendo empeño, estuvo haciendo caer el percutor hasta que empezó a declinar la sosegada tarde de fin de invierno; una vez y otra el dedo en el gatillo y él agazapado en el centro del silencio endurecido que lamían apenas perros, terneros, las bocinas lejanas balanceadas sobre el río.

Cerca de las seis, aterido, volvió a guardar las balas en el tambor y el arma en la sobaquera. Se puso de nuevo las ropas y apretó un timbre para llamar al Gerente Técnico. Asomado en la puerta, con la expresión un poco cansada y apacible de quien ha cumplido su deber en la jornada, Kunz lo vio ir y volver, cabizbajo, desde la ventana al conmutador telefónico, con las manos a la espalda, un hombro torcido, arrastrado sobre la frente el mechón peinado con las uñas. En Kunz, la reciente decepción religiosa había disminuido el flojo respeto por Larsen. Encendió el ronquido de la pipa y se dispuso a esperar en silencio, anticipadamente incrédulo. La cabeza de Larsen vino a detenerse próxima al hombro de Kunz y se fue alzando con lentitud. Kunz la encontró más vivaz y endurecida; se puso en guardia frente al brillo de los ojos y la crueldad senil de la boca.

—Los compradores —dijo Larsen—. Hay que llamar ahora mismo a los rusos esos y decirles que queremos vender. Hay que darles a entender que no vamos a discutir mucho los precios. Pero es necesario que vengan hoy mismo, a cualquier hora. ¿Entiende? Yo los voy a atender.

—Puedo llamarlos. Pero va a ser difícil que vengan hoy. Tal vez mañana temprano...

—Llámelos. Y quiero que usted, por favor, esté presente. Vamos a vender. Sólo lo necesario para ir a Santa María y encontrar a ese hijo de perra. O para conseguirle abogados a Petrus. No sé si pedirle que me acompañe; aunque tal vez sea indispensable que alguno se quede en el astillero.

Kunz negó con la cabeza; estaba en paz, desinteresado de los dioses y los hombres, unido al mundo por la probable máquina perforadora.

—Y si encuentra a Gálvez, ¿qué va ganando? —trató de descubrir—. Lo insulta, lo pelea, lo mata. Petrus seguirá preso, mandarán a cualquiera para echarnos.

—Eso podía preocuparme antes. Pero desde que llegó esta carta, desde el mismo momento en que fue escrita, todo cambió. Esto ya se acabó o se está acabando; lo único que puede hacerse es elegir que se acabe de una manera o de otra.

—Como quiera —contestó Kunz—. Voy a llamar a los rusos.

Así que aquella noche, después de mandar un mensaje a la quinta de Petrus con el mucamo del Belgrano, después de mirarse en su habitación, en el espejo infiel del ropero, sucesivamente, como a un desconocido, como a la cara no emocionante de un amigo muerto, como a una simple probabilidad humana, caminó altivo y cortés entre los compradores hasta la entrada del hangar iluminada por los faros lejanos del camión. Kunz los precedía con los dos faroles; después de colgarlos retrocedió hasta la puerta y no quiso intervenir.

Con el cuerpo abandonado sobre un cajón, las manos hundidas en los bolsillos del sobretodo, Larsen simuló presidir el negocio, casi sin hablar, enfurecido, resuelto a no discutir las ofertas. La pareja de compradores recorría el hangar; a veces se llevaban uno de los faroles para inspeccionar algún rincón helado y sombrío. Regresaban arrastrando alguna cosa y la introducían en la mancha de luz del farol, colgado sobre la cabeza de Larsen. Daban un paso atrás y se iban arrepintiendo, velozmente, a dúo, de la elección. Larsen asentía con ferocidad:

—Es cierto, amigo. Esto está podrido, oxidado, no funciona. Cobrarles un peso sería estafarlos. ¿Cuánto ofrecen?

Escuchaba la cifra, la aceptaba con un movimiento de cabeza y hacía sonar un insulto, una palabra sola, plural. Cuando vendió por los mil pesos que calculaba necesitar, se puso de pie y ofreció cigarrillos.

—Lo siento, pero se acabó. Venga el dinero y carguen. No hay recibo y la casa no acepta cheques.

Kunz entró para recoger los faroles y se fue alejando por el baldío, una luz blanca y redonda en cada mano, un poco inclinado porque se alzaba viento del sur. Inmóvil, estremecido de rabia a un costado del camión que empezaba a moverse, Larsen lo vio apagar los faroles bajo el alero de la casilla.

SANTA MARÍA - V

Así se inició el último descenso de Larsen a la ciudad maldita. Es probable que presintiera durante el viaje que había venido para despedirse, que la persecución de Gálvez no era más que el pretexto indispensable, el disimulo. Los que lo vimos entonces y pudimos reconocerlo, lo encontramos más viejo, derrotado, depresivo. Pero había en él algo distinto, no por nuevo sino por antiguo y olvidado; algo, una dureza, un coraje, un humor que pertenecían al Larsen anterior, al que había llegado cinco o seis años antes a Santa María con su esperanza y su obsesión.

Nos estuvo mostrando —y algunos fuimos capaces de verlo—, un poco inexacto, un poco remedado, al Larsen de entonces, no corregido por la permanencia en el astillero. Más viejos el cuerpo y las ropas, más ralo el mechón sobre la frente, más frecuentes las contracciones de la boca y el hombro. Pero —estamos convencidos ahora— no debió sernos difícil intuir la calidad juvenil de sus movimientos, de su andar, de la provocación y la seguridad distraída de sus miradas y sus sonrisas. Debimos comprender, todos los que estábamos en condiciones de comparar, que cuando atravesaba los mediodías y los crepúsculos de la plaza nueva, taconeando paciente la grava; cuando se trepaba a un taburete del bar del Plaza para beber calmoso y ostensible, con una sutil insolencia que no provenía de su rostro ni de su charla; cuando detenía cortésmente a cualquiera en la calle para hacer preguntas turísticas sobre progresos y cambios en la ciudad; cuando se acomodaba perezoso en el estaño del Berna, aceptando que el patrón evidenciara no recordarlo, y nos miraba desde allí con poca curiosidad y una certidumbre invulnerable, debimos comprender que Larsen nos había borrado de su conciencia, que lograba hacer indolora y fácil su despedida retrocediendo cinco años. Estaba colocado en un terreno cuya perspectiva le impedía saber quiénes éramos, qué representábamos para él; de qué se trataba, en suma.

Lo vieron o lo vimos visitar durante dos noches todos los cafés, casas de comidas y despachos de bebidas de la ciudad; y bajar empecinado hacia la costa, recorrer los ranchos con guitarreros y pretextos para fiestas, fácil de palabra y sin aparente urgencia, generoso en las invitaciones, exhibiendo una nunca amenazada aceptación del mundo. Lo oímos preguntar por Gálvez, por un hombre sonreidor, calvo y todavía joven, difícil de confundir y ser olvidado. Pero nadie lo había visto, o nadie estaba seguro, o nadie quiso guiarlo hasta él.

De modo que Larsen, según puede deducirse, renunció al principal motivo de su viaje —la venganza— y dedicó el tercer día al otro, no menos absurdo e insincero: la visita a Petrus.

La cárcel de Santa María, a la que todos los habitantes de la ciudad mayores de treinta años continuamos llamando «el Destacamento», era aquella tarde un edificio blanco y nuevo. Tenía a la entrada una garita con paredes de vidrio y techo de cemento donde se clava aún el larguísimo mástil de la bandera. No es más que una comisaría agrandada y ocupa ahora un cuarto de manzana en el costado norte de la plaza vieja. Aquella tarde tenía un solo piso, aunque ya estaban acumulando bolsas de cemento, escaleras y andamios para construir el segundo.

Los presos podían ser visitados de tres a cuatro. Larsen se sentó en un banco, sobre el borde de la plaza circular de verdes oscuros y húmedos, pavimentada con gastados ladrillos envueltos en musgo, rodeada por casas viejas de frente color rosa y crema, enrejados y herméticos, con manchas que se hacen intensas a cada amenaza de lluvia. Miró la estatua y su leyenda asombrosamente lacónica, BRAUSEN - FUNDADOR, chorreada de verdín. Mientras fumaba un cigarrillo al sol pensó distraídamente que en todas las ciudades, en todas las casas, en él mismo, existía una zona de sosiego y penumbra, un sumidero, donde se refugiaban para tratar de sobrevivir los sucesos que la vida iba imponiendo. Una zona de exclusión y ceguera, de insectos tardos y chatos, de emplazamientos a largo plazo, de desquites sorprendentes y nunca bien comprendidos, nunca oportunos.

A las tres en punto saludó al uniforme azul detrás del vidrio de la garita, y desde la puerta del Destacamento se volvió para mirar al hombre y al caballo de bronce, inconvincentes, resignados, bajo el blanco sol de invierno.

(Cuando se inauguró el monumento discutimos durante meses, en el Plaza, en el club, en sitios públicos más modestos, en las sobremesas y en las columnas de *El Liberal*, la vestimenta impuesta por el artista al héroe «casi epónimo», según dijo en su discurso el gobernador. Esta frase debe haber sido sopesada cuidadosamente: no sugería en forma clara el rebautizo de Santa María y daba a entender que las autoridades provinciales podrían ser aliadas de un movimiento revisionista en aquel sentido. Fueron discutidos: el poncho, por norteño; las botas, por españolas; la chaqueta, por militar; además, el perfil del prócer, por semita; su cabeza vista de frente, por cruel, sardónica, y ojijunta; la inclinación del cuerpo, por maturranga; el caballo, por árabe y entero. Y, finalmente, se calificó de antihistórico y absurdo el emplazamiento de la estatua, que obligaba al Fundador a un eterno galope hacia el sur, a un regreso como arrepentido hacia la planicie remota que había abandonado para darnos nombres y futuro.)

Larsen se introdujo en el frío del pasillo embaldosado y se detuvo, sombrero en mano, frente al escritorio, al uniforme, al mestizo de bigotes colgantes.

—Buenas —sonrió con un desprecio, con una burla ya serenados, viejos de cuarenta años. Entregó cerrada la cédula de identidad—. Para ver al señor Petrus, don Jeremías Petrus; si dan permiso.

Avanzó después por una soledad resonante, dobló a la izquierda y se detuvo a esperar que otro uniformado, de pie y con máuser, le hiciera preguntas. Un hombre viejo, en tricota y alpargatas, fue y vino, le hizo una seña con la cabeza y se adelantó para guiarlo en un nuevo laberinto de líneas rectas, más frío, invadido por olores de sentina y bodega. Junto a un extinguidor de fuego sujeto a la pared, el viejo se detuvo y abrió una puerta sin llave.

—¿Cuánto tiempo puedo estar? —preguntó Larsen mirando hacia la penumbra adentro.

—Hasta que se aburra —contestó el viejo alzando los hombros—. Después arreglamos.

Larsen entró y permaneció inmóvil hasta escuchar el ruido de la puerta al cerrarse. No estaba en una celda; la habitación era una oficina con muebles arrumbados, escaleras y tarros de pintura. Avanzó luego con un saludo en la cara, en dirección equivocada, oscilando con pesadez al atravesar el olor a aguarrás. De golpe descubrió al prisionero, a la derecha, detrás de un escritorio en ochava en un rincón, pequeño, alerta, afeitado, como si lo hubiera estado acechando, como si hubiera planeado la distribución de los muebles para sorprenderlo, como si esa ventaja inicial pudiera asegurarle alguna victoria en la entrevista.

Más viejo y huesoso, más largo y blanco el marco de las patillas, más inquietante el brillo de los ojos. Apoyaba las manos sobre el cuero de un cartapacio cerrado; no había otra cosa encima del cuadrilátero de raída felpa verdosa del escritorio. Casi con la primera mirada, Larsen recuperó el entusiasmo, la imprecisa envidia que la separación anulaba.

—Aquí estamos —dijo.

El otro, excitado y dominándose, mostró el borde de un diente para cubrirlo en seguida. La boca volvió a ser delgada, horizontal y sinuosa. Tal vez, para tenerla, Petrus no había necesitado reiterar desdenes y negativas desde la infancia, tal vez otros actuaron durante siglos para darle en herencia una boca que fuera simple, imprescindible tajo para comer y hablar. «Una boca que podría ser suprimida sin que los demás se dieran cuenta. Una boca que protege del asco de la intimidad y libra de la tentación. Un foso, una clausura.» La luz era gris y suave, cernida por una cortina que cubría casi totalmente el balcón; en un extremo se derramaba con dulzura, triangular y alargado, el sol de agosto. Había, tocando la cortina, un diván de cuero negro con mantas prolijamente dobladas y un pequeño almohadón chato y duro. Aquel rincón era el dormitorio de Petrus, tan distinto a los de la casa lacustre sobre el río, con las grandes almohadas panzudas, protegidas por fundas con orlas de punto cruz en colores que ostentaban fechas familiares, o atavíos campesinos, y desplegaban el insospechado doble sentido de la leyenda: *Ein gutes Gewissen ist ein sanftes Ruhekissen.*

—Aquí estamos —repitió Petrus con amargura—. Pero no de la misma manera. Siéntese. No dispongo de mucho tiempo, tengo muchos problemas que estudiar.

—Espere un momento, por favor —dijo Larsen. Se sentía obligado al respeto pero no a la obediencia. Dejó el sombrero en una esquina de la mesa verde y se acercó a la cortina para levantar el borde y anticipar el ademán, curioso, maquinal, que años después repetiría de mañana y de tarde el comisario Cárner, un piso más arriba.

Vio la grupa manchada del caballo y la ese que bocetaba la cola; impedido por las ramas de los platános sólo pudo distinguir del Fundador un fleco de poncho cubriendo la cadera y una bota alta estribada con indolencia. Leal y con empeño, Larsen trató de comprender aquel momento de su vida y del mundo: los árboles torcidos, sombríos y con hojas nuevas; la luz apoyada en el bronce de las ancas; la detención, el secreto paciente de la tarde provinciana. Dejó caer la cortina, vencido y sin rencor; regresó a otras verdades y mentiras ayudándose con el vaivén del cuerpo. Manoteó una silla y se sentó, un segundo antes de que Petrus reiterara, frío y paciente:

—Tome asiento, hágame el favor.

«Por qué esto y no otra cosa, cualquiera. Da lo mismo. Por qué él y yo, y no otros dos hombres.

»Está preso, concluido, y la calavera blanca y amarilla me está diciendo con cada arruga que ya no hay pretextos para engañarse, para vivir, para ninguna forma de pasión o bravata.»

—Desde hace unos días esperaba su visita. Me he negado a creer en su deserción. Para mí nada ha cambiado; hasta podría decir, sin cometer infidencia, que las cosas han mejorado desde nuestra última entrevista. En realidad, estoy aislado transitoriamente, descansando. Esto, ese absurdo de encerrarme por un tiempo, es lo último que pueden hacer mis enemigos, el golpe más fuerte que pueden descargar. Unos pocos días más en esta oficina, más incómoda que las otras pero no distinta, y habremos llegado al fin de la mala racha. Ahora no pierdo el tiempo; me han hecho el favor de impedir que nadie pueda hacerme perder el tiempo y esto me permite solucionar mis problemas cómodamente y de manera definitiva. Puedo decírselo: encontré solución para todas las dificultades que estaban entorpeciendo la marcha de la empresa.

—Es una gran noticia —dijo Larsen—. Todos van a tener una gran alegría cuando vuelva al astillero y la trasmita. Si usted me autoriza, claro.

—Puede decirlo; pero estrictamente al personal superior, a los que han dado pruebas de fidelidad. No me he preocupado por saber el motivo de mi detención. Pero, según parece, se trata de una denuncia basada en aquel famoso título de que hablamos. ¿Qué ocurrió? ¿La misión que le confié terminó en el fracaso o usted hizo causa común con mis enemigos?

Larsen sonrió y se puso a maniobrar lentamente para encender un cigarrillo; después se esforzó en mirar con odio la cabeza de pájaro, expectante y fanática, que se inclinaba hacia él, segura de todos los triunfos, segura de que nadie le impediría tener razón hasta el final.

—Usted sabe que no —dijo lentamente—. Por algo estoy aquí, por algo vine en cuanto me enteré de que usted estaba detenido —pero hubiera dicho: «Hice todo lo posible. Soporté algunas humillaciones e impuse otras. Recurrí a formas de violencia que usted conoce como yo, ni más ni menos que yo, y cuya víctima es incapaz de describir en una acusación porque también está impedida de comprenderlas, de apartarlas de su sufrimiento y saber que son su causa. Usted debe haber usado diariamente esas formas de la violencia. Y también conoce todo el resto, igual que yo pero no mejor, porque somos hombres y las posibilidades de infamia son comunes y limitadas: la astucia, la lealtad, la tolerancia, el mismo sacrificio, el pegarse al flanco del otro como un nadador para defenderlo de la correntada, y para ayudarlo a hundirse, casi siempre a su pedido, exactamente cuando nos conviene»—. Lo único censurable que hice fue fracasar.

Petrus recogió su cabeza como una tortuga, volvió a mostrar los dientes amarillos, esta vez generosamente. No condenaba del todo; los ojos hundidos y brillantes miraron a Larsen cavilosos, casi apiadados, con una divertida curiosidad.

—Está bien, creo en usted. Nunca me equivoco al juzgar a un hombre —dijo, por fin, Petrus—. En realidad, no tiene importancia.

Puedo demostrar que ignoraba la existencia de títulos falsificados. O nadie puede demostrar que yo sabía algo. Dejemos eso. Lo importante es que el momento de la justicia definitiva está próximo; cuestión de días, un par de semanas a lo sumo. Necesitamos, más que nunca, un hombre capaz y leal al frente del astillero. ¿Se siente usted con fuerzas, con la fe necesaria?

Entonces Larsen se aplicó a decir que sí con la cabeza, a ganar tiempo, mientras acostumbraba sus pulmones al aire de extravagancia y destierro en que había estado sumergido todo el invierno y que ahora, bruscamente, se le hacía insoportable y discernible. Un aire difícil de tolerar al principio, casi imposible de ser sustituido después.

—Puede contar conmigo —dijo, y el viejo le sonrió—. Pero es cierto que he perdido mucho tiempo en el astillero y ya no soy joven. El trabajo, lo reconozco, es liviano por ahora, aunque la responsabilidad es muy grande. No quiero discutir el sueldo por el momento; pero me parece conveniente decirle que no lo pagan, o no lo pagan con regularidad. Considero justo tener una garantía de compensación para cuando lleguen los buenos tiempos.

De pronto, Petrus se hechó hacia atrás y la piel de su cara se fue estirando con precisión sobre los menudos huesos. Por un momento, Larsen estuvo seguro de que la cabeza se erguía muy lejos de la penumbra del cuarto, en un clima de intolerable cordura, en el mundo antiguo y perdido. Lentamente, Petrus alzó los pulgares hasta los bolsillos del chaleco, y acercó su cara a la de Larsen. Tal vez algo del desprecio subsistiera: la pequeña lástima burlona del hombre que se ha resignado a transigir con los demás.

—Si se pagan o no los sueldos allá en el astillero, no es cuestión mía. Tenemos un administrador, el señor Gálvez; plantéele a él sus problemas.

—Gálvez —repitió Larsen con una expresión de alivio. Se sentía indultado, lo iba llenando el tibio vigor de la convalecencia—. Ése es el hombre que entregó el título, que hizo la denuncia.

—Perfectamente —asintió Petrus—. Tanto peor para él. Me agradaría saber qué medidas tomó usted para sustituirlo. No pensará que una empresa como la del astillero puede funcionar normalmente sin una administración experta y segura. ¿Lo ha dejado cesante, por lo menos?

«Cómo me gustaría darle un abrazo, o jugarme la vida por él o prestarle diez veces más dinero del que pueda necesitar.»

—Vea —dijo Larsen, desprendiéndose el sobretodo—, Gálvez, el administrador, hizo la denuncia y desapareció. O, mejor, tuvo buen cuidado de desaparecer antes. Hace tres días me hizo llegar una carta renunciando a su puesto. Claro que comprendí en seguida que mi deber era dejarlo cesante. Lo busqué por todos los agujeros de Puerto Astillero y después me vine a Santa María. Pensaba dejarlo cesante con esto. Pero no aparece.

Puso sin ruido el revólver sobre la mesa y retrocedió un poco para observarlo.

—Es un Smith —informó con orgullo inoportuno y marchito.

Estuvieron los dos un rato en silencio, cabizbajos y atentos, mirando la forma perfecta del arma, el tenue resplandor lila del acero del caño, la superficie negra y rugosa de la cacha. La examinaban, sin intención de tocarla, como si se tratara de un animal de existencia comprobada pero nunca visto por ellos, un insecto que acabara de posarse en el escritorio, amenazante y amenazado, pero sin conciencia de esto, quieto, incomprensible, tratando acaso de comunicarse por una vibración de los élitros que la tosquedad de los hombres no podía percibir.

—Guárdese eso —ordenó Petrus, y se acomodó nuevamente en su silla—. Personalmente, no apruebo el procedimiento. Y de nada podría servirnos ahora. ¿Cómo pudo entrar en la cárcel con un revólver? ¿No lo revisaron?

—No. No se les ocurrió ni a ellos ni a mí.

—Es fantástico. De modo que cualquiera podría entrar en esta habitación y matarme. Ese mismo individuo, Gálvez, que ayer y anteayer vino no sé cuántas veces a pedirme una entrevista. No quise verlo, no tengo nada que hablar con él. Está más muerto que si usted hubiera usado el revólver.

—¿Así que vino? ¿Gálvez? ¿Está seguro? Bueno, entonces no debe andar lejos de aquí. Tengo que encontrarlo. No para meterle un tiro; fue un impulso, algo tenía que hacer. Pero me gustaría escupirle la cara o insultarlo despacio hasta cansarme.

—Comprendo —mintió Petrus con decisión—. Guarde el revólver y olvídese de esa historia. Consiga un hombre capaz y honrado para la administración. Fíjele sueldo y condiciones. Hay que tener presente, pase lo que pase, que el astillero debe continuar funcionando.

—De acuerdo —repuso Larsen, mirando siempre el revólver; antes de guardarlo estiró un dedo para acariciar suavemente la base de la culata.

(Primero, con las primeras mujeres y los primeros augurios de importancia y peligro disfrutados en glorietas de locales suburbanos, de improvisados y efímeros clubes sociales, recreativos y deportivos, fue una pistola 32, chata, que podía llevarse en el bolsillo de la cintura. Era un amor de adolescencia, cultivado con escobillas, vaselina y regulares exámenes nocturnos. Vino después una pistola Colt comprada por nada a un conscripto; era pesada, enorme, indomable. También inútil, nunca usada si se exceptúan los almuerzos campestres, los ejercicios de puntería contra una lata o un árbol; en mangas de camisa, un cigarrillo humeando a un lado de la boca, un vaso de vermut y caña en la zurda, mientras preparaban el asado. También, en las ocasiones perfectas, un cielo azul interminable, un *charret* empequeñecido y como inmóvil en el camino, olor a humo y gallinero, algún colono eslavo. Esto en la edad de la madurez, de la máxima hombría. Una pistola demasiado grande para la mano, que intentaba hacerlo caminar torcido, que pesaba inolvidable contra las costillas. Sólo buena para mostrar y lucirse oportuna en la hora crepuscular en que languidece el póquer, cuando él daba la pistola a desarmar y, con los ojos vendados, chupando atorado el cigarrillo que alguna mujer le arrimaba, la iba reconstruyendo, ciego, rodeado por un murmullo de amistad y asombro, diestro, gozando de la amorosa memoria de sus dedos, totalmente feliz cuando remataba entre aplausos la proeza atornillando en el mango los trozos de madera con el potrillo rampante.)

—Estamos de acuerdo —insistió Larsen mientras se abrochaba el sobretodo—. El funcionamiento del astillero es la base de todo. Tomaré sin vacilar todas las medidas necesarias. Ya arreglaremos eso de los sueldos. Pero le repito que para mí es muy importante tener alguna seguridad para el día de mañana.

Petrus alzó las manos y luego se frotó la barbilla. La cara amarillenta se inclinaba alegre, discretamente triunfal.

—Comprendo, señor —susurró—. Usted desea capitalizar sus sacrificios. Me parece muy bien. En cuanto a los sueldos actuales, designe un administrador y entiéndase con él. Respecto al futuro, ¿qué es lo que quiere?

—Alguna seguridad, un contrato, un documento —rió suavemente, dócil y consolador.

—No veo inconvenientes —exclamó Petrus con excitación. Abrió el portafolios de cuero con un movimiento pausado y hábil que hizo sonar gravemente la escala de la cremallera—. Creo, en principio, que podemos entendernos —extrajo papeles y desenganchó la lapicera del bolsillo del chaleco—. Diga qué clase de documento desea. ¿Un contrato por cinco años? Espere un momento —estuvo buscando en el bolsillo interior del saco el estuche de los anteojos, se los puso y sonrió con un desdeñoso desafío—. Pida, señor.

—Bueno —dijo Larsen, con una sonrisa amistosa—. No quiero apurarme para no arrepentirme. Primero, confirmar por contrato, cinco años de duración está bien; no me conviene atarme. En cuanto al sueldo... Usted comprenderá que el puesto de Gerente General obliga a cierto nivel de vida.

—Exactamente. Y yo sería el primero en exigírselo —la cara de Petrus ahora alzada, reflejaba una dicha austera—. ¿Cuál es su sueldo actual? Debo confesarle que preocupaciones más importantes me han impedido examinar últimamente las liquidaciones mensuales del astillero.

—Pongamos... bueno, ahora estoy ganando cuatro mil. Pongamos seis mil a partir del día en que se normalice la situación.

—¿Seis mil? —Petrus vaciló, haciendo deslizar el cabo de la lapicera sobre sus labios—. Seis mil. No tengo nada que objetar. Pero tendrá que ganárselos, señor. Bien; redactaré un documento provisorio, reconociéndole el cargo y la retribución durante cinco años. Después haremos el contrato formal.

Se inclinó para escribir, muy lentamente, dibujando cada letra. Un altoparlante de propaganda comenzó a hablar en el silencio, incomprensible, y alejándose. Larsen se incorporó y miró a su alrededor. Las tablas, las latas y los pinceles abandonados; el color del aire cargado de sosiego e inminencia; el viejo doblado sobre el escritorio. Y más allá de lo visible, pero alterándolo, el silencio en aquella parte de la ciudad, envejecida y casi inmutable. El enorme caballo sorprendido cuando despegaba las patas para lanzarse a la carrera, con su cola ondulante, con su tonalidad de pasto en el otoño. Una plaza húmeda y circular donde los árboles entreveraban sus ramas; bancos desocupados, charcos que nadie miraría secarse. Un atardecer que se estiraba desde el río, desde las manzanas remozadas del barrio comercial.

—Sírvase leer —dijo Petrus.

Larsen tomó la hoja de cartulina y examinó la escritura floreada pareja y perfecta. «Por el presente documento reconozco al señor E. Larsen como Gerente General de los astilleros de la firma Jeremías Petrus, Sociedad Anónima, de cuyo Directorio soy Presidente. Tal designación será motivo de un contrato que por el término de cinco años...»

Larsen dobló la cartulina y la guardó en un bolsillo. Petrus se puso de pie.

—Ahora todo está perfecto —dijo Larsen—. Nunca dudé de usted; pero hay que mirar también el aspecto legal de las cosas. Usted es un caballero. No quiero robarle más tiempo; me parece que cuanto antes esté de vuelta en Puerto Astillero, mejor. Es imposible, sin embargo, que vuelva a visitarlo para despedirme.

—Tal vez sea inútil —contestó Petrus—. Deseo aprovechar este descanso para trabajar tranquilamente. Todavía es necesario ajustar algunos detalles.

—Muy bien —Larsen no ofreció la mano ni el viejo tampoco. Desde la puerta se volvió. Petrus parecía haberlo olvidado; había vuelto a sentarse y distribuía documentos sobre el escritorio—. Perdone —dijo Larsen, alzando la voz—. Me resulta curioso, y halagador, que recuerde cómo me llamo. Hasta el nombre de pila, o por lo menos, la inicial.

Petrus lo miró un momento; después habló hacia los papeles y el cartapacio.

—El comisario es una persona muy bien. A veces viene a visitarme y hasta hemos almorzado juntos. Hablamos de muchas cosas. Sabía que usted andaba por Puerto Astillero y que me había visitado aquí en la ciudad. Me mostró su prontuario, señor; en realidad, ha cambiado poco: tal vez algo más gordo, algo más viejo.

Larsen abrió y cerró la puerta en silencio. En el final del pasillo encontró al hombre de la tricota, le dio unos pesos y se dejó guiar hasta el policía armado. Desde allí, lentamente, temblando de frío, sin hacer ruido sobre las baldosas, caminó solo hasta encontrar la luz de la calle.

Atravesó el círculo helado de la plaza del Fundador y caminó hacia el centro por una calle de muros leprosos, cubiertos casi todos por la espuma seca de las enredaderas; una calle de parques y caserones, de sombra y ausencias. «Tal vez no haya estado nunca en esta parte de la ciudad, tal vez todo hubiera sido distinto, tal vez haya deseado siempre vivir en una casa como ésta.» Caminaba erguido y taconeando, buscando las zonas de mayor silencio para hacer sonar el desafío de los pasos, resuelto a no dejarse derrotar, ignorando qué le quedaba por defender.

«¿Por qué no? Todo pudo haber resultado distinto si yo hubiera sido, cinco años atrás, un hombre que acostumbrara recorrer por las tardes los barrios viejos de Santa María. Para nada, por el gusto de visitar estas calles solitarias y acercarme a la noche que se va formando en la altura de la plaza nueva, sin apuro por llegar, despreocupado de trabajos y miserias, pensando, al principio por capricho y después por amistad, en la vida de la gente muerta que vivió en estas casas con escalones de mármol y portones de hierro. Es posible. De todas maneras, ahora más que nunca es necesario que haga algo, cualquier cosa.»

En mitad de la plaza nueva, mientras vacilaba eligiendo dónde comer y dormir, comprendió que tenía que defenderse de la tentación de no volver a Puerto Astillero. «Porque ya no puedo aceptarme en ningún otro lugar de la tierra, ya no puedo hacer cosas ni interesarme por sus consecuencias.»

Caminó hacia el puerto, comió distraído y convino precio por una habitación para pasar la noche; revolvía el café pensando en una antesala de la muerte, en un piadoso período de acostumbramiento, cuando se le ocurrió la idea.

Primero fue el asombro por no haberlo pensado antes, en el mismo momento en que Petrus dijo: «Este individuo, Gálvez, que ayer o anteayer vino no sé cuántas veces a pedir una entrevista.» Después fue la necesidad de estar con Gálvez, de mirar la cara amiga de alguien en relación con el mundo lógico irrespirable. Gálvez debía estar, como él, dando vueltas por Santa María, ajeno, forastero, desconcertado por el lenguaje y las costumbres, con sus penas magnificadas por el destierro. Imaginó el encuentro, el diálogo, las alusiones a la patria lejana, el superfluo y consolador intercambio de recuerdos, el espontáneo desdén por los bárbaros.

Pensó entonces en la Santa María de cinco años atrás, en el plazo de espera, en los meses de triunfo, en la catástrofe previsible aunque injusta. Extrajo, del torbellino de personajes, noches y sucesos, la única posibilidad de llegar hasta Gálvez: muy alto, corpulento, casi humano, ronco, el oficial Medina. Tal vez estuviera aún en la ciudad. Fue hasta el teléfono y marcó sin fe el número.

—Jefatura —dijo la voz dormida del hombre.

—Para hablar con Medina —escuchó la vacilación y el silencio, distinto, afirmativo. Sonriendo propicio se esforzó en recordar a Medina, en verlo y burlarse y desconfiar, en ayudarlo a estar vivo y policía.

—Jefatura —vino otra voz alerta.

—Habla un amigo de Medina. Acabo de llegar a la ciudad.

—¿Quién habla?

—Larsen, nada más. Un amigo de hace años. Dígale, por favor.

Oyó entonces un crujido remoto y nocturno, un silencio sin profundidad, baldío como una pared; después otro silencio elástico y cargado, el zumbido de una habitación amplia y poblada.

—Medina —silabeó la voz, ronca y aburrida.

—Aquí Larsen, no sé si se acuerda, Larsen —se arrepintió en seguida del entusiasmo, del nervioso orgullo. Hizo una mueca rastrera para congraciarse con la cautela del otro.

—Larsen —dijo al rato la voz, como suspirando—. Larsen —repitió con asombro y contento.

—¿Comisario?

—Sub. Y me jubilo. ¿Desde dónde habla?

—Vine a comer pescado en la costa. Entre el puerto y la fábrica.

—Espere —«No pienso escaparme; por desgracia no tengo nada que perder, nada me puede ocurrir»—. Lo malo, Larsen, es que no puedo moverme de aquí hasta la madrugada. Me alegra mucho que haya llamado; piense en la vieja amistad y venga a verme. Si se llega hasta el principio de la rambla, es seguro que encuentra un taxi. Si no, tiene el ómnibus «B» que lo deja en el costado de la plaza, frente a la Jefatura. ¿Lo espero?

Larsen dijo que sí y colgó. «¿Qué pueden hacerme? Ya ni siquiera tengo enemigos, no me van a tender trampas ni manos. Ahora, hasta puedo soportarlos, charlar y divertirlos.»

Medina estaba sentado en una oficina vacía que inundaba una rabiosa luz fluorescente, nublada por humo de tabaco, con pocillos sucios de café desparramados sobre las mesas y la biblioteca; tenía las largas piernas apoyadas en el escritorio y sonreía haciendo girar los pulgares sobre el estómago. La cara era la misma del recuerdo de Larsen; los pozos de la viruela no permitían que las arrugas se hicieran notables, dos angostas líneas de canas bajaban desde las sienes a la nuca. «Eso estaba lleno de tipos y él los despidió. Déjenme solo. Para qué puede servirle.»

Hablaron, sí, del tiempo viejo, sin que ninguno aludiera a la historia del prostíbulo. Medina sonreía dulcemente, como si evocara años duros y esperanzados. Después bostezó y se fue incorporando con lentitud, se puso de pie y estiró el enorme cuerpo vestido de marrón, más gordo, aún joven.

—Larsen —dijo. Miraba pensativo al hombre hundido en el sillón de cuero que mantenía como defensa una sonrisa tonta y se rascaba maquinalmente un mechón gris alargado hacia el ceño—. Es cierto que tenía muchas ganas de hablar con usted. Sabemos que se ha instalado en Puerto Astillero desde hace unos meses, que está trabajando.

«Qué juego habrás inventado, para deslumbrarme, para que yo no olvide nada de lo que nos separa.»

—Exacto —contestó sin prisa, con una débil burla, fingiendo la vanidad—. Están bien informados. Vivo allá, en el hotel Belgrano. Trabajo en el astillero de Petrus. Soy gerente. Estamos luchando por reorganizar la empresa. Todas las cartas sobre la mesa. Además, usted recordará, nunca escondí nada.

Medina mostró los dientes y estuvo sacudiendo la cabeza; la voz ronca vino después a tropezones.

—Nunca tuve tampoco nada contra usted. Cuando el gobernador dijo «basta», tuvimos que cumplir órdenes. Parece que hiciera un siglo. Le agradezco que se le haya ocurrido llamarme. Además, si puedo hacerle algún favor... —retrocedió hasta el escritorio y montó una pierna en una esquina—. Si quiere café, dígame. Es lo único que puedo ofrecerle aquí. Yo ya tomé demasiado. Como le dije, llegué a subcomisario y esto se acabó. Antes de un año me jubilo —sonrió desperezándose, atlético, resignado—. Bueno, pida lo que necesite. Por algo se le ocurrió llamarme, aparte de las ganas de verme.

—Es cierto —dijo Larsen; cruzó las piernas y calzó el sombrero en la rodilla—. Usted se habrá dado cuenta desde el principio, desde que me reconoció en el teléfono. El favor es chico. Se trata de un empleado del astillero, Gálvez, uno de los principales. Desapareció hace unos días. Me mandó una carta de renuncia fechada en Santa María. La señora, naturalmente, está muy inquieta. Me ofrecí para venir a buscarlo y por más que recorrí la ciudad no pude descubrir el menor rastro. Pensé, antes de volverme, recurrir a usted por si sabía algo. Imagínese, volver sin una noticia para la señora.

Medina esperó un rato, hizo un despacioso ademán para mirar su reloj de pulsera y se apartó con un envión del escritorio. Las suelas de goma de los zapatos se acercaron gimiendo sobre el linóleo. Se irguió junto a Larsen, casi tocándole las rodillas con las piernas; inclinaba hacia el hombre sentado la cara color mancha de vino, la vieja, monótona expresión, la crueldad y el hastío.

—Larsen —dijo; la voz ronca se fue haciendo impaciente—. ¿Qué más? Tengo algunas cosas que hacer antes de irme y estoy cansado. ¿Qué más sabe de ese hombre, Gálvez?

—Qué más —asintió Larsen—. Nada tengo para esconder —alzó las manos y se miró las palmas con una sonrisa. No tenía miedo, lo remozaban recuerdos de tantos otros hombres inclinados sobre él y preguntando—. ¿Qué más? Puede decirse que se trata de secretos comerciales. Pero estoy seguro de que hago bien confiando en usted. Gálvez vino a Santa María para hacer una denuncia contra el señor Petrus. El juez hizo detener al señor Petrus; como usted sabe, está ahora en este mismo edificio. Hablé con él esta tarde y me dijo que Gálvez había intentado varias veces ser recibido por él. Nada más. Pensé, lo que es sencillo de entender, que si Gálvez había andado por aquí ustedes sabrían dónde encontrarlo. ¿Qué más? No hay nada, no hay manera de sacarme nada más porque no tengo.

Desde arriba, Medina dijo que sí y volvió a sonreír; después desinfló el tórax y se fue abrochando el saco mientras hacia muecas de sueño. Miró de nuevo la hora.

—Vamos, Larsen. Levántese, haga el favor. Creo en lo que dice, estoy seguro de que no sabe nada más. Venga, que voy a contarle el resto.

Salieron de la oficina y caminaron por los pasillos enlosados.

Debajo de una luz mortecina los saludó un vigilante que hizo sonar los tacos; Medina abrió con violencia una puerta.

—Entre —dijo con fastidio y burla—. No puedo invitarlo a elegir, hoy estamos muy pobres.

Caminaron en el frío mal iluminado, en el olor a desinfectante; pasaron frente a un sillón de dentista, a dos vitrinas llenas de metales brillantes separadas por un radiador que no estaba funcionando; rodearon un pequeño escritorio cubierto por una tapa convexa. En el fondo de la sala cada vez más fría, casi contra la pared que formaban los muebles de acero del archivo, rodeados por un rectilíneo rezongo de agua en canaletas, encontraron una mesa cubierta por una tela áspera y blanca. Medina la levantó y estuvo palpándose hasta extraer un pañuelo y apretarlo contra el estornudo.

—Éste es el resto de la historia —dijo después—. Es el mismo Gálvez, ¿verdad? Mire y hable rápido si no quiere resfriarse. ¿Es? No lo apuro.

Larsen no sintió odio ni lástima por la cara blanca sobre la mesa de piedra, endurecida y negándose, aliviada de agregados, un poco obscena la humedad brillante de los ojos entornados. «Lo que siempre dije: ahora está sin sonrisa, él tuvo siempre esta cara debajo de la otra, todo el tiempo, mientras intentaba hacernos creer que vivía, mientras se moría aburrido entre una ya perdida mujer preñada, dos perros de hocico en punta, yo y Kunz, el barro infinito, la sombra del astillero y la grosería de la esperanza. Ahora sí que tiene una seriedad de hombre verdadero, una dureza, un resplandor que no se hubiera atrevido a mostrarle a la vida. Sólo le quedan los párpados hinchados, las medialunas de la mirada chata. Pero de eso no tiene él la culpa.»

—Sí, es. ¿Cómo fue?

—Fácil. Se metió en la balsa y en cuanto pasaron la isla de Latorre se tiró al agua. Media hora de atraso. Pero a la caída del sol vino solo hasta el espigón. Yo sabía que era Gálvez; sólo quise mostrárselo.

Volvió a estornudar, puso una mano sobre la espalda de Larsen; con la otra estiró rápidamente la tela sobre el muerto.

—Nada más —dijo—. Ahora me firma un papel y se va.

Lo guió por los pasillos a media luz y lo hizo entrar en una oficina donde dos hombres jugaban al ajedrez. Entonces perdió de golpe la sombra de cordialidad que habían mantenido.

—Tosar —dijo—. Este hombre acaba de identificar al ahogado. Agrega al sumario lo que tenga que decirte y después lo dejás que se vaya.

Uno de los hombres arrastró sobre el escritorio la máquina de escribir. El otro observó distraído a Larsen y volvió a mirar el tablero. Medina cruzó la habitación y salió por otra puerta, sin despedirse, sin volver la cara.

Sonriendo, alegremente estremecido por la astucia, Larsen se sentó sin esperar que lo invitaran. Acababa de decidir que Gálvez no había muerto, que él no caería en una trampa tan infantil, que volvería al amanecer a Puerto Astillero, al mundo inmutable, mensajero de ninguna noticia.

EL ASTILERO - VII
LA GLORIETA - V
LA CASA - I
LA CASILLA - VII

Llegó entonces el último viaje de Larsen río arriba, hacia el astillero. Estaba entonces no simplemente solo, sino también despavorido y con ese inquietante principio de lucidez de los que empiezan a desconfiar, a regañadientes, sin vanidad ni conciencia de astucia, de su propia incredulidad. Sabía pocas cosas y rechazaba muequeando a las que lo rondaban queriendo ser sabidas.

Estaba solo, definitivamente y sin drama; tranqueaba, lento, sin voluntad y sin apuro, sin posibilidad ni deseo de elección, por un territorio cuyo mapa se iba encogiendo hora tras hora. Tenía el problema —no él: sus huesos, sus hilos, su sombra— de llegar a tiempo al lugar y al instante ignorados y exactos; tenía —de nadie— la promesa de que la cita sería cumplida.

Así que nada más que un hombre, éste, Larsen, trepando el río en una embarcación cualquiera, en el principio apresurado de una noche de invierno, mirando distraído para distraerse, lo que aún podía verse de vegetaciones costeras, registrando con la oreja derecha gritos de pájaros de nombres ignorados.

Así que, sin saber más que lo que él podía tolerar, pero habiendo descubierto en algún momento de su navegación lo que había estado buscando desde la ventana carcelaria de Petrus frente a la plaza del Fundador, llegó a Puerto Astillero cuando una raya de luz verdosa se oscurecía en el horizonte. Entró en lo de Belgrano para fortalecerse con la sensación de orden que dan las etapas, para lavarse y tomar un trago, para hacer creer al patrón que no era un fantasma.

Subió a su cuarto y, tembloroso y cobarde por el frío, fue en mangas de camisa a lavarse a la pileta del corredor, sin necesidad de luz, tanteando para guiarse. No había nada en la noche aparte del ruido alegre del agua. Levantó la cabeza para secarse y sintió el aire mordiendo y enrarecido; estuvo buscando la luna pero no encontró más que la plata tímida del resplandor. Fue entonces que aceptó sin reparos la convicción de estar muerto. Estuvo con el vientre apoyado en la pileta, terminando de secarse los dedos y la nuca, curioso pero en paz, despreocupado de fechas, adivinando las cosas que haría para ocupar el tiempo hasta el final, hasta el día remoto en que su muerte dejara de ser un suceso privado.

Había terminado de vestirse, estaba harto de examinar el revólver, de quebrarle el lomo, de hacer rodar frente a un ojo el tambor vacío, de pasar revista a las balas sobre la mesa como a una patrulla. Estaba vestido y peinado, bien limpio en las partes que no cubría la ropa, perfumado y sin barba, con un codo en la mesa y alzando un cigarrillo que chupaba sin absorber el humo. Estaba solo y aterido en el centro de la pieza ridículamente chica que la escasez de muebles hacía casi normal. Estaba desprovisto de pasado y sabiendo que los actos que construirían el inevitable futuro podían ser cumplidos, indistintamente, por él o por otro. Estaba feliz y esta felicidad era inservible, cuando el mucamo pidió permiso para entrar.

Larsen no se movió para mirarlo; conocía de memoria la frente estrecha, el pelo duro y negro, el aire quieto y alerta de la cara.

—Me pareció oír que llamaba. ¿Cómo le fue en todo este tiempo? Andaban diciendo que no volvía. Venía a preguntarle si come acá. Llegó la lancha con carne fresca.

El muchacho se movía golpeando con un trapo la mesita de noche, la repisa con el despertador; se acercó para quitar el polvo de los bordes de la mesa.

—Mirá —dijo Larsen—. No pienso comer nada de la basura que preparan aquí.

—Hace bien —repuso el muchacho con entusiasmo—. Pero la carne es fresca. Qué me puede importar que coma o no —se agachó para pasar el trapo por una pata de la mesa, se incorporó sonriente, sin mirar a Larsen.

—Mirá —repitió Larsen; de pronto dejó caer el cigarrillo al suelo y ladeó la cabeza para mirar con asombro al mucamo—. ¿Qué estás haciendo aquí? Quiero decir, qué esperás quedándote aquí en Puerto Astillero, en este sucio rincón del mundo.

El muchacho no le hizo caso, no pareció creer que le hablaran a él. Recostó la cadera en la mesa y fue alzando lentamente hasta su cara el trapo inmundo que usaba como limpiador, pañuelo y servilleta; tomándolo de los bordes con los índices y los pulgares lo hizo girar frente a su sonrisa de dientes blanquísimos.

—Puedo preguntarle lo mismo. Con más razón. ¿Qué espera aquí? Ya pasó mucho tiempo y no se cumple nada de lo que esperaba. Me parece a mí.

—Ah —dijo Larsen, y empezó a frotarse las manos.

El muchacho se apartó de la mesa y giró dos pasos de baile con el trapo en alto.

—Ahora no más me pega el grito esa vieja estúpida.

—Ah —insistió Larsen; alzaba, un poco torcida, una cara de meditación y estima. Necesitaba un pequeño hecho infame, como se necesita un tónico o un vaso de alcohol—. De modo que no querés entender. Traeme talco y lustrame los zapatos.

Siempre bailando, el muchacho fue hasta el ropero y sacó una lata ovalada con flores azules sobre un fresco fondo amarillo. De rodillas, espolvoreando los zapatos que Larsen le alargaba indolente, frotándolos después con el trapo, sólo mostraba el pelo brilloso, la estropeada chaqueta blanca que exhibía lanas por las roturas.

—Así que no querés entender, hijito —dijo Larsen con lentitud, sonoramente, para que las palabras duraran.

Esperó a que el otro guardara el talco y cerrara la puerta del ropero. Entonces se acercó, despacio, seguro de la espera del muchacho, y le tomó la cara por las mejillas con una mano. Lo sacudió suavemente y lo soltó. El muchacho no se movía; desviando los ojos, abría y plegaba el trapo a la altura de un hombro.

—Ahí tenés, para explicarte, para que no tengas más remedio que entender —dijo Larsen con voz pausada, con hastío—. Te estuvo tocando la cara un hombre de bien. Tenelo en cuenta. Pero yo conocí a uno que era como vos, hasta parecido físico tenía, que vendía flores en la madrugada, en la calle Corrientes, allá en otro mundo que no conocés, flores para artistas, reas y mantenidas. Se especializaba en violetas, recuerdo. Y después de años que anduve sin circular, llego una noche a un cafetín, estoy acompañado en una mesa y el muchacho se me acerca con la canasta de violetas. Y dos vigilantes que van al fondo para cobrarse la copa, uno que sale y otro que entra, lo manotean al pasar riéndose. No sé si entendés lo que te quiero decir. Te estoy hablando como un padre. Se me ocurre que esto que te conté es lo último que le puede pasar a un tipo.

Fue hasta la mesa para recoger el sombrero y se lo puso frente al espejo, tratando de silbar un tango viejo del que no recordaba ni el nombre ni la historia. El muchacho se había corrido hasta la cama, y, dándole la espalda, limpiaba otra vez el marco de la ventana con el trapo enroscado.

—Es así —dijo Larsen con melancolía. Se desprendió el sobretodo, sacó la cartera y estuvo contando cinco billetes de diez pesos que puso sobre la mesa—. Ahí tenés. Cincuenta pesos que te regalo. Lo que te debo es aparte. Pero no le digas al patrón que ando regalando dinero.

—Bueno, gracias —dijo el muchacho acercándose—. Así que no

come con nosotros. Tengo que avisar. —La voz era ahora más aguda e insolente, jadeante.

—Hace unos años te hubiera roto el alma en vez de aconsejarte. ¿Te acordás de lo que estuve contando? Se había acercado con los ramitos de violetas; era también un invierno. Y cuando los vigilantes lo tocaron, no podía disimular porque todo el mundo lo había visto y no podía enojarse porque la autoridad es la autoridad. Así que hizo la cosa más triste de este mundo; nos mostró una sonrisa que ojalá Dios no permita que tengas nunca en la cara.

—Sí —contestó el muchacho, parpadeando, casi alegre. Había extendido la servilleta sobre la mesa y apoyaba encima las manos; la cara morena se había aniñado y los ojos oblicuos, la boca entreabierta, mostraba, rodeando el ensueño, una leve desconfianza, un intimidado deseo de hacer preguntas—. ¿Piensa volver muy tarde? Por si quiere que le guarde algo para comer. Escuche, me olvidaba. Trajeron esto para usted. Ayer, creo —se encogió para escarbar en el bolsillo del pantalón mugriento, extrajo un sobre cuarteado y abierto.

Larsen leyó el papelito lila: «Lo vamos a esperar para comer arriba con Josefina a las ocho y media. Pero venga antes. Su amiguita A. I.».

—¿Buenas noticias? —preguntó el mucamo.

Larsen salió sin contestar ni volver a mirarlo: no quiso, abajo, tomar la copa con el patrón y entró velozmente en el frío de la calle. Dobló a la derecha y se metió en el camino, en la calle ancha limitada por árboles desnudos, sin luna aún, con sólo un vago resplandor blancuzco que simulaba guiarlo. Caminaba sin pensar, una cuadra y otra; porque no era un pensamiento la imagen de sí mismo trotando, no sólo hacia la quinta, hacia la campana sombría y helada de la glorieta, hacia el jardín con las manchas de tiza de las estatuas, los senderos conquistados por la maleza, los canteros con estacas y troncos secos. Marchando también a través del frío hacia el mismo corazón de la casa alzada más arriba de todo nivel posible de creciente. Hacia la gran sala con el calor y la vertiginosa alharaca de las llamas en la chimenea; hacia el más viejo y respetado de los sillones, el que sólo había soportado el cuerpo de Petrus, o el de la madre muerta, o el de la tía de nombre impronunciable, también difunta.

Trotando, viéndose trotar hacia el centro mismo de una habitación cálida, limpia y ordenada, de una escena que él presidiría, con orgullo y naturalidad, mientras iba reconociendo, sobre todo al principio, los errores cometidos al imaginarla, y planeaba los cambios que introduciría para satisfacer la necesidad histórica de dejar señalado el comienzo de una nueva época, de su particular estilo.

Hizo sonar la campana y esperó, mientras miraba desprenderse de la sombra de los árboles el borde de la luna, salida de atrás de alguna parva o de algún caserón carcomido en la región nunca hollada de las granjas. Después, como en los cuentos mágicos, de los que sólo podía recordar una sensación dichosa de obstáculos sucesivamente superados, pasó a través de los portones, cruzó frente a la mujer callada, Josefina, que no contestó su saludo, se liberó de los saltos del perro, y trató de hacer sonar los tacos en la grava de la senda sinuosa, esquivando las ramas que le buscaban la cara, empeñándose en convertir en bienvenida las formas blancas donde se reflejaba la luna y el olor elegíaco de la cisterna.

Llegó a la entrada de la glorieta y se detuvo, los pasos de la mujer y la respiración del perro a sus espaldas.

—No lo esperábamos —dijo Josefina; hizo un ruido impaciente, una lejana alusión a la risa—. El señor desaparece sin avisar, no avisa tampoco cuando vuelve.

Larsen continuó frente a la forma ojival de la entrada de la glorieta, mirando la piedra de la mesa y los asientos, con las manos en los bolsillos, un poco torcido el cuerpo, aguardando a que la luna trepara un poco más por encima de su hombro derecho.

—Es tarde —dijo la mujer—. No sé cómo bajé a abrirle.

Larsen acarició en el bolsillo el mensaje de Angélica Inés, pero no lo sacó. Dos ventanas doradas brillaban en la casa.

—Venga, si quiere, mañana. Ahora es muy tarde. —Él conocía aquel tono de provocación y espera.

—Avisale que estoy. Me mandó una carta invitándome a comer en la casa.

—Ya sé. Hace tres días. La llevé yo misma al Belgrano. Pero ahora está acostada y enferma.

—No importa. Tuve que ir a Santa María porque me llamó el señor Petrus. Decíle que le traigo noticias del padre. Aunque sea unos minutos; tengo que hablar con ella.

La mujer repitió el sonido que recordaba una risa. Larsen, con la cabeza echada hacia atrás, miraba las luces de la casa, se empeñaba en anular el tiempo que lo separaba del momento de pisar lo que era suyo, de acomodarse al lado del fuego en un alto sillón de madera, por fin de regreso.

—Está enferma, le digo. No puede bajar y usted no puede subir. Es mejor que se vaya porque tengo que cerrar.

Entonces Larsen se volvió lentamente, dudoso, excitando el odio. Vio a la mujer, pequeña, con la cara llena de luna, que le sonreía sin separar los labios.

—Se me hacía que no iba a volver más —murmuró ella.

—Traigo un mensaje del padre. Algo de verdadera importancia. ¿Subimos?

La mujer avanzó un paso y esperó a que las palabras y, un segundo después, su significado, murieran endurecidos, se disolvieran como sombras en el aire blanco. Después se puso a reír de verdad, sofocada y desafiante. Larsen comprendió: tal vez no él mismo: su memoria, lo que había permanecido arrinconado y vivo en él. Alargó una mano, rozó con el dorso la garganta de la mujer y después la dejó quieta y pesada sobre un hombro. Oyó que el perro gruñía y se levantaba.

—Está enferma y ya debe dormir —dijo Josefina. Se movió apenas, cuidando no espantar la mano, obligándola a aumentar su peso—. ¿No quiere irse? ¿No tiene frío ahí fuera?

—Hace frío —aceptó Larsen.

Ella, siempre sonriendo, entornados los pequeños ojos brillantes, acarició al perro para tranquilizarlo. Se acercó a Larsen, transportando la mano en el hombro, tan seguramente como si la llevara sujeta. Hasta que él se inclinó un poco para besarla, recordando imprecisamente, reconociendo con los labios un ardor y una paz.

—Imbécil —dijo ella—. Todo este tiempo. Imbécil.

Larsen movió complacido la cabeza. Le miraba, como en un reencuentro, los ojos cínicos y chispeantes, la gran boca ordinaria que mostraba ahora los dientes a la luna. Balanceando la cabeza, la mujer midió con asombro y regocijo la estupidez de los hombres, el absurdo de la vida, y volvió a besarlo.

Conducido por su mano, Larsen franqueó el límite que marcaba la glorieta en el centro del jardín, anduvo casi tocando la desnudez de las estatuas, conoció olores nuevos de plantas, de humedades, del horno para pan, de la enorme pajarera susurrante. Llegó a pisar las baldosas del piso de la casa, bajo la alta superficie de cemento que separaba las habitaciones de la tierra y el agua. El dormitorio de la mujer, Josefina, estaba allí mismo, al nivel del jardín.

Larsen sonrió en la penumbra. «Nosotros los pobres», pensó con placidez. Ella encendió la luz, lo hizo entrar y le quitó el sombrero. Larsen no quiso mirar el cuarto mientras ella iba y venía, ordenando cosas o escondiéndolas; quedó de pie, sintiendo en la cara el viejo, olvidado fulgor de la juventud, incapaz de contener la también antigua, torpe y sucia sonrisa, alisándose sobre la frente el escaso mechón de pelo grisáceo.

—Ponéte cómodo —dijo ella con voz tranquila, sin mirarlo—. Voy a ver si quiere algo y vuelvo. La loca.

Salió apresurada y cerró la puerta sin ruido. Entonces Larsen sintió que todo el frío de que había estado impregnándose durante la jornada y a lo largo de aquel absorto y definitivo invierno vivido en el astillero acababa de llegarle al esqueleto y segregaba desde allí, para todo paraje que él habitara, un eterno clima de hielo. Hizo aumentar su sonrisa y su olvido; con furor y entusiasmo se puso a examinar el cuarto de la sirvienta. Se movía rápidamente, tocando algunas cosas, alzando otras para mirarlas mejor, con una sensación de consuelo que compensaba la tristeza, olisqueando el aire de la tierra natal antes de morir. Allí estaban, otra vez, la cama de metal con los barrotes flojos que tintinearían con las embestidas; la palangana y su jarra de loza verde, hinchando el relieve de las anchas hojas acuáticas; el espejo rodeado por tules rígidos y amarillentos; las estampas de vírgenes y santos, las fotografías de cómicos y cantores, la ampliación a lápiz, en un grueso marco ovalado, de una vieja muerta. Y el olor, la mezcla que nunca podría ser desalojada, de encierro, mujer, frituras, polvos y perfumes, del corte de tela barata guardado en el armario.

Y cuando ella volvió, con dos botellas de vino claro y un vaso y cerró suspirando la puerta con la pierna para separarlo a él del frío mayor de la intemperie, de las uñas y los gemidos del perro, de tantos años gastados en el error, Larsen sintió que recién ahora había llegado de verdad el momento en que correspondía tener miedo. Pensó que lo habían hecho volver a él mismo, a la corta verdad que había sido en la adolescencia. Estaba otra vez en la primera juventud, en una habitación que podía ser suya o de su madre, con una mujer que era su igual. Podía casarse con ella, pegarle o marcharse; y cualquier cosa que hiciera no alteraría la sensación de fraternidad, el vínculo profundo y espeso.

—Hiciste bien, dame un trago —dijo, y aceptó entonces sentarse en el borde de la cama.

Bebió con ella del único vaso y trató de emborracharla mientras oponía al torrente de mentiras, preguntas y reproches, tantas veces oído, la sonrisa distraída y altiva que le habían permitido usar por unas horas. Después dijo: «Vos te callás», y apartó cuidadoso la jarra con hojas y flores para quemar en la palangana el salvoconducto a la felicidad que le había firmado el viejo Petrus.

No quiso enterarse de la mujer que dormía en el piso de arriba, en la tierra que él se había prometido. Se hizo desnudar y continuó exigiendo el silencio durante toda la noche, mientras reconocía la hermandad de la carne y de la sencillez ansiosa de la mujer.

Se despidió de madrugada y silabeó todos los juramentos que le fueron requeridos. Llevándola del brazo, flanqueado por ella y por el perro, recorrió hacia el portón el increíble silencio ya sin luna y no quiso volverse, ni antes ni después del beso, para mirar la forma de la casa inaccesible. Al final de la avenida, dobló hacia la derecha y se puso a caminar en dirección al astillero. Ya no era, en aquella hora, en aquella circunstancia, Larsen ni nadie. Estar con la mujer había sido una visita al pasado, una entrevista lograda en una sesión de espiritismo, una sonrisa, un consuelo, una niebla que cualquier otro podría haber conocido en su lugar.

Caminó hasta el astillero para mirar el enorme cubo oscuro, por mandato; hizo un rodeo para husmear silencioso la casilla donde había vivido Gálvez con su mujer. Olió las brasas de la leña de eucalipto, pisoteó huellas de tareas, se fue agachando hasta sentarse en un cajón y encendió un cigarrillo. Ahora estaba encogido, inmóvil en la parte más alta del mundo y tenía la conciencia en el centro de la perfecta soledad que había supuesto, y casi deseado, tantas veces en años remotos.

Primero oyó el rumor; vio en seguida la luz amarillenta, aguda, en las hendijas geométricas de la casilla. El ruido fue al principio una ciega, aguda protesta de cachorros; después, a medida que él iba cometiendo el error de enterarse, se hizo humano, casi comprensible, imprecatorio. Tal vez la luz siniestra le dijera más que el grito sofocado e incesante; cerró los ojos para no verla y continuó fumando hasta que le ardieron los dedos. Él, alguno, hecho un montón en el tope de la noche helada, tratando de no ser, de convertir su soledad en ausencia.

Se alzó dolorido y fue arrastrando los pies hacia la casilla. Se empinó hasta alcanzar el agujero serruchado con limpieza que llamaban ventana y que cubrían en parte vidrios, cartones y trapos.

Vio a la mujer en la cama, semidesnuda, sangrante, forcejeando, con los dedos clavados en la cabeza que movía con furia y a compás. Vio la rotunda barriga asombrosa, distinguió los rápidos brillos de los ojos de vidrio y de los dientes apretados. Sólo al rato comprendió y pudo imaginar la trampa. Temblando de miedo y asco se apartó de la ventana y se puso en marcha hacia la costa. Cruzó, casi corriendo, embarrado, frente al Belgrano dormido, alcanzó unos minutos después el muelle de tablas y se puso a respirar con lágrimas el olor de la vegetación invisible, de maderas y charcos podridos.

Los lancheros lo despertaron antes del amanecer debajo del cartel *Puerto Astillero*. Averiguó que iban hacia el norte y le aceptaron sin esfuerzo el reloj en pago del pasaje. Acurrucado en la popa se dispuso a esperar que los hombres terminaran la carga. Se levantaba el día cuando encendieron el motor y gritaron frases de despedida. Perdido en el sobretodo, ansioso y enfriado, Larsen imaginaba un paisaje soleado en el que Josefina jugaba con el perro; un saludo lánguido y altísimo de la hija de Petrus. Cuando pudo ver se miró las manos; contemplaba la formación de arrugas, la rapidez con que se iban hinchando las venas. Hizo un esfuerzo para torcer la cabeza y estuvo mirando —mientras la lancha arrancaba y corría inclinada y sinuosa hacia el centro del río— la ruina veloz del astillero, el silencioso derrumbe de las paredes. Sorda al estrépito de la embarcación, su colgante oreja pudo discernir aún el susurro del musgo creciendo en los montones de ladrillos y el del orín devorando el hierro.

(O mejor, los lancheros lo encontraron, pisándolo casi, encogido, negro, con la cabeza que tocaba las rodillas protegidas por el untuoso prestigio del sombrero, empapado por el rocío, delirando. Explicó con grosería que necesitaba escapar, manoteó aterrorizado el revólver y le rompieron la boca. Alguno después tuvo lástima y lo levantaron del barro; le dieron un trago de caña, risas y palmadas, fingieron limpiarle la ropa, el uniforme sombrío, raído por la adversidad, tirante por la gordura. Eran tres, los lancheros, y sus nombres constan; estuvieron atravesando el frío de la madrugada, moviéndose sin apuros ni errores entre el barco y el pequeño galpón de mercaderías, cargando cosas, insultándose con amansada paciencia. Larsen les ofreció el reloj y lo admiraron sin aceptarlo. Tratando de no humillarlo, lo ayudaron a trepar y acomodarse en la banqueta de popa. Mientras la lancha temblaba sacudida por el motor, Larsen, abrigado con las bolsas secas que le tiraron, pudo imaginar en detalle la destrucción del edificio del astillero, escuchar el siseo de la ruina y del abatimiento. Pero lo más difícil de sufrir debe haber sido el inconfundible aire caprichoso de setiembre, el primer adelgazado olor de la primavera que se deslizaba incontenible por las fisuras del invierno decrépito. Lo respiraba lamiéndose la sangre del labio partido a medida que la lancha empinada remontaba el río. Murió de pulmonía en El Rosario, antes de que terminara la semana, y en los libros del hospital figura completo su nombre verdadero.)

ÍNDICE